La Découverte d'Aurélie

Claire Pontbriand

la découverte
d'Aurélie

LES INTOUCHABLES

Les Éditions des Intouchables bénéficient du soutien financier de la SODEC, du Programme de crédits d'impôt du gouvernement du Québec, du PADIÉ et sont inscrites au Programme de subvention globale du Conseil des Arts du Canada.

LES ÉDITIONS DES INTOUCHABLES
1463, boulevard Saint-Joseph Est
Montréal, Québec
H2J 1M6
Téléphone: (514) 526-0770
Télécopieur: (514) 529-7780
info@lesintouchables.com
www.lesintouchables.com

DISTRIBUTION: PROLOGUE
1650, boulevard Lionel-Bertrand
Boisbriand, Québec
J7H 1N7
Téléphone: (450) 434-0306
Télécopieur: (450) 434-2627

Impression: Scabrini Media
Maquette de la couverture: Lucie Beaulieu St-Laurent
Photo de la 4e de couverture: Patrice Bériault
Illustration de la couverture: Isabelle Arsenault
Infographie: Benoît Desroches

Dépôt légal: 2004
Bibliothèque nationale du Québec
Bibliothèque nationale du Canada

ISBN 2-89549-112-7

À mes parents bien-aimés
Jeannine Paul-Hus et Donatien Pontbriand

Le manoir se détachait parmi les arbres nus du parc. Privé de son camouflage, il semblait presque vulnérable, se dévoilant ainsi dans le paysage automnal. Les ardoises rouges de la toiture se découpaient sur le ciel, et les nombreuses fenêtres reflétaient le bleu de l'eau. Aurélie, bien emmitouflée, fixait les eaux du fleuve à la recherche de ses souvenirs. Elle était si contente d'avoir Lorraine à ses côtés! Mais il lui fallait raconter, encore et encore, pour ne pas perdre sa compagnie. Le froid était devenu mordant et la photographe avait caché son appareil sous son manteau. Elle le sortit pour prendre le profil de la vieille dame se détachant sur les bleus froids du ciel et du fleuve. Un cargo lourdement chargé de containers multicolores passa devant elles. Aurélie frissonna.

— Et si on rentrait? J'ai besoin d'un peu de chaleur pour te raconter la suite de mon histoire. J'ai fait ce voyage en mai. Et il faisait chaud, parfois très chaud, car on avait peur qu'un sous-marin allemand égaré ne coule le paquebot, tout civil qu'il soit. On parlait aussi de mines flottantes à la dérive. L'Atlantique Nord a toujours été dangereux, mais je l'ai trouvé plus effrayant en voyageant seule.

Les deux femmes se dirigèrent vers le manoir. Lorraine était simplement heureuse d'être là. Cette sorte de petit bonheur avait été trop rare dans sa vie durant la dernière année. Elle mesurait tous les effets de sa réclusion volontaire. À veiller sa mère malade jour et nuit, elle s'était coupée du monde sans se rendre compte à quel point cela l'affectait. Et puis, quelle joie d'entendre Aurélie lui dire qu'elle l'accompagnerait chez le notaire et se ferait passer pour Jeanne, sa mère! Lorraine connaîtrait enfin l'identité de cet homme qui avait remis à un notaire une lettre adressée à sa mère. Peut-être était-il l'amoureux secret qui avait aussi offert à Jeanne cette bague ornée de saphirs et cette broche en or que Lorraine et son frère avaient retrouvées cachées dans des boîtes? Cette hypothèse lui avait insufflé à nouveau le goût de l'aventure. Après tout, n'était-ce pas pour ça qu'elle avait parcouru le monde, appareils photos en bandoulière, depuis des années? L'aventure humaine la passionnait et elle l'avait mise de côté pour regarder Jeanne s'éteindre à petit feu. Le temps était venu de tourner la page. Ce travail consistant à photographier la demeure d'Aurélie serait bientôt terminé, et Lorraine pourrait repartir à la conquête du monde pour le capturer dans sa lentille et en témoigner. Elle regarda le manoir, solide avec toutes ses histoires, son passé mouvementé et son présent bien paisible. Cette étrange maison commençait à la fasciner, elle qui n'aimait pourtant photographier que les personnages.

Simone, en bonne dame de compagnie, les accueillit avec du thé au jasmin fumant et elle s'assit avec elles dans la salle de séjour de la tour est. Elle ne se cachait même plus pour écouter sa patronne raconter sa vie. Après avoir vécu à ses côtés pendant plus de vingt ans, elle la découvrait sous un autre jour: la femme solide, volontaire et entêtée avait cédé la place à une femme follement éprise, prête à affronter la mer et la guerre pour revoir l'homme aimé. Simone était impatiente de savoir si elle l'avait retrouvé, et ce qui s'était passé ensuite. Et puis Lorraine, avec ses énigmatiques histoires de bijoux, commençait à l'intéresser. Sans parler de son frère Martin. Simone se surprenait à penser à lui de plus en plus souvent. N'ayant pas donné suite à son invitation d'aller prendre un verre avec lui, elle se disait que plus le temps passait, plus il lui serait difficile de l'appeler. Elle ne savait pas trop pourquoi elle attendait. La peur d'un refus, ou simplement les dix ans qui les séparaient. À voir les yeux d'Aurélie s'illuminer au souvenir de Laurent, Simone se disait que l'amour n'avait pourtant pas d'âge.

La mer était grise. Les nuages bas s'étiraient sur un ciel sans couleurs. Aurélie ne sortait presque plus sur le pont du navire. Il y avait trop de passagers armés de jumelles, penchés au-dessus du bastingage pour examiner les eaux, à l'affût d'une mine ou un morceau d'épave. Des destroyers et des corvettes croisaient parfois le paquebot. Les passagers saluaient les marins en leur faisant de grands signes de la main. Aurélie avait l'impression que le bateau avançait à peine sur l'immensité de cet océan qui la séparait de Laurent. Les jours se suivaient, routiniers, entre sa cabine, le salon des passagers et la salle à manger. Un journaliste américain venait souvent lui tenir compagnie. Il en était à son troisième voyage en Angleterre depuis le début de la guerre. Il avait vu Londres sous les bombardements, la Normandie après le débarquement, et il allait maintenant observer ce qui se passait en Allemagne en cette fin de guerre, parler de ruines et de reconstruction. Il racontait volontiers ce qu'il avait vu, et ces récits accablaient Aurélie, parfois. Il vantait alors le courage des Britanniques et des Français sous l'Occupation pour lui redonner espoir.

La jeune femme lui parla de Laurent, des recherches qu'elle faisait pour le retrouver. Le journaliste se passionna pour cette histoire d'amour qui avait commencé un an avant la guerre, alors qu'Aurélie n'avait que seize ans. Le silence de plusieurs années d'occupation n'avait pas entamé son espoir de retracer un ingénieur spécialisé en armement, sans doute déporté pour travailler en Allemagne. Tom Shawn n'osa pas évoquer les résistants fusillés, déjà qu'Aurélie avait tiqué en entendant le mot «déportation». Elle continuait de croire que Laurent vivait encore au Creusot, enfin libéré des Allemands. Tom essaya de la réconforter en lui disant que des travailleurs français rentraient d'Allemagne quotidiennement. Il lui donna le nom et l'adresse d'un correspondant français installé à Dijon et qui pourrait peut-être l'aider dans ses recherches. Il nota aussi l'adresse de son journal. Il désirait suivre cette histoire, en faire un papier pour encourager les lecteurs et les lectrices qui se trouvaient dans une situation similaire. La guerre avait séparé tellement de gens qui ne demandaient qu'à se retrouver. Aurélie le remercia; elle avait bien besoin d'alliés dans cette quête.

La veille de leur arrivée en Angleterre, le capitaine se leva et demanda l'attention des passagers attablés dans la salle à manger. Le silence se fit rapidement; les bruits de couverts et de mastication cessèrent. Le capitaine annonça alors la signature de l'armistice à Berlin, le 8 mai 1945. Des cris de joie fusèrent dans la salle. On ouvrit des bouteilles de champagne. Tout le monde se mit à chanter. La guerre était donc bel et bien terminée. Depuis le suicide de Hitler, une semaine auparavant, on savait que l'Allemagne était définitivement vaincue, mais cette nouvelle en apportait la confirmation. Aurélie souriait, des larmes perlant à ses yeux.

Londres était méconnaissable. Aurélie l'avait connue sous la pluie, dans la peur de la guerre imminente, mais encore intacte. Les raids allemands avaient causé de lourds dommages. La ville gardait encore un air de destruction. Les militaires étaient nombreux. Les uniformes variaient, britanniques, américains, australiens, écossais, canadiens, mais, partout, on pouvait sentir le même soulagement que tout cela soit enfin terminé. Aurélie demanda au chauffeur de taxi de faire un détour par la rue Hugh avant de se rendre à son hôtel. La petite rue derrière la gare Victoria n'avait pas été épargnée non plus. Aurélie fut ravie de voir que la façade du petit hôtel, qui avait abrité ses trop courts moments dans les bras de Laurent, se faisait repeindre.

Dès qu'elle arriva au Mayfair, Aurélie téléphona à William Asbury. Elle ne parvint pas à le joindre. Il n'était plus sous-ministre, mais il hantait toujours les couloirs du Parlement. Elle laissa des messages à différents bureaux et alla prendre un bain chaud. Elle revoyait sa mère couchée dans la chambre de cet hôtel, grippée. Ariane n'avait jamais soupçonné que sa fille avait passé un après-midi dans un petit hôtel minable avec Laurent. Même son père, Edmond, ne s'était douté de rien, trop heureux d'annoncer qu'il aurait les fameux contrats d'armement.

Aurélie se demandait comment réagirait Laurent en la voyant. Elle avait hâte de le retrouver tout en ayant peur de sa réaction. S'il était blessé, invalide, s'il avait été torturé par la Gestapo, s'il était devenu amnésique... La jeune femme glissa sa tête sous l'eau pour faire cesser ses visions horribles, se répétant qu'il était vivant, entier, secoué, mais soulagé de la fin de cette guerre meurtrière.

William la rappela en fin de journée et l'invita à dîner. Il était content de rencontrer enfin la fille de son ami Edmond Savard, cet homme qui lui avait fait connaître des émotions et des plaisirs dont il se garda bien de parler à Aurélie. Il lui demanda des nouvelles de ses parents et de son oncle, heureux que la guerre ait été pour eux une source de prospérité. Les Savard avaient équipé la marine canadienne et britannique en corvettes, balayeurs de mines et canons navals pendant que l'armée alliée utilisait sur plusieurs fronts les canons de vingt-cinq livres fabriqués par Sorel Industries.

Aurélie sentait que William était triste mais, ne le connaissant pas assez, elle n'osa pas lui poser de questions. Il la regardait, admirant sa jeunesse, ses yeux bleus, son sourire. Elle arrivait dans un pays durement éprouvé par la guerre avec une fraîcheur presque insolente et une détermination qui portait un peu à sourire. Rechercher l'homme de sa vie! Combien d'Anglaises le faisaient chaque jour en regardant débarquer du train les soldats blessés, les prisonniers libérés, les hommes hagards et meurtris dont les yeux avaient vu trop d'horreurs? Il avait envie de lui dire qu'elle allait au-devant d'un terrible cauchemar, mais il se retint. Il ne voulait pas briser un rêve, simplement se reposer un peu en la regardant sourire, en lui demandant de lui parler de son manoir et de ses bonnes œuvres. Aurélie obéissait. Comprenant que cet homme triste avait besoin de distraction, elle se fit plus joyeuse encore.

Le repas terminé, William lui proposa d'aller la reconduire à son hôtel. Il avait envie de marcher. Aurélie s'enhardit à lui demander la cause de sa tristesse. La guerre n'était-elle pas terminée? William énuméra lentement les noms des gens que la mort lui avait pris: son jeune frère, au front; sa femme, dans un bombardement à Londres; sa fille, noyée quand le bateau la conduisant à l'abri, au Canada, avait été coulé. Il lui restait son fils qui habitait avec sa grand-mère en Écosse. Puis il se tut. Aurélie écoutait le bruit régulier de leurs pas sur le trottoir, les rires et la musique qui parvenaient parfois des boîtes de nuit, les bottes des militaires qui claquaient, les talons hauts des femmes qui cliquetaient.

Arrivé devant l'hôtel Mayfair, William sortit de la poche de son veston une enveloppe contenant des lettres de recommandation destinées à différents officiers de l'armée britannique. Il la tendit à Aurélie en précisant qu'elles lui seraient de peu d'utilité, les Américains étant plus nombreux que les Britanniques en territoire français. Il ajouta en souriant que la guerre anglo-française ne se terminerait peut-être jamais, et il lui souhaita la meilleure des chances. Il prit sa main et y déposa un baiser. Aurélie effleura sa joue de ses lèvres en lui disant de ne pas désespérer. Après avoir enterré ses morts, il fallait se tourner de nouveau vers la vie. Il la regarda disparaître dans le hall de l'hôtel. La jeune femme avait réussi à accélérer ses battements cardiaques. Il était donc encore vivant. Cette nouvelle le réjouit.

Aurélie avait décidé de prendre le ferry tôt le matin. Le brouillard ne s'était pas encore dissipé quand elle arriva à Southampton. Il y avait peu de civils qui embarquaient pour la France. Les soldats étaient partout. Certains revenaient en permission, le sourire aux lèvres; d'autres montaient à bord de bâtiments militaires, le regard sérieux. Elle vit débarquer du ferry des hommes, des femmes et des enfants maigres, au regard perdu, poudrés de désinfectant, des ballots de linge sous le bras. Des femmes portant un brassard blanc orné d'une croix rouge les accueillaient et les guidaient vers les postes d'immigration. Ils faisaient la file en silence, serrés les uns contre les autres comme s'ils avaient toujours vécu ainsi. Aurélie détonnait avec sa bonne mine, ses vêtements neufs, ses souliers solides. Des militaires la sifflaient au passage. Impatiente d'être à bord, d'être de l'autre côté de la Manche, elle accéléra le pas.

La traversée fut sans histoire, grise et houleuse. Le Havre apparut. L'armistice avait peut-être été signé, mais les dégâts causés par la guerre étaient toujours présents. Partout, des gravats, des murs effondrés, des ruines. Les rues avaient été déblayées, le réseau ferroviaire fonctionnait, mais la vision de toutes ces habitations réduites à néant n'avait rien de réjouissant. Aurélie se rendit à la gare avec sa petite valise, heureuse d'avoir résisté à la tentation d'emporter beaucoup de vêtements pour ne pas s'encombrer de nombreux bagages.

La gare était bondée et un indescriptible désordre y régnait. Les trains avaient du retard, quand ils n'étaient pas simplement annulés. Aurélie entendait les gens se plaindre autour d'elle. Elle réussit à trouver une place dans un wagon pour atteindre Paris. Après avoir quitté la gare, le train s'arrêta deux fois en rase campagne, permettant à ses passagers d'admirer un paysage plus bucolique que celui des villes sinistrées. Il fit ensuite un arrêt à la gare de Rouen. L'attente fut longue. Peu de gens avaient débarqué et il n'y avait plus de place pour les nouveaux arrivants. Aurélie resta assise sur la banquette. Le rebord de sa valise, appuyée derrière ses mollets, commençait à lui faire mal, mais elle n'osait pas bouger. Elle croisa le regard d'une femme qui venait d'entrer. La jeune femme, à peine plus âgée qu'elle, lui sourit. Aurélie se serra davantage pour lui faire une petite place. Violette lui tendit la main et se présenta. Aurélie pensa à sa tante Violette bien loin de tout ça dans son immense manoir de Westmount. Violette retournait chez elle, à Paris, après avoir visité de la famille qui habitait Rouen.

— Vous venez d'où, bien habillée comme ça?

— Du Canada.

Aussitôt, les autres passagers se tournèrent vers elle. Une Canadienne! Ils avaient vu des Canadiens parachutés chez eux et se rappelaient les morts de Dieppe, pas très loin dans leur mémoire. Chacun y alla de son commentaire. Aurélie avait l'impression qu'ils avaient tous connu personnellement un soldat canadien. Le train se remit enfin en marche. Les occupants du compartiment poussèrent un soupir de soulagement et retournèrent à leurs affaires. Violette demanda à Aurélie ce qu'elle venait faire dans un pays qui avait du mal à se remettre de cinq longues années d'occupation et de privation. Aurélie résuma ses intentions de retrouver Laurent. Elle se rendait compte qu'elle devrait répéter cette histoire à beaucoup de gens. Violette trouva cela très romantique. Elle avait vécu à Paris pendant toute l'occupation allemande. Aurélie la questionna à son tour. Violette regarda par la fenêtre et fixa l'horizon tout en parlant d'une voix neutre.

— Le 13 juin, on n'y croyait pas encore. Les Boches aux portes de la capitale! Ça ne pouvait être que des bobards! Il pleuvait une pluie noire, tachant les vêtements et les parapluies à jamais. Les citernes de carburant, autour de Paris, étaient en feu. Je me reverrai jusqu'à mon dernier jour, seule sur le trottoir du boulevard Haussmann le lendemain, à huit heures du matin, me rendant à mon bureau. Ils défilaient, impeccables, regardant droit devant eux, ignorant tout; à midi, ils défilaient; le soir, ils défilaient… le lendemain, le surlendemain. Et avec horreur, nous les regardions… Tout Paris était envahi. La pénurie s'installait, s'aggravant chaque jour davantage. On avait faim, on avait froid, on allait ramasser les feuilles mortes, le bois mort qu'on brûlait dans des poêles de fortune fabriqués avec des vieilles boîtes de conserve. Le marché noir voyait le jour. Des collègues ont vendu leurs alliances pour acheter de la nourriture. Les faux tickets se vendaient à prix d'or. Mais Paris était toujours Paris. Les Parisiennes élégantes faisaient des miracles. On retournait nos robes et nos manteaux, l'envers étant moins usé que l'endroit. Avec plusieurs vieux sacs à main, on en faisait un grand. On enduisait nos jambes de pâte donnant l'impression qu'on avait des bas, et on traçait une ligne sombre imitant la couture. On affrontait ainsi sans complexe les souris grises.

— Les souris grises?

— C'étaient les femmes soldats en uniforme. Les théâtres, les cinémas et les cabarets montmartrois étaient pleins malgré les alertes. On avait besoin de s'évader. Les croix gammées nous rappelaient à la réalité quand on sortait de là, mais on avait eu un peu de répit.

— Vous devez être heureuse que tout soit terminé?

Violette soupira; tout n'était pas terminé. La reconstruction était lente; les tickets de rationnement existaient encore après plus de huit mois de «libération». Il était toujours difficile d'obtenir de la viande ou des vêtements avec des tickets, mais on pouvait en trouver au marché noir.

— Les uniformes ont changé, mais la vie n'est pas plus facile, fit une autre voix.

Aurélie et Violette regardèrent la femme rondelette qui était assise en face d'elles, les cheveux gris tirés en chignon. Ayant suivi leur conversation, elle voulait y prendre part.

— C'est pas mieux avec les Amerloques, continua-t-elle. L'euphorie de la délivrance, elle est passée. Les Américains ont ramassé en Allemagne des milliers d'étrangers. Ils les ont libérés des camps nazis et les ont pris à leur service. Ma cousine habite Reims, où il y en a vingt-cinq mille de cantonnés. Ils gaspillent l'eau dans les camps et on doit la couper dans la ville pour ne pas épuiser les puits. Ils jettent de la nourriture et des vêtements dans les décharges et interdisent aux gens de les ramasser. Et je vous parle pas des bagarres... Ils se battent entre eux, Noirs contre Blancs, parfois même avec des civils. Les jeunes femmes de votre âge n'osent plus sortir le soir. Ils prennent toutes les Françaises pour des filles de rien. Les Allemands n'étaient pas drôles, mais au moins ils avaient plus d'éducation que ces sauvages.

— Les Allemands, de l'éducation! Ben, madame, vous devriez lire les horreurs sur les camps nazis. Sans parler des résistants et des otages qu'on fusillait pour un oui ou pour un non. Il y a des villages en France qui y sont passés presque au complet, hommes, femmes et enfants.

L'homme qui avait parlé se tenait debout. Grand et maigre, il regardait la femme aux cheveux gris droit dans les yeux.

— Je dis pas que tous les Américains sont comme ça, mais je pense qu'ils envoient leurs héros au front et qu'ils gardent leurs bandits en arrière-ligne. Ils demandent la permission à personne, comme en pays vaincu.

— C'est peut-être qu'ils ont pas l'impression d'être en pays ami. On leur vend tout à prix d'or et on ne s'intéresse qu'à leur argent ou aux avantages qu'ils peuvent procurer. On a fait la même chose avec les Allemands.

— Ben, peut-être que si on n'avait plus de rationnement, on ne regarderait pas le gaspillage qu'ils font.

La conversation s'envenimait et d'autres passagers y mettaient leur grain de sel, se plaignant de la lenteur du retour à la vie normale, de la pénurie des produits de première nécessité et du marché noir toujours florissant. Aurélie regarda Violette qui lui sourit.

— Bienvenue en France!

Après un autre arrêt en rase campagne, le train arriva finalement à la gare Saint-Lazare. Tout le monde se rua vers la sortie. Violette marchait aux côtés d'Aurélie. Au sortir de la gare, Violette serra la main d'Aurélie.

— J'habite tout près. Vous avez un endroit où aller à Paris?

— Oui, je vais aller voir si madame Snyders se trouve à Paris en ce moment, puis je vais redescendre vers Dijon pour me rendre au Creusot.

— Bonne chance.

Regardant la jeune femme s'éloigner, Aurélie se sentit soudain bien seule. Elle allait prendre un taxi quand elle repensa aux carnets de rationnement. Elle se dit qu'il serait préférable de garder son argent pour les besoins plus pressants qui se présenteraient. Elle était venue la première fois à Paris en voyage d'affaires avec son père Edmond et son oncle Jules. Elle avait maintenant l'impression d'y être aussi pour affaires. Elle se dirigea vers l'arrêt d'autobus et monta dans le bus qui la conduisit place de la Concorde. Contrairement à Londres, Paris était restée Paris, belle et grouillante, avec peu d'hommes en uniforme. Aurélie sortit du bus, suivit la Seine.

Le soleil déclinait tranquillement; l'air était doux; la tour Eiffel dominait la ville avec toujours autant de fierté. Aurélie marcha lentement, savourant chaque détail, souriant aux gens qu'elle croisait. Elle était heureuse de retrouver la France, celle qu'elle avait connue, la belle, la douce, la fière. Elle arriva devant l'hôtel particulier des Snyders sur le cours Albert 1er. De la rue, les fenêtres obscures ne laissaient présager rien de bon. Aurélie passa le porche et alla sonner à la porte. Après de longues minutes d'attente, un vieux majordome vint lui ouvrir. Madame Alexandra n'était pas à Paris; elle n'y séjournait presque plus, préférant vivre au château de la Verrerie auprès de son fils Claude, surtout depuis la mort de monsieur Jacques.

— La mort de monsieur Émile a dû être un dur coup aussi. Vous voulez dire depuis la mort de monsieur Émile?

— Oui, mademoiselle, monsieur Émile n'a pu supporter les bombardements de ses usines et son cœur a lâché, un mois, jour pour jour, après qu'il eut enterré les gens tués par les raids alliés en 42. Monsieur Jacques était son fils, celui qui devait lui succéder. C'était un pilote de chasse qui avait fait les deux guerres. Un tragique accident aérien l'année dernière. Madame Alexandra ne s'en est pas remise. C'est monsieur Claude qui s'occupe de tout maintenant. Je peux vous donner son adresse.

— Il est au château de la Verrerie, je connais.

— Je suis désolé, mademoiselle.

— Moi aussi.

Le vieil homme referma la porte doucement. Aurélie restait là, sa valise à la main. Elle était fatiguée et ne savait où aller. La gare de Lyon lui semblait si loin, si inaccessible! Elle regrettait de ne pas avoir demandé l'adresse de Violette. Si seulement elle pouvait parler à quelqu'un qu'elle connaissait! De Londres, elle avait envoyé un simple télégramme à ses parents, leur disant qu'elle avait fait une bonne traversée. Elle avait maintenant envie de parler de tout ce qu'elle avait vu, de la tristesse de William, des ruines de Londres, de Normandie, des morts qu'on n'avait pas fini de compter, de la beauté de Paris, du coucher de soleil, du sourire de Violette. La jeune femme sortit de son sac à main une photo de Laurent. Il souriait, assis sur le bord du quai, les pieds dans l'eau. Le soleil aveuglant lui faisait plisser les yeux. Son cousin Adrien avait pris cette photo au camp de pêche de Jules et l'avait rangée avec les autres souvenirs. Il ne l'avait remise à Aurélie qu'après le départ de Laurent pour la France, au début de l'occupation allemande. Aurélie avait regardé cette photo si souvent que les coins en étaient tout craquelés.

Elle rangea la photo dans son sac et repartit. Elle ne savait plus si elle devait prendre le train le soir même et voyager de nuit ou louer une chambre d'hôtel pour se reposer un peu. Paris sentait le printemps, les lilas en fleurs. Aurélie suivit la Seine un moment. Lorsqu'elle arriva près du Louvre, une fatigue soudaine s'abattit sur elle. Que faisait-elle, seule, dans cette ville? Elle traversa le pont des Arts et chercha à s'orienter. Elle avait fait ce parcours sept ans auparavant. Paris n'avait pas changé et, pourtant, si les lieux restaient les mêmes, les gens semblaient différents. Aurélie se rapprocha du boulevard Saint-Germain. Les cafés étaient bondés d'étudiants et d'artistes. Elle entra dans un café et commanda le repas annoncé sur l'ardoise. Elle se rendit compte qu'elle était affamée et mangea en écoutant les conversations autour d'elle, sa valise à ses pieds. On parlait beaucoup de l'épuration des collaborateurs et l'opinion était profondément divisée.

— Les notables sont épargnés, on ne frappe que les lampistes.

— On veut épurer quoi? Ce ne sont que de sordides règlements de compte.

— Quand ce ne sont pas des vengeances personnelles.

— On a déjà eu assez de l'Occupation, il serait temps de tourner la page.

— Et laisser les criminels s'en tirer facilement? Avec tous les morts et les massacres dont ils sont responsables? Ce serait trop facile.

— Et ceux qui sont devenus des héros de la Résistance à la veille de la Libération, après avoir léché les bottes des Boches pendant des années, on va leur donner des médailles?

— On s'empresse de classer bon nombre d'enquêtes, on n'attend même pas le retour des déportés pour les faire témoigner.

— On nettoie en envoyant la saleté sous le tapis. L'épuration reste à faire.

Aurélie se demandait dans quelle catégorie se trouvait Laurent : un héros de la Résistance, un collaborateur de la première heure, un déporté dans un camp de travail allemand, un prisonnier de guerre ou un lampiste épinglé par un système qui aspirait à normaliser rapidement la vie politique et sociale, à reconstruire un pays meurtri par des années d'occupation militaire. Elle sortit marcher un peu. Des gens circulaient partout; des soldats en permission entraient avec de jolies filles dans des boîtes d'où sortaient des airs de jazz. Dans une rue transversale, près du boulevard de Rennes, Aurélie vit l'enseigne d'un petit hôtel. Elle entra, déposa sa valise au pied d'un comptoir vide, puis actionna une petite sonnette. Une vieille dame au fichu crasseux sortit de derrière une porte et l'examina longtemps. Une odeur de chou et d'oignons bouillis avait assailli Aurélie.

— C'est pour une chambre.

— Je m'en doute, c'est pas une épicerie ici. Vous êtes seule?

Devant la réponse affirmative d'Aurélie, elle lui tendit finalement une clé en lui spécifiant que les toilettes étaient au bout du couloir et la salle de bains, au deuxième étage.

— Je ne vous laisse pas la clé, je vais vous ouvrir si vous voulez prendre un bain et il y a un supplément.

Aurélie n'avait envie que d'une chose: s'étendre sur un lit et dormir profondément. Elle monta au cinquième étage, sous les combles, et découvrit une chambre minuscule au mobilier branlant. Elle ferma la porte à clé et s'écroula sur le lit, tout habillée. Elle se réveilla en pleine nuit, ne sachant trop où elle se trouvait. Elle se sentit plus seule que jamais. Les tentures étant restées ouvertes, elle vit les toits de Paris se profiler, bleus et gris, sur un ciel nuageux. Elle enleva ses vêtements, se recoucha et imagina Laurent en train de dormir paisiblement dans son lit, ne se doutant pas de la visite qu'il recevrait bientôt.

Des cris d'enfants la réveillèrent. La fenêtre de la chambre donnait sur une petite cour d'école en pleine turbulence de la récréation. Aurélie admira l'insouciance de ces petits garçons et de ces fillettes qui se pourchassaient et se chamaillaient sous le regard de deux surveillants. Au coup du sifflet, ils se mirent en rang et rentrèrent en classe. Aurélie se lava au lavabo. L'eau froide sur sa peau la réveilla pour de bon. Elle s'habilla et prit le chemin de la gare de Lyon.

Paris était réveillée depuis longtemps. Tout le monde semblait avoir une destination bien précise en tête. Pas de flâneurs, pas de touristes. Aurélie s'arrêta boire un café et manger un petit pain au lait, puis elle marcha d'un pas décidé le long du boulevard Saint-Germain et atteignit les rives de la Seine. Rendue à la gare d'Austerlitz, elle traversa le pont du même nom et arriva à la gare de Lyon. C'était la cohue, les horaires de départ et d'arrivée étant continuellement modifiés. Des gens attendaient, épuisés, assis sur leur valise, pendant que d'autres erraient sur les quais, à la recherche d'un train qui les amènerait à destination. Aurélie réussit à acheter un billet pour Dijon et dut attendre une bonne heure avant de voir le train entrer en gare. Elle trouva rapidement un siège libre et, à sa grande surprise, le train repartit presque aussitôt. Les traces de la guerre étaient moins visibles que dans le nord, et les campagnes semblaient presque sereines. Il n'y eut pas d'arrêt en rase campagne, mais les arrêts dans les gares se prolongeaient. Après un temps qui lui parut interminable, Aurélie arriva enfin à Dijon.

En descendant du train, elle vit beaucoup de gens, des femmes surtout, attendre nerveusement. Sur un autre quai arrivait un convoi de prisonniers de guerre français. Les gens se cherchaient sur le quai de la gare, créant encore plus de confusion. Aurélie se joignit à ces femmes et se mit à examiner chaque homme qui débarquait, espérant reconnaître Laurent. Des couples s'enlaçaient en pleurant. Des hommes au regard aigri cherchaient en vain un parent, un ami. Des femmes, jeunes et vieilles, l'air anxieux, les lèvres serrées, les mains crispées, tenant souvent un enfant à leurs côtés, attendaient encore bien après que les wagons se furent vidés, ballottées entre le désespoir et la nécessité de trouver des responsables à leur malheur. Le service d'accueil semblait débordé. Les transports étaient lents et les retards étaient mal supportés après tant de souffrances et de privations.

Aurélie sortit de la gare. Il faisait nuit. Elle se dirigea vers un petit hôtel, tout près, et prit une chambre. Son voyage semblait se dérouler entre wagons de train et chambres d'hôtel. Elle n'avait pas sommeil cette fois-ci et elle partit marcher un peu dans la ville. Elle retrouva la rue de la Chouette et l'église Notre-Dame. La petite chouette sculptée sur le côté de l'église était toujours là. Porte-bonheur des Dijonnais, des milliers de mains l'avaient caressée depuis des siècles. Aurélie se dit que beaucoup de gens l'avaient sans doute fait régulièrement sous l'Occupation. Elle passa doucement sa main gauche sur la pierre froide, devenue très lisse, et ferma les yeux en souhaitant revoir Laurent. Elle avait fait le même vœu sept ans auparavant et il avait été exaucé. Elle ne pouvait qu'espérer que la petite chouette lui porte chance de nouveau.

Aurélie se leva avec le soleil. Après une rapide toilette matinale, elle était prête à entreprendre son voyage en direction du Creusot. Se souvenant des wagons pleins de déportés, elle décida de s'informer ici même, à Dijon, si Laurent était sur la liste. Mais, avec la désorganisation qui régnait, se dit-elle, elle en aurait probablement pour des heures, sinon des jours, à attendre une réponse qui ne viendrait peut-être jamais. Elle retrouva le nom et l'adresse que lui avait donnés le journaliste américain. C'était un point de départ. Ce Raymond Chevalier saurait possiblement l'orienter dans ce dédale administratif. Il lui fixa aussitôt rendez-vous dans un café. Après l'avoir saluée d'une rapide poignée de main, il commanda deux cafés, des vrais, pas de la chicorée. Plutôt petit, la figure ronde et les cheveux noirs coupés très courts pour atténuer leurs boucles serrées, Raymond avait un visage sympathique. Ses yeux, petits et vifs, semblaient chercher continuellement quelque chose. Aurélie lui expliqua en quelques mots la raison de son voyage en se demandant s'il l'écoutait vraiment. Elle se tut et le fixa.

— Laurent Dumontel… ingénieur au Creusot… Je pense qu'il était membre du réseau de la région de Chalon-sur-Saône. Il a fait partie de la mission Armada. En septembre 1943, ils ont saboté plusieurs installations électriques alimentant la région du Creusot. Ils ont même neutralisé une centrale pour six mois, chose que n'étaient pas parvenus à faire soixante-douze bombardiers Lancaster en 1942, tout en tuant près de quatre cents personnes. Un dur coup. Je suppose que les situations exceptionnelles produisent des êtres exceptionnels. Le chef de l'opération Armada a même reçu la croix de la Libération en juin 1944, alors qu'on était encore occupés. Mais je ne sais pas ce qu'est devenu Dumontel.

Aurélie était soulagée d'apprendre que Laurent avait fait partie de la Résistance, mais il avait peut-être aussi dû collaborer avec les Allemands.

— Les usines ont travaillé pour les Allemands pendant toute l'Occupation?

— Les Snyders n'ont pas eu le choix. Le 17 juin 1940, les forces allemandes ont pris possession de l'usine. Sous la menace d'un transfert de ses équipements et de son personnel en Allemagne, l'usine, comme toute l'industrie française, a dû travailler pour les Boches.

— Les travailleurs n'ont donc pas été déportés en Allemagne.

— Il y en a eu. Le personnel, les cadres, la direction, tout le monde a fait des efforts pour retarder la production. Les bombardements alliés n'ont pas été très efficaces sur les installations industrielles, frappant surtout la population, mais les nombreux sabotages organisés par la Résistance ont freiné la production. Les représailles ont été sévères: prison, déportations, fusillades. Le directeur de l'usine a été envoyé dans un camp de concentration et il n'en est pas encore revenu. Mais les déportés commencent tout juste à arriver. Allez voir monsieur Claude Snyders. Il doit le savoir, il a aidé les résistants.

Le cœur d'Aurélie se serra de nouveau. Laurent prisonnier, déporté, fusillé. Raymond la regardait en souriant. La jeune femme en prit ombrage.

— Pourquoi souriez-vous ainsi? Vous me trouvez amusante?

— Je vous trouve jeune, jolie, et vous devez être très amoureuse pour avoir traversé l'Atlantique pour partir à la recherche de ce Laurent. Beaucoup d'hommes voudraient être aimés ainsi. J'espère que vous le retrouverez.

Aurélie prit un train jusqu'à Chalon. La campagne était parsemée de maisons éventrées par les bombes, ici un mur décrépi solitaire au milieu de nulle part, là les ruines calcinées d'une ferme. Mais les vignes, têtues, verdissaient sur les flancs des coteaux. Un mélange de durs souvenirs et d'un peu d'espoir. Arrivée à Chalon, Aurélie apprit qu'elle devait attendre jusqu'au lendemain pour pouvoir prendre un train en direction du Creusot. Elle était désespérée, ne pouvant se résoudre à passer une autre nuit sans nouvelles de Laurent. C'est alors qu'elle vit un homme monter dans une automobile avec sa femme et ses deux enfants. Elle s'approcha de la voiture pour leur demander où ils allaient. Ils la regardèrent, étonnés. La jeune femme voulait se rendre au Creusot le plus rapidement possible. Ils allaient jusqu'au village de Couches et étaient déjà un peu serrés. Se rappelant les bijoux que sa mère avait glissés dans sa valise, Aurélie sortit une belle chaîne en or et la présenta à la femme. Celle-ci la prit dans ses mains, l'examina attentivement, puis se tourna vers son mari.

— Allons, Albert, on peut bien aider cette jeune femme. Serrez-vous, les enfants.

La femme fit glisser la chaîne dans son sac à main, et son mari mit la valise d'Aurélie dans la malle de l'auto. Aurélie s'assit à l'arrière, coincée entre les deux enfants turbulents. Elle questionna le couple ; personne ne connaissait Laurent Dumontel. La petite voiture, plus très jeune, émettait des grincements ponctuels mais avançait vaillamment. Aurélie étouffait. Le soleil tapait dur. Arrivé à un croisement, le conducteur s'arrêta.

— Voilà, ma petite demoiselle. Tout droit, c'est Couches, où on va. Et ça, c'est la route de Chagny à Monceau. À quelques kilomètres, il y a une bifurcation à droite pour le Creusot. C'est une route passante, vous devriez trouver quelqu'un pour vous y mener.

Aurélie reprit sa valise et regarda s'éloigner la vieille auto. Elle était seule en pleine campagne. Elle dut marcher un bon moment avant d'entendre un bruit de moteur. Un camion arrivait. Le chauffeur s'arrêta à la vue de cette jeune femme qui lui faisait de grands signes. Il allait à Monceau, mais accepta de la conduire jusqu'à Montchemin d'où il lui serait plus facile d'atteindre le Creusot. Lui non plus ne savait rien au sujet de Laurent. À une station-service de Montchemin, Aurélie rencontra un médecin qui se rendait au Creusot et qui accepta cette jolie passagère à ses côtés. Ce dernier connaissait Laurent, ayant déjà travaillé avec sa sœur

Odette, mais il ne savait pas ce qu'il était advenu de lui. La France commençait à peine à compter ses morts, ses disparus, ses héros et ses traîtres.

Aurélie arriva en fin d'après-midi au Creusot. La ville avait subi de lourds dommages et la jeune femme regarda les traces de destruction encore présentes un peu partout. Même l'Hôtel-Dieu avait été bombardé, ce grand bâtiment qui lui avait insufflé la volonté de créer aussi un hôpital à Sorel. Il n'y avait ni chauffeur en livrée ni limousine pour la conduire au château de la Verrerie. Elle marcha, sa valise à la main, traversa l'immense cour et alla frapper à la porte principale. Un majordome entre deux âges, les cheveux poivre et sel et le visage sérieux, vint lui ouvrir. Le vieux Cyprien était sans doute décédé, à moins qu'il n'ait pris sa retraite. Elle n'osa pas poser la question et demanda simplement à voir monsieur Claude.

— Il est à l'usine, mademoiselle.

— J'aimerais voir madame Alexandra. Elle doit prendre son thé à cette heure.

— Je ne sais pas si elle pourra vous recevoir, elle est souffrante.

— Je ne la dérangerai pas longtemps. Je veux simplement la saluer.

— Elle ne reçoit plus depuis longtemps.

— Ne me dites pas que je suis venue du Canada pour rien. Un si long voyage… pour saluer une amie. Dites-lui qu'Aurélie aimerait la voir un bref instant.

Le majordome était visiblement mal à l'aise. Aurélie avait posé sa valise et ne semblait pas vouloir repartir. Il lui demanda d'attendre un moment et referma la porte. Aurélie était bien décidée à ne pas quitter les lieux sans avoir parlé à la femme qu'elle avait considérée longtemps comme sa protectrice. L'homme revint lui ouvrir. Il s'excusa et la fit entrer dans le salon qu'Aurélie connaissait bien. Il la conduisit ensuite vers la terrasse arrière où madame Alexandra était allongée sur un transat, regardant au loin ses rosiers en fleurs. Les pétales crème des gloires de Dijon étaient épanouis et offraient un spectacle magnifique face à ces horribles canons au garde-à-vous qui ornaient la terrasse. Aurélie s'avança vers la vieille dame.

— Comme je suis heureuse de vous revoir!

Madame Alexandra ne répondit pas, fixant devant elle le paysage sans vraiment le voir. Aurélie se pencha et lui prit la main. Madame Alexandra leva les yeux vers elle, sans la reconnaître, puis elle suivit un objet invisible dans le ciel en souriant.

— Jacques sera encore en retard. Allez préparer le thé, mon enfant.

Aurélie eut envie de pleurer en voyant cette dame si raffinée, si élégante, divaguer doucement. Sa protectrice avait maintenant besoin d'être entourée de soins. Hélène, la dame de compagnie de madame Alexandra, arriva à leurs côtés. Ses cheveux étaient maintenant tout blancs; son visage, toujours aussi sérieux, avait acquis une dureté dérangeante.

— Bonjour, mademoiselle Aurélie. Je suis navrée de ne pas avoir pu vous avertir avant.

— Aurélie, c'est vous, Aurélie? Vous restez pour le thé? Il sera servi dès que Jacques sera rentré. Il arrivera bientôt, il a tellement hâte de vous voir.

Madame Alexandra avait parlé rapidement, puis elle se tut et se remit à fixer le ciel. Hélène fit signe à Aurélie de la suivre. Les deux femmes se retrouvèrent à la cuisine. Hélène servit des gâteaux secs et du thé tout en résumant la vie au château pendant la guerre. La mort de monsieur Émile avait porté un dur coup à sa femme. Monsieur Jacques était rentré de Paris avec son frère Claude pour s'occuper des affaires familiales. Cependant, Jacques avait laissé le contrôle des affaires à Claude. Pilote chevronné, il avait été démobilisé en 1940 mais il s'était de nouveau engagé et avait rejoint les troupes françaises en Afrique du Nord. Cette fois-ci, il n'était pas revenu. Madame Alexandra continuait de l'attendre.

Le silence tomba soudainement. Aurélie ne savait quoi ajouter. Hélène la regardait attentivement.

— Vous êtes venue pour Laurent?

— Oui, je ne pouvais plus supporter le silence, l'incertitude. Je veux savoir s'il est vivant, s'il m'aime toujours. Ma vie s'est arrêtée après son départ. Il faut que je sache ce qui lui est arrivé. Vous le savez?

— Après le sabotage des installations électriques en 43, il a disparu. Les Allemands le recherchaient. Ces sabotages les rendaient fous furieux, surtout quand ils ont commencé à comprendre que l'issue de la guerre n'était plus en leur faveur. Ils ratissaient des villages entiers. Beaucoup de gens ont payé de leur vie la résistance à l'occupant. Et on n'a pas fini de compter, les camps en Allemagne se vident à peine et les horreurs se multiplient. On découvre chaque jour des charniers.

— Arrêtez!

— La bestialité de l'homme est sans limites. Il ne faut pas arrêter de la dénoncer. Mais je n'ai jamais entendu dire que Laurent avait été envoyé en Allemagne. Si les Boches l'ont attrapé, ils l'ont probablement fusillé, après l'avoir torturé bien sûr, ils ne manquaient jamais de se faire ce petit plaisir.

Aurélie ne pouvait pas, ne voulait pas envisager cette éventualité.

— Il avait une sœur, Odette, savez-vous si elle travaille toujours à l'hôpital du Creusot?

— Non. Odette est partie d'ici après la mort de sa mère. C'était avant les bombardements de 1942. Je ne sais pas si elle est allée à Paris ou à Lyon. Sa cousine Gertrude pourrait peut-être vous renseigner.

Aurélie alla saluer madame Alexandra qui la regarda avec étonnement. La vue de la vieille dame perdue dans ses pensées la troubla davantage. Aurélie s'assit à ses côtés et lui parla de la visite guidée de l'hôpital qu'elle lui avait offerte, de ses bons conseils prodigués lors de son arrivée à Westmount, du voyage sur la rivière Richelieu à bord de La *Dauphine*, le yacht de l'oncle Jules, de son aide quand Aurélie avait été découverte alors qu'elle avait embarqué comme passagère clandestine pour rester auprès de Laurent. Elle lui rappela la rivière Hudson, l'arrivée devant la ville de New York illuminée. Elle parlait doucement, penchée vers madame Alexandra qui l'écoutait avec la curiosité d'une petite fille, souriant, répétant quelques mots à l'occasion, comme s'ils faisaient écho dans sa tête.

Hélène s'approcha d'elles avec l'adresse de Gertrude. Aurélie embrassa la vieille dame et s'éloigna. Hélène lui offrit de revenir pour le dîner; monsieur Claude serait certainement heureux de la rencontrer. Aurélie accepta avec joie.

La cousine de Laurent habitait une petite maison d'ouvrier, semblable aux autres. Deux garçons d'environ neuf et onze ans arrivèrent au moment où Aurélie frappait à la porte. Ils ouvrirent en criant à leur mère qu'une jolie dame voulait la voir, puis ils se dirigèrent vers la cuisine pour prendre leur collation. Gertrude apparut, petite, les yeux noisette et les cheveux attachés en toque. Aurélie se présenta et demanda où elle pourrait trouver Odette Dumontel.

— Et qu'est-ce que vous lui voulez?

— J'aimerais retrouver son frère Laurent.

— Ah, c'est vous la Canadienne chez qui il est allé! Ça fait longtemps que j'ai pas eu de ses nouvelles. Mais Odette doit bien savoir ce qu'il est devenu. Elle vit à Dijon depuis son mariage, elle est infirmière là-bas.

Gertrude lui donna l'adresse de l'hôpital où sa cousine travaillait et lui proposa une tasse de thé qu'Aurélie refusa. Voulant saluer une dernière fois monsieur Émile, elle alla se recueillir sur sa tombe un moment avant de retourner au château de la Verrerie. Elle retrouva les mêmes pièces immenses, les mêmes tableaux, le même mobilier, mais l'atmosphère était différente. Tout semblait figé comme un décor de musée. Monsieur Claude était un bel homme élancé, vêtu d'un complet sombre. Il était difficile de lui donner un âge; il avait une allure jeune et un regard vieilli. Il lui présenta sa femme, jolie et élégante. Madame Alexandra se reposait dans sa chambre; Aurélie ne la vit pas.

Le repas fut pris dans la grande salle à manger avec les deux filles du couple, des adolescentes polies et posées. Tout semblait artificiel à Aurélie. Tout était trop bien placé. Le maître des lieux évitait les sujets brûlants; son épouse semblait s'ennuyer; les filles ne disaient pas un mot, attendant la fin du repas pour s'enfuir ailleurs, se promener dans le parc peut-être. Aurélie dut meubler la conversation. Dès qu'elle apprit que monsieur Claude ignorait où se trouvait Laurent, elle n'en parla plus et se mit à raconter son voyage, à parler de sa famille. Elle fut invitée à passer la nuit au château. Elle avait envie de retourner le soir même à Dijon, mais elle ne pouvait pas faire cet affront à ses hôtes. Elle passa la nuit dans la même chambre qui l'avait tant impressionnée quelques années auparavant. Le sommeil fut lent à venir. Ce retour dans le passé était pénible à cause de tous ces morts. Sans monsieur Émile, sans madame Alexandra, le château avait perdu son âme; il n'était plus qu'un musée à la gloire d'un passé révolu.

Avant de repartir pour Dijon, Aurélie alla saluer Hélène à la cuisine. La vue de ces deux jeunes filles mangeant leur brioche avec du chocolat chaud lui fit monter les larmes aux yeux. C'était à cette même table que, une brioche à la main, elle avait vu pour la première fois Laurent Dumontel et ses yeux verts magnifiques. Elle sentit une présence dans son dos. C'était lui; il était venu la chercher. Elle se retourna promptement. C'était le chauffeur qui l'attendait pour la conduire à la gare.

Aurélie arriva à Dijon au milieu de la journée. Elle sentait qu'elle approchait du but: elle saurait enfin ce qui était arrivé à Laurent. Elle se dirigea tout de suite vers l'hôpital qui bourdonnait d'activité. On avait du mal à trouver de la place pour les nombreux déportés blessés qui se joignaient aux autres malades. Aurélie dut s'informer auprès de plusieurs personnes avant de trouver Odette Dumontel. La jeune femme refaisait un pansement. Elle leva la tête vers Aurélie et la regarda de ses yeux gris clair. Elle semblait la reconnaître, comme si elle l'avait attendue tout ce temps. Elle la rejoignit quelques minutes plus tard dans le couloir.

— Vous cherchez Laurent, c'est ça?

— Il vous a parlé de moi?

— Beaucoup. Mais je croyais que vous viendriez plus tard.

— Il est vivant?

Odette sourit; elle avait oublié l'angoisse que peut générer le silence. Laurent était bel et bien vivant. Le cœur d'Aurélie bondit de joie, mais le sérieux du visage d'Odette la ramena à la dure réalité.

— Où puis-je le voir?

Odette hésitait à donner son adresse, à bouleverser sa vie. Cependant, Laurent ne lui avait jamais dit que c'était un secret. Et un jour ou l'autre, il devrait faire face à cette jeune fille aux yeux bleus, follement amoureuse de lui.

— Il vient de déménager à Mâcon. Il habite à quelques maisons de la mairie, une porte bleue, vous ne pouvez pas vous tromper. Mais…

Aurélie attendait, attentive, la suite qui ne venait pas. Des civières amenaient de nouveaux blessés.

— Je suis désolée, il faut que j'y aille. Au revoir.

Odette se tourna brusquement et disparut dans la grande salle où des plaintes et des gémissements se faisaient entendre. Aurélie resta un moment interdite. Elle était persuadée qu'Odette voulait lui dire quelque chose. Laurent était vivant mais… Mais quoi? Il était infirme. Non, elle l'aurait dit. Il avait refait sa vie. Possible. Mais pourquoi hésiter à le dire? Laurent avait beaucoup parlé d'elle à sa sœur; elle comptait donc pour lui, elle avait de l'importance. Aurélie se concentra sur cette petite note d'espoir. Fatiguée par toutes ces émotions, elle prit une chambre d'hôtel à Dijon et réussit à dormir un peu.

Elle se leva tôt et prit un long bain. Elle se coiffa avec soin, choisit sa plus jolie robe et mit du rouge sur ses lèvres, sans oublier une goutte de parfum derrière les oreilles. Elle se rendit compte que ses mains tremblaient quand elle prit le train pour Lyon. Rien n'avait changé en quelques jours. Les horaires étaient continuellement bousculés par des arrivées de wagons entiers de déportés qui revenaient d'Allemagne, mais Aurélie le remarquait à peine, elle n'avait que Laurent en tête, ses yeux, sa bouche.

Quand la gare de Mâcon apparut, Aurélie eut de la difficulté à sortir du train. Ses jambes ne la portaient plus. Sa valise pesait lourdement au bout de son bras. Son cœur s'affolait. Elle se retourna et eut envie de reprendre le train, de remonter à Paris, d'embarquer dans le premier bateau en partance du Havre et de rentrer chez elle. Quelle idée de poursuivre ainsi un homme qui ne pouvait même pas vous envoyer une lettre d'adieu, qui s'enveloppait, depuis des années, d'un lourd silence!

Elle marcha vers le centre de la petite ville et trouva la mairie facilement. Il y avait bien une petite maison de pierre avec une porte bleu ciel, tranquille parmi les autres. Aurélie y frappa doucement en espérant que personne n'ouvre. Mais elle entendit aussitôt des pas alertes se précipiter. La porte s'ouvrit sur une jeune femme aux cheveux très courts qui tenait dans ses bras un bébé d'environ un an. Aurélie ne pouvait détacher son regard de cet enfant aux cheveux d'une blondeur nordique, au regard bleu, aux joues roses et au sourire désarmant. Aurélie refusait de croire ce qu'elle voyait. L'enfant portait à son cou la petite croix en or qu'elle avait offerte à Laurent lors son départ pour la France. Sa petite croix de baptême. Elle l'aurait reconnue entre mille. Son père l'avait fait faire pour elle avec une petite rose au centre. La jeune femme la regardait, curieuse.

— Je peux vous aider?

Aurélie se dit qu'elle s'était trompée de porte, de village, de pays. Dans un état second, elle s'entendit articuler le nom de Laurent Dumontel.

— Il doit rentrer bientôt, vous pouvez l'attendre.

La jeune femme ouvrit la porte plus grande pour la laisser passer, mais Aurélie ne pouvait pas bouger, fixant l'enfant.

— Il a quel âge?

— Maurice aura bientôt un an. Vous ne voulez pas attendre à l'intérieur?

Aurélie réussit à se ressaisir.

— Je ne veux pas vous déranger. Quand il rentrera, dites-lui que je l'attends au Café de la Place.

— Je n'y manquerai pas.

Aurélie se dirigea vers le café, tout près. Elle s'aperçut qu'elle avait oublié de dire son nom. Elle se retourna. La jeune femme avait déjà refermé la porte. Ferait-elle le message? Avait-elle deviné qui elle était? Aurélie entra dans le café et commanda un verre de vin blanc. Elle avait besoin d'un peu d'alcool. La fin de l'après-midi amenait de nombreux travailleurs venus prendre l'apéritif avant de rentrer chez eux. Le café se remplit bientôt.

Aurélie but un autre verre en se disant que Laurent ne viendrait pas, qu'il avait tout fait pour l'oublier et y était parvenu. La guerre l'y avait sans doute aidé. Elle devait faire la même chose. Elle regarda sa petite valise à ses pieds; ses souliers étaient sales et le bout était éraflé. Un de ses bas filait. Elle se mit à rire, toute seule. Si sa mère l'avait vue! Ariane était tellement méticuleuse. Mais elle n'était jamais partie à la recherche de l'homme de sa vie, elle. C'était lui qu'il l'avait trouvée, plus de vingt-quatre ans auparavant. Aurélie enviait sa mère d'avoir été choisie par Edmond, de ne pas avoir été séparée de lui par la guerre, par la grandeur de l'océan. Il lui fallait oublier ses illusions de petite fille. Prendre sa valise et sortir d'ici, reprendre sa vie en main, cesser de dépendre d'un vague sentiment amoureux.

Elle but une dernière gorgée de vin et, comme elle reposait son verre sur la table, prête à partir, Laurent était là, devant elle. Il avait changé. Son visage s'était durci mais la volonté imprimée dans ses traits l'avantageait. Sa peau exposée au vent et au soleil lui donnait un air d'aventurier, la légère repousse de barbe aussi. Il s'assit en face d'elle, et le patron posa devant lui un verre de vin sans un mot, comme à un habitué. Aurélie et Laurent se regardèrent un long moment sans parler. Les souvenirs que Laurent avait voulu enterrer profondément refaisaient surface. Nager avec elle sur la plage de cette petite île face au chalet en haute Mauricie, la revoir dans son maillot rouge et blanc assise dans le canot devant la mère orignal surveillant son petit, la sentir à ses côtés à bord de La *Dauphine* descendant la rivière Hudson et, surtout, dans la petite chambrette de Londres où il avait goûté son corps, sa peau douce, où il avait refusé la virginité qu'elle lui offrait. Aurélie vit les yeux de Laurent passer du bleu au vert. Il lui souriait. Elle avait envie de le toucher, de caresser sa joue rugueuse, de repousser cette mèche de cheveux bruns qui tombait sur son front, de poser ses lèvres sur les siennes.

— Tu savais que je viendrais?

— Je savais. Delphine aussi.

— Pourquoi ne m'as-tu jamais écrit?

Il baissa les yeux pour lui raconter les Allemands au Creusot, le maquis, la Résistance. Vivre avec la peur comme une crampe permanente à l'estomac, voir ses amis disparaître, avoir faim et manquer de sommeil. Essayer de cacher sa haine des uniformes, de s'accommoder de l'occupation pendant le jour pour la combattre durant la nuit. Après la mission Armada, il avait appris qu'il était recherché par la Gestapo et il s'était enfui. Il avait marché de ferme en ferme, dormant le jour dans des granges ou des poulaillers, courant la nuit vers une autre cachette avec la peur des délateurs à ses trousses. Puis Delphine l'avait vu dans un sous-bois et l'avait caché au risque de sa vie. Laurent se tut un moment; il revoyait tout ce qu'il cherchait à oublier depuis plusieurs mois: le jeune soldat allemand, le geste de Delphine. Il regarda Aurélie.

Elle le fixait sans un mot, le souffle court, attendant la suite, la trahison, le mariage, l'enfant. Il avait envie d'elle, il avait envie de tout oublier dans ses bras, mais il était conscient des bruits du café, des regards furtifs, des chuchotements: «Regarde le Laurent à Delphine avec l'étrangère, des retrouvailles d'après-guerre, pauvre Delphine, une brave fille avec un jeune bébé en plus, elle mérite pas ça.»

— Delphine s'est retrouvée enceinte, nous nous sommes mariés dans une petite chapelle près de Beaune. Son oncle possède des vignobles dans la région. Les armes, c'est fini. Je préfère jouer au vigneron. Voilà.

Il écarta les mains pour signifier que tout était dit. Elle avait envie de les prendre, de les poser sur ses seins, de lui crier: «Aime-moi», mais elle n'en fit rien. Leur silence laissa la place aux sons ambiants. Laurent ne pouvait plus rester ainsi face à elle, face à cet amour qui recommençait à vibrer en dedans; il devait sortir de là, retrouver sa petite famille.

— J'aurais dû t'écrire. J'ai essayé plusieurs fois, mais je n'ai pas eu le courage de continuer. J'espérais que tu m'avais oublié. Je me disais que tu vivais dans un pays libre avec plein de garçons autour de toi pour te faire la cour. Je regrette que tu aies fait ce voyage inutile à cause de moi.

— Je t'ai rencontré. Je sais maintenant que tu n'es ni mort ni prisonnier en Allemagne. Ça n'a pas été inutile.

Il se leva lentement et lui tendit la main. Elle toucha à sa peau en frissonnant. Un baiser, elle voulait un baiser. Elle fixa ses yeux devenus vert si tendre. Il les baissa et se retourna pour sortir du café. Elle le regarda s'éloigner, les épaules lourdes sous un fardeau secret. Elle avait envie de hurler. Toutes ces années d'attente, ce long voyage, ces horreurs vues et entendues quotidiennement pour l'entendre dire qu'il regrettait de lui avoir fait faire ce voyage inutile. Comment pouvait-il s'enfuir ainsi, sans un baiser, sans une caresse? Elle avait envie de partir à sa poursuite, de le secouer comme un prunier pour lui faire admettre son amour. Il l'avait aimée, elle en était certaine. Alors, pourquoi la quitter si brusquement? Pourquoi la chasser de sa vie si rapidement? Elle se serait contentée de si peu, quelques instants dans ses bras, un tendre baiser, sentir son cœur battre près du sien.

Le soleil avait disparu derrière la ligne d'horizon, et l'eau du fleuve avait pris une teinte glaciale de lapis-lazuli. Après avoir allumé deux torchères qui répandaient leur lumière jaunâtre dans la salle de séjour, Simone était allée préparer le repas. Aurélie se taisait en regardant le fleuve, Lorraine en faisait autant en regardant ses doigts. Qu'y avait-il à ajouter à l'histoire d'un amour disparu? La photographe leva la tête vers Aurélie qui lui souriait à présent.

— Parle-moi de Jeanne. Si je dois lui ressembler, je dois la connaître un peu.

Lorraine ouvrit la bouche, puis hésita. Comment parler de sa mère? La décrire physiquement? Il y avait combien de temps que son amoureux inconnu ne l'avait pas vue? Quelques années? Des décennies? Qui devait être Jeanne pour le notaire? Une vieille dame aux cheveux blancs toujours bien coiffés, au regard de braise. Lorraine se leva et alla chercher les photos de sa mère qu'elle avait apportées. Aurélie les regarda attentivement.

— Il y avait une intensité étonnante chez cette femme. Elle était expansive?

— Pas du tout. C'était une femme secrète, discrète, qui parlait rarement d'elle. Elle n'avait pas de sœurs, seulement deux frères plus âgés. Leur mère était morte quand Jeanne avait douze ou treize ans. Elle a vécu à l'orphelinat des sœurs grises tout en étudiant au couvent Saint-Pierre. Elle est née en 1922, comme vous.

— Alors, nous sommes allées à l'école ensemble. Comment se fait-il que je ne me rappelle pas d'elle? Attends, j'ai quelque chose.

Aurélie se leva et se rendit dans l'ancien bureau d'Edmond. Elle revint quelques minutes plus tard avec un vieil album. Elle l'ouvrit et en sortit une photo de collégiennes. Les jeunes filles de la première rangée étaient assises. Leurs mains étaient sagement posées sur leur robe noire dont seuls les poignets et le collet étaient blancs. Les autres étaient debout derrière elles, sur deux rangées, offrant une série de têtes comme des notes sur une portée.

— Nous avions douze ou treize ans là-dessus. Tu y vois Jeanne?

Lorraine prit la photo. Sa main tremblait légèrement. Elle examina chaque visage sérieux qui fixait l'objectif. Les jeunes filles avaient sûrement reçu l'ordre de ne pas sourire. Elle reconnut Aurélie, assise au premier rang, en plein centre, la seule qui avait un petit, tout petit sourire. Puis elle vit Jeanne, debout derrière, à l'extrémité gauche de la photo. Son regard était triste. Elle venait peut-être tout juste d'enterrer sa mère. Lorraine la montra à Aurélie qui plissa les yeux.

— Jeanne... Mais oui, Jeanne Hébert! Quand tu me parlais de Jeanne, je n'avais jamais pensé à elle. Tout ce dont je me souviens, c'est que, les cours terminés, elle devait rentrer tout de suite à l'orphelinat. Elle aidait les sœurs à préparer les repas et à nettoyer, je crois. Elle n'avait pas d'amies parmi nous. Elle arrivait pour les cours puis repartait rejoindre les autres orphelines. Elle était d'ailleurs la seule qui avait le droit de venir en classe au couvent. Je ne sais pas pourquoi.

— Mon grand-père voulait qu'elle reçoive une bonne éducation. Il payait les sœurs grises pour la garder et les sœurs de la congrégation de Notre-Dame pour l'éduquer. Elles ont réussi à lui inculquer la soumission avec un joli vernis culturel, question d'offrir une bonne valeur sur le marché matrimonial et de faire d'elle une mère dévouée et une épouse obéissante.

— Bien sûr, c'était le principe selon lequel il n'y a pas d'apprentissage sans douleur. Les sœurs voulaient que nous vivions dans la crainte de Dieu, du diable, des adultes, de nos propres pensées, de nos désirs. On devait avoir peur de la peur. Et elles ne nous disaient jamais un seul mot d'encouragement dans la crainte de nous rendre orgueilleuses. J'ai eu la chance d'avoir Ariane comme mère. Elle avait souffert d'une mère dominatrice et elle nous a toujours donné beaucoup de liberté. Ça m'a permis d'être une rebelle, de suivre l'homme que j'aimais en France, de brasser la cage, comme on dit maintenant. Mais Jeanne n'avait pas de mère pour prendre son parti, pour la protéger de la domination masculine et religieuse. Tu l'as connue toujours soumise?

— Soumise, pas vraiment. Elle était discrète, mais elle avait une volonté de fer. Quand elle désirait quelque chose, elle s'acharnait jusqu'à ce qu'elle l'obtienne. Mon père l'a appris assez rapidement. Quand Jeanne partait en croisade, André devait trouver des arguments extraordinaires pour la contrer. La plupart du temps, elle le persuadait de faire comme elle l'avait décidé. Ils étaient de beaux complices. C'est pour ça que cette histoire d'amant et de lettre d'amour m'étonne. Jeanne n'était pas une hypocrite, comment aurait-elle pu entretenir une relation secrète?

— Ce n'était peut-être qu'une petite aventure.

— Et des années plus tard, l'amant confie à son notaire une lettre pour elle avec ordre de ne la remettre à personne d'autre. Pourquoi ne pas poster la lettre tout simplement?

— Nous le saurons bientôt. Je me demande surtout quelles informations sur Jeanne cet homme a données à son notaire. Une carte d'assurance-maladie et un vieux permis de conduire suffiront-ils?

— J'ai apporté les bijoux qu'elle a reçus en cadeau et ses alliances.

— Et puis, je n'ai pas les yeux sombres de Jeanne.

— Des verres de contact feront l'affaire.

— Je ne peux pas en porter, ils m'irritent les yeux et me font pleurer. Mais je peux porter des lunettes aux verres teintés. J'ai l'impression de participer à un complot et je dois avouer que ça m'excite. Et toi, ça ne te fait pas peur, tout ce que tu vas apprendre sur Jeanne et qu'elle n'a jamais voulu te dire, même mourante?

Lorraine fixa une fenêtre et y vit son reflet. Une femme aux courts cheveux auburn, les mains sur les cuisses comme une brave petite écolière, un pantalon et un chandail noirs accentuant la ressemblance. Cette image la dérangea et elle tourna la tête. La nuit était tombée; on distinguait à peine le fleuve du ciel où seule une traînée jaunâtre glissait à l'ouest. Lorraine sentait des larmes lui monter aux yeux. Elle s'était tellement préparée à voir mourir sa mère, petit à petit, qu'elle ne l'avait pas vraiment pleurée depuis l'enterrement. Mais elle ne voulait pas se laisser aller, pas ici, pas devant Aurélie. Simone vint à son secours en annonçant que le souper était servi dans la petite cuisine. Lorraine, soulagée, demanda à la vieille dame la suite de son histoire. La vie avait repris son cours, non? Le mariage, les enfants, la vie publique. Aurélie sourit.

— Ça ne s'est pas passé tout à fait comme ça. Disons que j'ai eu des surprises dont j'aurais pu me passer, et d'autres que je n'osais même plus espérer.

Le voyage de retour se fit dans un état second. Aurélie marchait, mangeait, dormait, mais sans conscience aucune de ce qui l'entourait. Tout lui était indifférent, les ruines, les soldats, les blessés. La compassion, la colère, le sentiment d'injustice, rien de tout cela ne subsistait en elle. Il n'y avait qu'un vide profond, un abysse incommensurable d'une noirceur dont elle n'aurait jamais pu soupçonner l'existence.

Ariane et Edmond allèrent chercher leur fille à la gare de Montréal. Ariane l'accueillit en la serrant très fort contre elle. Elles restèrent enlacées un moment, l'une tremblante d'émotion, l'autre froide comme un bloc de glace. Edmond l'embrassa rapidement, puis, mal à l'aise, il se mit à lui parler de son dernier dada : une station de radio locale qui avait été inaugurée depuis peu. Il avait vécu la guerre par radio interposée, très impressionné par ce mode de communication qui vous branchait en direct sur le monde. Edmond monologua ainsi pendant tout le trajet du retour. Les religieuses venaient d'arriver du Nouveau-Brunswick et logeaient dans la maison blanche attenante au couvent des pères franciscains. On projetait de vendre des obligations pour financer l'hôpital. Les ouvriers avaient offert une heure de leur temps, et les travaux allaient bon train. Aurélie n'avait surtout pas envie de parler du Creusot et de son Hôtel-Dieu en partie détruit par les bombes anglaises. La jeune femme fixait la route comme elle avait fixé l'océan pendant la traversée, avec une absence incontrôlée.

Le manoir n'avait pas changé; en fait, rien n'avait changé depuis plus d'un mois. Charles serra sa sœur dans ses bras en se disant heureux de son retour. Roland en fit autant et Muriel ne la quitta pas d'une semelle, l'aidant à défaire sa valise, espérant des cadeaux qu'Aurélie n'avait pas achetés. Devant la déception de sa sœur, Aurélie sortit pour la première fois de sa coquille pour lui parler de son voyage en pays dévasté. Il n'y avait là aucun souvenir à ramener à une petite fille de neuf ans.

L'été s'installa. Aurélie passait son temps à faire du bateau avec Charles et Roland. Les deux garçons aimaient bien ce chaperon qui leur permettait d'amener de jolies filles se promener et se baigner dans les îles à bord du yacht de leur père. Le *Bucéphale* passait de longs moments à l'ancre dans une petite baie. Pendant que ses frères buvaient de la bière et bécotaient les filles, Aurélie prenait la petite chaloupe et ramait vers les marais de la baie Lavallière. Entourée de roseaux, glissant sur les nénuphars, elle pouvait passer des heures à écouter les grenouilles, à regarder une libellule se poser sur son doigt, à surveiller le vol en piqué des hirondelles, à admirer un héron immobile, attentif à sa pêche. Ce contact nourri avec la nature l'aida peu à peu à apaiser la douleur du rejet qu'elle venait de subir. Son chagrin s'atténuait lentement.

Celui d'Ariane augmentait, mais personne ne le voyait. Elle passait ses journées allongée devant le fleuve. Les belles-sœurs ne se rencontraient plus que rarement, chacune occupée par ses enfants et sa vie sociale. Edmond partageait son temps entre l'usine et le club nautique. Les affaires en temps de paix n'allaient pas très bien; le chômage augmentait. Edmond se désespérait d'avoir à congédier régulièrement des travailleurs. Son absence pesait lourdement à Ariane. Elle se sentait plus seule que jamais.

Ariane fut secouée quand elle apprit qu'un avion militaire américain B-25 s'était écrasé sur l'Empire State Building. C'était un samedi matin de juillet 1945. Le pilote était parti de Bedford pour prendre à bord son commandant à l'aéroport de Newark. Soudainement confronté à un brouillard dense, il avait fait descendre son avion pour retrouver un peu de visibilité. Il avait alors constaté qu'il allait droit sur le Central New York Building. Le pilote avait réussi à tourner vers l'ouest pour l'éviter. Il s'était retrouvé face à d'autres gratte-ciel qu'il était parvenu à contourner, puis il était arrivé devant l'Empire State Building. Il avait tenté à la dernière minute de faire remonter le bombardier, mais c'était trop tard. Son appareil s'était écrasé sur le côté nord de l'édifice, faisant un trou dans le soixante-dix-neuvième étage. Onze employés du National Catholic Welfare Service avaient été brûlés vifs dans leur bureau, ainsi que le pilote et les membres de l'équipage. Des témoins avaient cru que New York était bombardée. Ariane referma le journal avec tristesse. Après l'incendie, trois ans plus tôt, du *Normandie*, le bateau de son voyage de noces aussi merveilleux que troublant, elle voyait un autre emblème de souvenir heureux être touché par la fatalité. Elle n'était plus au sommet du plus haut édifice du monde avec Edmond, à admirer New York à ses pieds, mais seule à regarder les eaux du fleuve courir vers la mer.

La vie avait trop changé pour elle. Ce fut pire après le 6 août 1945. La destruction d'Hiroshima, puis de Nagasaki, amenait peut-être la fin de la Seconde Guerre mondiale, mais elle révélait aussi l'existence d'une arme de destruction massive d'une envergure insoupçonnée. Les Américains s'en étaient servi deux fois; qui seraient les prochains? La guerre se terminait sur un lourd bilan: cinquante millions de morts, trente-cinq millions de blessés, trois millions de disparus. Vivre le cauchemar était épouvantable. Se réveiller et s'apercevoir que ça n'avait pas été un rêve était encore pire.

L'automne venu, Charles partit étudier l'économie à l'université d'Ottawa. Pour la première fois, il était séparé de son frère Roland qui terminait son baccalauréat au collège Sainte-Croix. Muriel avait repris le chemin de l'école et Aurélie, celui des bonnes œuvres, même si le cœur n'y était pas vraiment. Elle regardait les saisons changer en se demandant si un jour elle rencontrerait un homme qui lui ferait oublier Laurent. Ceux avec qui elle se faisait un devoir de sortir le samedi soir l'ennuyaient avant la fin de la soirée. Les audacieux essayaient de l'embrasser rapidement. Les vaniteux la promenaient devant le plus grand nombre de gens possible. Les astucieux essayaient de conquérir aussi Ariane et Edmond. Mais aucun n'avait le charme, les yeux, les mains et la bouche de Laurent.

Depuis plusieurs mois, Ariane avait une douleur au bras qui revenait régulièrement. Elle avait d'abord pensé que c'était la fatigue, puis l'effet de l'humidité avec les pluies automnales, et finalement qu'elle aurait bientôt quarante-huit ans. L'âge rattrape tout le monde, inévitablement, se disait-elle. Elle refusait de voir un médecin, se contentant de s'engourdir avec un peu de sherry, ce qu'elle n'avait jamais fait auparavant. Elle appréciait de plus en plus cet état vaporeux dans lequel elle passait ses journées. Un matin de printemps, la douleur la paralysa et Edmond en fut témoin. Malgré les protestations d'Ariane, il l'amena tout de suite consulter un médecin. Après des tests à l'Hôtel-Dieu de Montréal, le diagnostic tomba. Un cancer du sein avancé. Une seule solution: l'ablation des deux seins. Ariane serra la main d'Edmond avec force, se leva et sortit du bureau sans un mot. Elle entendit dans son dos le médecin lui redire que cette opération prolongerait probablement sa vie de quelques années. Il n'osa pas répéter que les poumons semblaient atteints. Edmond ne dit rien. Il enlaça sa femme avec une folle envie de pleurer comme un enfant, mais il se retint, persuadé qu'il devait montrer du courage pour qu'elle en ait autant.

— Ne dis rien aux enfants, pas maintenant, promets-moi, Edmond.

Il ne pouvait parler; il se contenta d'acquiescer en enfouissant son nez dans les cheveux d'Ariane. Les patients de la salle d'attente avaient tous baissé les yeux, par pudeur, par peur aussi qu'une telle nouvelle ne s'abatte sur eux. Ariane, soutenue par Edmond, sortit lentement du cabinet du médecin. Léopold les attendait dans l'auto. Il leur ouvrit la portière. Le visage défait d'Ariane laissait présager le pire. Edmond demanda à son chauffeur de rouler lentement; ils avaient tout leur temps. Ariane passa une bonne partie du trajet à essayer de digérer cette nouvelle, la tête appuyée sur l'épaule de son mari. Ils ne se parlaient pas, angoissés dans la même étreinte. Edmond se disait qu'ils devraient consulter un autre spécialiste, aller dans un grand hôpital américain, New York, Boston. L'inaction, le sentiment d'impuissance devant la fatalité lui serraient l'estomac, rendant sa gorge sèche, sa langue pâteuse. Il serrait les dents et respirait par à-coups.

Ariane était de plus en plus molle dans ses bras. Elle revoyait sa vie, l'enfance pauvre, la rencontre d'Edmond, la vie de conte de fées qu'il lui avait offerte, les voyages, les bijoux, le manoir, et puis il y avait les enfants. Aurélie était déjà une jeune femme qui commençait peu à peu à oublier son premier amour. Charles venait de fêter ses vingt et un ans avec éclat. Il avait tout pour lui: l'argent, les filles et une auto neuve, cadeau de son père. Roland suivait les traces de son aîné. La petite Muriel allait avoir dix ans et elle admirait sa grande sœur par-dessus tout. Edmond était absent depuis des années. Il la pleurerait, bien sûr, mais il se consolerait rapidement; les hommes étaient ainsi faits. Les enfants se débrouilleraient aussi. Ils pouvaient tous survivre à la mort de leur mère. Cette constatation monta à la gorge d'Ariane comme une boule de fiel. Elle en voulait à Dieu et au monde entier. Pourquoi lui infliger cette lente agonie? Elle aurait préféré ne rien savoir, ne pas se réveiller un matin, tout simplement. Elle se mit à envier tous ces morts à la guerre qui n'avaient rien vu venir, le corps déchiqueté avant que leur cerveau ne comprenne ce qui leur arrivait.

Ils trouvèrent le manoir vide. Aurélie était à une réunion des dames patronnesses et Muriel n'était pas encore rentrée de l'école. Ariane fut soulagée de n'avoir à affronter aucun de ses enfants. Edmond ne savait plus s'il devait se rendre au bureau ou rester un peu plus longtemps avec Ariane. Il hésitait, ne sachant quoi lui dire.

Il voulait l'encourager, mais il avait peur des paroles trop optimistes qui font encore plus mal en essayant de banaliser le drame. Ariane lui prit la main et l'entraîna vers leur chambre. Il la suivit docilement et la regarda enlever ses vêtements.

— Je veux vivre, Edmond, je veux vivre tout maintenant, toutes les joies possibles pendant que je le peux encore. Aime-moi… comme à Contrecœur, comme sur le *Normandie*. Aime-moi, comme si c'était la dernière chose que tu devais faire dans ta vie.

Edmond la serra dans ses bras et l'embrassa longuement. Ne parvenant plus à se retenir, il se mit à sangloter. Ariane le déshabilla doucement, puis ils s'étendirent sur le lit. Edmond cessa de pleurer et caressa sa femme comme il ne l'avait plus fait depuis longtemps. Ils retrouvèrent leur passion de jeunesse, peu à peu, et cette passion les submergea enfin pour leur faire tout oublier du futur. Seul le moment présent comptait.

Ariane refusa de se faire mutiler inutilement; il était trop tard de toute façon. Elle décida de ne rien dire à ses enfants. À quoi bon leur infliger un tel tourment? Elle ne voulait pas se voir mourir quotidiennement dans leurs yeux. Elle avait encore quelques mois de répit devant elle et elle voulait les consacrer au bonheur, le sien et celui des autres. Seul Edmond devait porter le poids de ce silence. Il avait de la difficulté à affronter le regard curieux d'Aurélie. Mais, devant la bonne humeur de sa mère, la jeune femme se disait que le diagnostic avait été favorable.

Ariane perdait du poids et s'efforçait de manger davantage même si cela la faisait vomir souvent. Elle se montrait toujours souriante devant les autres. Elle avait de plus en plus de mal à garder ce masque. Elle prenait des médicaments contre la douleur et buvait davantage, mais elle le faisait si discrètement que même les domestiques n'avaient pas cru la version pessimiste de Léopold. L'été fut donc une succession de fêtes familiales, de pique-niques et de balades en yacht. Edmond était plus présent que jamais auprès des siens. Il appréciait même ce répit qui lui permettait d'oublier l'usine où il devait se casser la tête tous les jours pour trouver de nouveaux contrats. Les procédés de fabrication d'équipements militaires étaient mal adaptés aux besoins en temps de paix, et la concurrence se faisait de plus en plus vive. Jules avait publié une brochure vantant les mérites du potentiel industriel de la région, mais cette initiative ne semblait pas porter fruit.

Le ministre Cardinal mourut d'une crise cardiaque en octobre 1946, dans sa résidence. Au début de la nuit, ne le voyant pas monter se coucher, sa femme était descendue à son bureau et l'avait découvert, la tête appuyée sur une pile de papiers, la main serrée sur sa poitrine. Le protecteur des Savard et de la région de Sorel venait de disparaître. La foule fut nombreuse à l'enterrement. Les frères Savard étaient tous là. Jules était venu de Montréal avec Violette, Lucien avec Antonine, Albert avec Rosemarie, même Mathilde était là avec son mari, Louis. Ariane marchait au bras d'Edmond, enviant cette mort soudaine et regardant sa propre mort. Edmond avait réussi à oublier, par moments, ce terrible diagnostic, mais tout lui revenait avec encore plus de force maintenant. Il serra davantage le bras de sa femme. Les gens y virent une preuve de douleur, se disant que les Savard se tourmentaient, que les relations avec le gouvernement fédéral ne seraient plus jamais les mêmes. Mais Edmond et Ariane savaient que c'était la peur, la terrible peur du vide, de ce grand trou noir qu'on remplissait de terre, de la terreur, celle de disparaître et celle, pour Edmond, de se sentir seul au monde parmi la foule.

Au retour de l'enterrement, Ariane réunit ses quatre enfants dans le salon. Elle n'avait plus envie de jouer les gentilles mamans de bonne humeur. Edmond s'assit dans un fauteuil et fixa le bout de ses souliers. Il était soulagé qu'Ariane soit enfin prête à affronter ses enfants ; il n'en pouvait plus de cette mauvaise comédie. Aurélie sentait que le moment était grave, Charles aussi. Ils s'étaient assis sur un canapé et attendaient, silencieux. Roland, nerveux, taquinait sa jeune sœur en tirant ses nattes, espérant la faire sortir de ses gonds, ce qui ne tarda pas à se produire. Muriel alla pleurnicher auprès de son père qui la fit asseoir d'une voix sévère, tout en fixant Roland qui baissa les yeux et se mit à jouer avec le bout de sa cravate. Ariane n'avait cessé de les regarder, voulant s'imprégner du visage de chacun.

— J'ai… Je vais mourir bientôt… du cancer. J'aurais tellement aimé vous voir vieillir, connaître mes petits-enfants.

Elle se tourna vers Aurélie et lui tendit la main. Aurélie se leva et se jeta dans les bras de sa mère. Ariane, les larmes aux yeux, la prit par les épaules et l'écarta doucement.

— Tu es la plus vieille, c'est à toi de donner l'exemple.

Aurélie se rappela soudain les paroles de sa mère le soir de son septième anniversaire: «Une princesse doit donner l'exemple.» Il lui semblait que c'était hier. Charles s'était approché. Ariane l'embrassa en lui ébouriffant les cheveux.

— Je vous demande d'être forts, de vous épauler quoi qu'il arrive.

Roland restait assis, stupéfait, paralysé. Muriel regarda son père et se mit à pleurer. Il la prit sur ses genoux. Elle répétait: «Elle va pas mourir, elle va pas mourir, dis, elle va pas…» Aurélie entendit renifler la bonne qui avait tout entendu. Les enfants d'Ariane embrassaient leur mère à tour de rôle. Personne ne doutait de ses dires. Ils l'avaient vue maigrir, cacher son teint cireux sous plus de maquillage, rembourrer ses vêtements pour avoir meilleure allure. En fait, ils savaient tous avant qu'elle n'en parle, mais ils avaient préféré ne pas poser de questions.

Aurélie en voulait pourtant à sa mère de ce secret qu'elle avait refusé de partager avec elle, pour ne pas accroître son chagrin, bien sûr. La perte de Laurent avait été difficile à accepter. Il lui faudrait maintenant assister à la disparition de sa mère, ce qu'elle refusait de faire. Mais cela ne changeait rien à la fatalité. Personne n'osa demander combien de temps il restait. Ils ne voulaient tous qu'une chose: être près de leur mère. Ariane leur souriait, soulagée d'avoir partagé ce trop lourd secret.

Edmond caressait les cheveux de Muriel en regardant sa belle femme, celle qui bientôt ne serait plus là à ses côtés, celle qui l'abandonnerait à lui-même.

Ariane voulait qu'on se souvienne d'elle belle et heureuse. Elle se montra enjouée durant le repas, ignorant le manque d'appétit de tout le monde. Les domestiques n'avaient jamais assisté à un dîner où on mangea si peu et où on s'efforça à ce point de sourire. Charles et Roland avaient pris une journée de congé, mais ils devaient retourner à leurs études le lendemain. Charles, au volant de sa Jaguar bleue, déposa son frère à Montréal en fin d'après-midi avant de se rendre à Ottawa où il arriva au début de la nuit. Saisi d'une angoisse soudaine, il téléphona au manoir pour parler à sa mère. Celle-ci lui assura que tout allait bien, qu'il devait plutôt essayer de dormir pour arriver frais et dispos à ses cours. Il sourit en entendant ces conseils qu'il jugeait inutiles. Il arriverait, comme d'habitude, à moitié endormi et en retard. Il raccrocha, rassuré. Aurélie n'arrivait pas à dormir, fixant le fleuve de son lit. Elle ne pouvait imaginer la vie sans sa mère. La famille éclaterait; Ariane était le ciment qui avait tout tenu en place. Son père se noierait dans ses affaires; ses frères n'étaient déjà plus souvent là; il ne resterait que Muriel et elle dans ce vaste manoir.

Edmond restait assis dans la bergère Louis XV qu'Ariane aimait tant. N'ayant pas envie de se coucher, il regardait Ariane se démaquiller devant sa coiffeuse. Il avait assisté à cette scène des milliers de fois depuis vingt-cinq ans. Ce qu'il avait pris pour un quotidien un peu banal se révélait chargé d'émotion. L'inclinaison de la tête, la courbe du cou, le galbe de l'épaule, les cheveux qui s'enfuyaient sous la brosse, la courbure du bras, l'arrondi des hanches, les petites fossettes au-dessus des fesses que la robe de nuit en soie laissait apparaître. Le spectacle était magnifique, troublant et cruel. Edmond chercha un peu d'air un bref instant. Ariane le regardait dans le miroir. Il lui rendit son regard et essaya de sourire.

— Tu vas me manquer… terriblement.

Elle se tourna vers lui et s'approcha. Elle s'assit sur ses genoux. Il fut surpris de la sentir si légère. Il avait l'impression qu'elle allait s'envoler s'il ne la retenait pas. Elle l'embrassa. Une douleur fulgurante traversa son corps et Ariane faillit crier, mais elle serra plus fort le visage de son homme, enfonçant sa langue dans sa bouche. Edmond la souleva et la porta sur le lit. Il lui fit l'amour avec ardeur pendant qu'elle guettait les attaques de douleur qui la traversaient comme des lances acérées. Ce qu'il prenait pour des cris de plaisir était des gémissements de souffrance. Il posa sa tête sur l'oreiller, repu. Ariane se tourna vers lui pour caresser ses cheveux qui se faisaient plus rares, dévoilant un crâne rond et pâle. Elle avait tellement mal qu'elle ne trouvait plus de position confortable pour dormir. Edmond s'endormit rapidement, épuisé par toutes les émotions de la journée.

Ariane le regarda dormir un moment. Comme elle aurait aimé rester auprès de cet homme pendant de nombreuses années, le regarder prendre ses petits-enfants sur ses genoux! Mais la souffrance était trop forte, de plus en plus insupportable. Elle se leva sans bruit et alla à la salle de bains attenante. Elle prit un flacon de pilules puis ouvrit une bouteille de sirop qui contenait plusieurs comprimés qu'elle avait patiemment conservés. Des somnifères prescrits par différents médecins. Elle en avala quelques-uns. Sa gorge se serrait de plus en plus. Elle but un peu d'eau. Ses mains tremblaient en prenant d'autres comprimés. Elle devait faire attention pour ne pas les vomir. Elle s'arrêta à plusieurs reprises et se regarda dans la glace. La femme au regard vitreux et au teint cireux qu'elle y voyait lui donnait le courage de continuer d'avaler la mort. Elle retourna péniblement s'étendre aux côtés de son mari. Déjà la douleur s'atténuait; sa tête flottait dans un brouillard; son corps s'engourdissait. Ariane aurait la mort qu'elle souhaitait, dans son sommeil.

Aurélie racontait, faisant de nombreuses pauses pour ménager son auditoire réuni autour de la table. Rendu au dessert, tout le monde refusa le morceau de moka que proposait Simone. La disparition d'Ariane les avait secoués. Jean-Paul s'excusa; ces vieilles histoires du passé ne l'emballaient pas et il prétexta un match de hockey à la télévision pour laisser les femmes remuer leurs souvenirs. Aurélie lui dit qu'elle aurait besoin de lui le lendemain; elle devait aller avec Lorraine à Montréal. Cette dernière indiqua alors qu'elle n'avait pas encore pris rendez-vous avec le notaire.

— Et puis, ce serait peut-être étrange d'arriver à son bureau avec une limousine et un chauffeur.

— Il n'y a pas beaucoup de risques qu'il nous regarde arriver de sa fenêtre, mais si tu veux conduire, moi je veux bien. Tu prendras rendez-vous demain. Mais je ne veux pas te bousculer, si tu veux attendre.

— Non, non, je veux en finir avec cette histoire. J'aimerais aussi prendre des photos, ce soir.

— La bergère et la coiffeuse.

Lorraine fixa Aurélie, étonnée. La vieille dame lui tapota la main, heureuse d'avoir deviné ce qui lui semblait, à elle, évident. Elle avait réussi à entraîner Lorraine dans son histoire, à revivre avec elle la mort d'Ariane, cette mort qu'elle avait décrite avec un certain romantisme, sans oser parler du choc d'Edmond se réveillant à côté d'un cadavre. Il aurait préféré qu'Ariane fasse cela pendant son absence, en plein après-midi, prétextant une sieste pour ne plus se réveiller. Il n'avait jamais plus dormi dans cette chambre, même après des années, quand Aurélie l'avait fait repeindre. Il refusait tout simplement d'y entrer.

Lorraine monta à la grande chambre, suivie d'Aurélie. Tout était resplendissant, pas un grain de poussière. La tourelle ouest du manoir faisait partie de la chambre, une petite pièce ronde avec des rideaux de dentelle et une bergère Louis XV qui regardait vers la fenêtre.

— Comment pouvait-il la voir quand elle était assise devant la coiffeuse?

— La bergère était près du lit. Je l'ai fait déplacer pour qu'elle oublie un peu et regarde dehors.

En parlant, Aurélie caressait le dossier du fauteuil. Lorraine prenait des photos, toujours des détails, une main, un bras, une épaule, des cheveux. La lumière du plafonnier donnait une teinte jaunâtre à l'ensemble, et Lorraine avait choisi de prendre l'appareil qui contenait la pellicule noir et blanc. Elle trouvait Aurélie encore plus belle ainsi. Elle lui demanda de s'asseoir devant la coiffeuse qui lui semblait bien moderne avec ses longs pieds fins et ses petits tiroirs. Le dessus était formé de trois panneaux. Deux s'ouvraient de chaque côté pour dévoiler des compartiments de rangement, et le couvercle central comportait un miroir.

— C'est une réplique de la coiffeuse de Marie-Antoinette. Ariane l'avait trouvée pendant leur voyage à Paris. Elle en caressait le bois chaque soir. Je sais qu'il te faut une présence humaine dans le cadre, mais je n'ai pas envie de m'asseoir à sa place.

Lorraine eut tout juste le temps de capter l'image d'Aurélie qui soulevait le couvercle central, laissant apparaître son profil dans le miroir. Elles redescendirent au salon. Simone avait allumé un feu dans la cheminée. Aurélie s'assit sur le canapé pendant que Lorraine chargeait ses appareils photos de pellicules.

— Qu'est-ce qui t'a donc amenée à faire ce métier?

— Le hasard, je crois. Ma mère m'a acheté un appareil photo quand j'avais douze ans. Un de ces petits Instamatic qui faisaient fureur à l'époque. Pas de lentille à changer, pas de temps d'obturation à régler, pas de mise au point à faire. La photographie à la portée de tous. On visait et on appuyait sur le bouton, sans complication. J'ai découvert que je pouvais me cacher derrière cet appareil pour regarder les gens. Ils s'efforçaient de paraître sous leur meilleur jour, souriants et bien placés. J'avais le pouvoir d'immortaliser un anniversaire, un repas de Noël, un mariage, une baignade à la plage. Je captais un moment précis dans le temps. Puis je me suis aperçue que j'avais aussi le pouvoir de montrer les gens tels qu'ils étaient. Mon entourage a commencé à me trouver moins sympathique. J'étais devenue une voleuse d'images. Des cours de photographie au cégep m'ont rassurée. J'avais le talent de devenir invisible dans les moments d'agitation. J'ai étudié au cégep du Vieux-Montréal au début des années soixante-dix, en plein bouillonnement social. Grèves, occupations de locaux, assemblées chahuteuses, je captais tout. Le pas était facile à franchir pour se mettre à voyager, à courir le monde.

— Tu aurais pu devenir une photographe de studio, de magazine, de journal.

— Peut-être. Je ne pense pas qu'on décide de beaucoup de choses dans la vie. On fait des choix en fonction des événements qui nous bousculent, des rencontres qui nous marquent, mais on part rarement de zéro. J'ai rencontré un Mexicain, je l'ai suivi. J'ai passé deux ans au Yucatan. C'était bien avant qu'on en fasse un terrain de récréation pour touristes. Je n'étais pas équipée psychologiquement pour ce changement radical. J'avais eu une enfance pleine d'amour et de stabilité. La misère m'a trop secouée pour que je devienne une photographe esthétique. Et je ne m'en plains pas.

Lorraine avait terminé de charger ses appareils. Elle regarda un moment autour d'elle.

— Après le décès d'Ariane, tout le manoir a dû respirer la mort…

— Pas seulement le manoir. Noël et le jour de l'an ont été tristes. On prenait les repas en silence. Charles et Roland étaient, de toute évidence, heureux de passer la semaine à l'extérieur. Edmond était brisé, le regard continuellement tourné vers l'intérieur. Et il devait jouer le rôle du veuf étonné. Tout le monde avait appris avec stupéfaction la mort d'Ariane, puisque personne ne la savait malade. Officiellement, son cœur avait lâché dans son sommeil, puis on a parlé d'un cancer qui l'avait rongée en silence. Tous les Savard se sont regroupés derrière Edmond, faisant taire la moindre rumeur. Des messes étaient chantées régulièrement pour le repos de son âme. Et moi, j'étais seule avec Muriel, essayant de jouer à la mère avec ma petite sœur. C'est toujours difficile de perdre sa mère, mais devenir orpheline à dix ans laisse totalement désemparée. Je comprends le regard triste de Jeanne sur la photo. L'enfance la quitte et le monde des adultes lui est encore fermé. La tante Mathilde s'est faite plus présente. Je ne pouvais plus la supporter. Elle essayait tous les jours de nous consoler comme si la vie était une poupée mécanique qu'il suffit de remonter pour sourire de nouveau.

Aurélie prit possession du manoir et en chassa la tante Mathilde. Elle le fit d'abord poliment, puis avec plus de fermeté face à l'incrédulité de Mathilde qui ne comprenait pas comment on pouvait se passer de ses services. Ses enfants étaient maintenant des adultes et s'occupaient des affaires de la famille. Le magasin général était devenu une vaste quincaillerie, et Louis avait ouvert une boutique de lingerie dont sa fille était gérante. Mathilde l'assistait souvent, prenant les mesures des clientes lorsque des ajustements étaient nécessaires. Elle y retourna, déçue de l'incompréhension de sa nièce.

Le temps s'était arrêté. Dès l'arrivée du printemps, Aurélie commença à transformer le parc en jardin anglais. Elle essayait d'y reproduire l'Angleterre qu'elle avait connue avant la guerre, dans l'espoir d'oublier celle qu'elle avait retrouvée, défigurée par les bombardements. Elle fit aussi agrandir la serre pour pouvoir y ajouter des treillis sur lesquels les gloires de Dijon s'épanouiraient, ces roses qui lui rappelaient à chaque moment son amour perdu. Aurélie ne voulait pas oublier Laurent, seulement en faire un souvenir inoffensif, rempli de tendresse. Cette serre lui servirait de mausolée, le mausolée de leur impossible amour.

La ville, qui avait connu un boom de constructions résidentielles pendant la guerre, voyait le nombre de ses résidents diminuer. Le chômage augmentait dans la région. La construction navale se poursuivant en temps de paix, la Maritime s'en sortait un peu mieux que Sorel Industries. Même si l'usine, sous la direction d'Edmond, restait le seul arsenal de l'hémisphère occidental à fabriquer des canons complets, de la matière première jusqu'au produit fini, elle devait produire autre chose pour survivre. Edmond avait trouvé des contrats pour des wagons réfrigérés, des mixeurs à ciment, des fournaises, mais tout cela sans enthousiasme. Il ne pouvait plus supporter la vue du manoir. Cette demeure lui rappelait trop Ariane qu'il revoyait dans tous ses rêves, étendue à ses côtés, glacée, une main crispée sur le ventre comme si une douleur l'avait frappée avant que son cœur ne cesse de battre. Les meubles, les tentures, les odeurs, les silences, tout lui rappelait qu'il était désormais seul. Il essayait bien d'être présent pour ses filles, mais il ne savait plus comment les aborder. Muriel le laissait désemparé. Il lui achetait des jouets qui ne lui arrachaient même pas un sourire ; il l'amenait au cinéma et elle le remerciait poliment comme s'il avait été un étranger bienveillant. Edmond se sentait incapable de briser sa bulle. S'apercevant que seule Aurélie arrivait à se frayer un chemin dans le cœur de la fillette, il décida de la laisser agir seule.

Edmond avait trouvé un appartement à Montréal, pas très loin des bureaux de Jules, et il y emménagea au printemps. Ne voulant rien changer au manoir, il ne prit que ses affaires personnelles et meubla à neuf son nouveau pied-à-terre. Aurélie mit des semaines à comprendre que son père avait vraiment déménagé. Il prétextait un contrat, une rencontre, des dossiers à remettre à Jules pour dormir à Montréal. Il faisait le trajet Sorel-Montréal presque quotidiennement, s'arrêtant au manoir en fin de journée pour saluer ses filles et s'éclipser ensuite. Il revenait les fins de semaine, tout comme Charles et Roland.

À la fin du printemps, alors qu'il se baladait avec Adrien, l'aîné de Jules, Edmond découvrit le lac Vert, un petit lac encore sauvage, situé au nord-est de Saint-Alexis où Jules avait un immense camp. Ce fut le coup de foudre. Le lac n'était pas facile d'accès. Une ancienne route forestière en mauvais état s'en approchait, mais il avait fallu faire un sentier pour atteindre le lac. Edmond n'eut désormais qu'une passion: y construire de ses mains un camp en bois rond. Il y passait maintenant ses fins de semaine. Charles et Roland venaient parfois l'aider à transporter des billots de bois, à boucher les interstices avec de l'étoupe, à clouer les bardeaux du toit ou à calfeutrer les fenêtres. Les hommes s'isolaient dans le bois, armés de scies, de haches et de marteaux. Aurélie et Muriel vinrent une fois jouer les premiers colons, mais l'amusement ne dura pas. Les moustiques, l'absence d'eau courante et d'électricité eurent raison d'elles. Les veillées à la lampe à pétrole étaient romantiques un jour ou deux, pas plus. Et se laver à la petite source qui alimentait le lac n'était agréable que les jours de canicule, peu nombreux à cette latitude.

Même passionné par son camp, Edmond n'avait pas perdu de vue qu'il avait une fille qui allait bientôt avoir vingt-six ans. Une fille qui avait déjà envoyé balader tous les beaux partis de la région qu'il s'était arrangé pour lui faire rencontrer. Il se tourna donc vers Adrien, admis au barreau en 1940 et, depuis, avocat au service de son père. Le jeune homme lui présenta un jeune confrère, Richard Beaulieu, qui venait tout juste d'être inscrit au barreau. Edmond fut subjugué par ce jeune homme d'à peine vingt-cinq ans, discret et déterminé. Il l'invita au restaurant et ne vit pas le temps passer. Richard était un passionné tranquille, tout à l'opposé d'Edmond, flamboyant et bon vivant. Mais sous des dehors d'intellectuel sans éclat, le jeune homme avait une force intérieure, une assurance qui plurent à Edmond. Ils découvrirent qu'ils avaient une passion commune: la politique. Il n'en fallait pas plus pour qu'Edmond veuille le présenter à Aurélie.

Monseigneur Douville, évêque de Saint-Hyacinthe, était venu bénir, le 13 mai 1947, la pierre angulaire de l'hôpital Hôtel-Dieu. La cérémonie avait été truffée de discours dans lesquels tous s'étaient vantés d'avoir été les premiers à vouloir construire cet hôpital. Aurélie les avait regardés avec une souveraine indifférence. Ce combat qui l'avait tant enflammée, elle l'avait laissé à ses tantes et à ses cousines qui continuaient à se dévouer avec un enthousiasme quelque peu refroidi. Le terrain où s'élèverait le grand bâtiment beige jaunâtre se trouvant tout près du manoir, Aurélie put suivre les étapes de sa construction quotidiennement. Le 4 juin 1948, la première patiente de l'hôpital donnait naissance à une petite fille. Mais Aurélie préférait faire planter de nouveaux arbres dans le parc pour s'isoler davantage. Quand elle vit son père, quelques jours plus tard, arriver au manoir accompagné d'un jeune homme à lunettes de corne noire, elle soupira. Encore un prétendant comme à l'époque où ses parents, voulant lui faire oublier Laurent, lui avaient présenté toute une gamme de jeunes hommes bien.

Pour s'occuper comme il fallait de Muriel, Aurélie avait mis de côté sa vie amoureuse. De toute façon, Laurent serait irremplaçable, elle le savait. Et elle savait aussi qu'elle devrait sans doute se marier un jour, mais elle n'était pas pressée d'en arriver là. Elle reprenait à son compte la vieille idée selon laquelle il faut attendre que les enfants soient grands pour faire quelque chose. Aurélie était prête à devenir vieille fille en attendant que Muriel soit en âge de se marier. Elle avait des années devant elle pour mener seule sa barque et prendre totalement possession du manoir. L'arrivée de ce gringalet n'allait rien y changer, la jeune femme en était persuadée. Elle accueillit Richard avec politesse, sans plus. Edmond, souriant trop et parlant beaucoup, s'évertua à vanter l'avocat à sa fille. Le jeune homme était de plus en plus mal à l'aise. Aurélie trouvait amusant ce duo qui jouait devant elle. Le rondelet Edmond, avec ses yeux perçants et son crâne qui n'en finissait plus de se dégarnir, gesticulait aux côtés du maigre Richard qui baissait souvent les yeux en souriant, intimidé par cette avalanche de compliments. Ce fut ce sourire d'enfant qui plut à la jeune femme. À bout d'arguments, Edmond les laissa se promener seuls dans le parc autour du manoir. Les deux jeunes gens marchèrent en silence un moment, puis ils s'arrêtèrent devant le fleuve.

— Je suis navré de m'imposer ainsi, c'était une idée de votre père.

— Je n'en doute pas. Depuis la mort de maman, il veut se rassurer en me casant.

— Il ne devrait pas se faire de soucis pour vous, vous avez tout pour être heureuse.

— C'est ce que je pense aussi. Il vous a parlé de Laurent?

Richard acquiesça. La vie d'Aurélie lui avait été racontée par le détail. Il avait l'impression de la connaître comme une sœur.

— Alors, parlez-moi de vous. Ça me distraira un peu et papa sera content. Il aura l'impression que vous me faites la cour.

Le jeune homme la regarda avec un sourire en coin.

— Si j'avais eu une sœur, j'aurais aimé qu'elle soit comme vous: espiègle, intelligente, capable de partager tous les secrets. Vous foncez toute seule, tête baissée, et abattez les obstacles avec l'air de ne pas y toucher.

Aurélie sentait qu'il était sincère, qu'il ne cherchait pas à lui plaire à tout prix. Cette constatation la rassura. Elle avait besoin d'un ami, un vrai. Richard venait d'une famille modeste. Il avait vu son père mourir dans ses bras alors qu'il n'avait que seize ans. Resté seul avec sa mère, il avait fait des petits boulots pour pouvoir poursuivre ses études au collège Brébeuf, où les jésuites enseignaient à l'élite outremontoise. Son père, modeste employé, avait beaucoup insisté pour investir dans l'éducation de son fils unique. Richard avait réussi à obtenir des bourses d'études qui lui avaient permis de terminer son cours classique et d'entrer ensuite à la faculté de droit de l'Université de Montréal.

— Je ne me sens pas l'âme d'un grand plaideur, mais je suis déterminé à défendre la veuve et l'orphelin.

La jeune femme se mit à rire.

— Défendre la veuve et l'orphelin? Vous êtes naïf.

— Non, je pense qu'il n'y a qu'une manière d'arriver à plus de justice: se donner à la chose publique, être au service du Québec par l'action politique.

— Je comprends l'enthousiasme de mon père. Vous voulez changer le monde par la politique, son rêve avorté.

61

— Il aurait pu être un excellent politicien. Pourquoi ne l'a-t-il pas fait?

— Mon oncle Jules s'y est toujours opposé. Il préfère la stabilité des affaires à l'incertitude des élections. On gagne plus en achetant un politicien qu'en se faisant acheter par un homme d'affaires.

— Vous avez l'ironie mordante.

— Je ne voulais pas me moquer de vos intentions, excusez-moi. Alors, vous voulez remplacer Duplessis?

— Je pense que la province en a bien besoin. La vie publique peut être noble, j'en suis certain. Mais, pour le moment, je me concentre sur Londres.

Aurélie le regarda, intriguée. Richard, studieux et bien sérieux pour son âge, n'avait cessé de tout faire pour que son père soit fier de lui, même à titre posthume. Médaillé du gouverneur général, il avait réussi à obtenir une bourse d'études de la Société royale pour aller étudier à l'université d'Oxford où il commencerait ses cours dès septembre. Il allait faire sa maîtrise ès sciences économiques et politiques dans la célèbre université britannique. Ce jeune homme commençait à lui plaire. Quand il parlait, son regard s'allumait devant toutes les possibilités que la vie lui offrait. Il avait une foi inébranlable en l'avenir et aussi en lui-même. Ils bavardèrent encore un bon moment. Edmond les regardait du manoir. Sa fille n'avait pas congédié le jeune avocat rapidement. Il y avait peut-être de l'espoir.

Pour la première fois depuis longtemps, Aurélie se surprenait à sourire toute seule. Elle passait un été merveilleux. Charles et Roland, revenus au manoir pour les vacances, se promenaient toujours sur le yacht de leur père avec des jolies filles. Aurélie les accompagnait souvent avec Richard. Elle était contente de voir que Charles s'était pris d'amitié pour ce garçon discret, insaisissable et habile, drôlement déterminé à laisser sa marque. Les garçons discutaient ferme pendant des heures. Aurélie aimait se mêler à eux, trouvant que les filles, allongées sur le pont du *Bucéphale*, couvertes d'huile, étaient plutôt ennuyeuses, ne s'animant que pour rire des compliments niais émis par leurs compagnons. La jeune femme avait l'impression de refaire le monde qui semblait en avoir grandement besoin au lendemain de cette guerre sanglante. Elle voulait aussi refaire son monde, s'éloigner de la France et se recentrer sur le Québec, sur des choses plus concrètes. Elle appréciait le fait que Richard soit continuellement poli, affable. Il lui prenait la main, l'embrassait délicatement avant de retourner auprès de sa mère, dans un modeste appartement de Montréal, et ne cherchait jamais à pousser trop loin les caresses. Aurélie avait l'impression qu'il respectait sa passion pour Laurent, se contentant d'être un bon compagnon, attentif et loyal.

Richard partit pour l'Angleterre à la fin du mois d'août. Aurélie se retrouva de nouveau seule avec Muriel au manoir. Mais elle ne s'y sentait plus aussi isolée. Elle entretenait une correspondance assidue avec Richard. Jamais la barrière des distances n'avait été si mince. Richard lui parlait de son quotidien avec tant de détails qu'elle avait l'impression d'être avec lui à Oxford. En décembre, Aurélie apprit que ses oncles Jules et Lucien se rendraient à Londres en janvier pour y être décorés de l'ordre de l'Empire britannique. Cet ordre, créé en 1917 par le roi George V, voulait récompenser un plus grand nombre de gens, aussi bien civils que militaires, qui participaient de façon remarquable à l'effort de guerre en Grande-Bretagne et dans les autres parties de l'Empire. Après la guerre, l'ordre de l'Empire britannique servit à reconnaître les services rendus à l'État, la valeur de ces services étant le seul critère pour cette récompense. L'immense effort de guerre des Industries Savard les plaçait dans cette catégorie. Peu de citoyens étrangers recevaient cet honneur, seulement ceux qui avaient contribué de manière importante aux bonnes relations entre leur pays et la Grande-Bretagne.

La jeune femme repensa à Londres. Pourquoi ne pas faire le voyage aussi et passer par Oxford ? L'occasion était trop belle pour la laisser passer. Elle hésita un peu.

Revoir Londres, c'était aussi revoir l'horloge Big Ben, le visage de Laurent se retournant vers elle quand elle avait crié son nom, la chambre de la rue Hugh, les caresses, les baisers. Elle avait presque réussi à tout oublier et avait peur d'une rechute. C'était pourtant une belle occasion de mettre sa relation avec Richard à l'épreuve et de se distraire un peu. Elle en parla à son père qui en fut ravi.

— Voir Londres au bras de ton fiancé te fera le plus grand bien.

— Nous ne sommes pas fiancés, papa. Richard est… un grand ami.

— C'est déjà un bon départ. Vous faites un très beau couple, vous êtes faits pour vous entendre. Fais-toi plaisir, ma petite princesse.

Aurélie sourit, encore sensible à ces petits mots doux venant de son enfance. La petite princesse devrait bien se faire, tôt ou tard, une raison et reprendre le cours de sa vie. Passer le test de Londres en faisait sans doute partie. Et Richard serait là pour l'aider. Elle s'empressa de lui annoncer cette bonne nouvelle. La réponse ne tarda pas. Richard l'attendait avec impatience. Elle fit donc la traversée avec ses deux cousines Émilie et Charlotte, Eugénie étant retenue chez elle par une grossesse avancée. Il y avait aussi Jules et Violette, Lucien et Antonine. Le paquebot arriva à Southampton où Richard les attendait. Le jeune étudiant avait sauté sur l'occasion pour passer quelques jours à Londres aux frais d'Edmond.

La ville avait retrouvé sa beauté. La reconstruction était presque terminée. Les soldats avaient quitté les rues pour laisser les Londoniens vaquer à leurs occupations. Lucien et Antonine invitèrent tout le monde à se recueillir dans la cathédrale Saint-Paul, chapelle de l'ordre de l'Empire britannique et symbole de la victoire. Bien que sérieusement endommagé durant la Seconde Guerre mondiale, le monument avait survécu aux bombes de façon presque miraculeuse. Après cette visite, tous regagnèrent l'hôtel Mayfair pour se préparer au grand jour.

Il faisait froid en ce début de janvier. Aurélie avait envie de marcher et demanda à Richard de l'accompagner. Elle dut reconnaître que son père avait raison. Au bras du jeune homme, elle se sentait bien et elle avait l'impression d'apprivoiser de nouveau cette ville. Richard se montrait curieux de tout. Il adorait l'Europe. Sa vie à Oxford, malgré la chambrette exiguë et le climat pluvieux, le passionnait. Il ne cessait d'apprendre et les modèles politiques européens l'intéressaient beaucoup. Tout en marchant, Richard lui racontait son rêve d'un Québec moderne, tourné vers l'avenir. Elle l'écoutait tout en se serrant contre lui pour se réchauffer un peu. Ils se promenèrent longtemps et rentrèrent tard à l'hôtel, frigorifiés. Richard l'embrassa doucement devant la porte de sa chambre et se retira pour la nuit dans la sienne. Aurélie s'endormit perplexe. Ce fiancé, qui n'en était pas encore un, ne lui montrait aucun signe de passion physique. Il semblait amoureux de son cerveau. Elle dut bien s'avouer que c'était la même chose pour elle.

Le grand jour arriva enfin. Tout le monde était nerveux, même Jules qui savait si bien garder ses émotions pour lui. Aurélie l'avait toujours soupçonné de ne pas en avoir, mais, à le voir retoucher constamment son nœud de cravate, elle changea d'idée. Jules et Lucien avaient revêtu une jaquette noire à queue-de-pie sur un pantalon à fines rayures noires et blanches, un gilet gris perle et une cravate de soie de la même couleur. Violette et Antonine portaient chacune une robe de soie à petits imprimés, un collier à plusieurs rangs de perles et un chapeau à larges bords. Comme les autres membres de la famille seraient de lointains spectateurs, le code vestimentaire était moins rigide pour eux. Ce qui n'empêcha pas Aurélie et ses cousines de rivaliser d'élégance.

Il y avait plusieurs classes dans l'ordre de l'Empire britannique. Ceux qui avaient été faits chevaliers ou dames de la Grande Croix, commandeurs ou dames commandeurs avaient été reçus par le roi George VI quelques jours auparavant. Ces gens pouvaient maintenant se faire appeler «Sir» ou «Dame», chose impossible pour les citoyens étrangers. La cérémonie était aujourd'hui consacrée à ceux qui deviendraient officiers ou membres de l'ordre de l'Empire britannique, ce qui était le cas de Jules et de Lucien. Les futurs officiers de l'ordre attendaient dans la Green Drawing Room. Ceux qui allaient devenir membres de l'ordre et leurs invités furent rassemblés dans la Picture Gallery pour recevoir les instructions nécessaires. La cérémonie était organisée avec beaucoup de précision et une parfaite chorégraphie. Aurélie se tenait à l'écart avec ses cousines et Richard, un peu intimidée par tout ce décorum. Elle n'aurait jamais cru se retrouver dans le palais de Buckingham à admirer la richesse des lieux. Elle pensa à sa mère. Comme elle aurait aimé être là avec elle!

La tension montait lentement. Les proches furent invités à prendre place dans la grande salle de bal où plusieurs rangées de chaises avaient été installées de chaque côté d'un long tapis rouge. Les récipiendaires attendaient dans leurs salles respectives d'être annoncés pour se rendre dans la salle et recevoir leur médaille des mains du roi. Après une attente qui lui sembla interminable, Jules fut appelé. Il marcha au pas sur le long tapis rouge, comme on le lui avait demandé, et se dirigea vers le roi qui l'attendait. Violette regardait son mari les yeux brillants de fierté. Jules mit un genou sur un coussin de velours rouge posé sur une base de bois. George VI accrocha la médaille sur le revers de sa jaquette, une croix argentée au centre de laquelle était inscrite la devise «For God and the Empire», le tout surmonté de la couronne royale. George VI prononça quelques mots. Jules se leva, inclina la tête, tendit la main au roi et recula de quelques pas avant de prendre place aux côtés de sa femme. Lucien le suivit. Tout se passa rapidement. L'émotion était pourtant palpable dans le silence des lieux.

La cérémonie terminée, Jules invita tout le monde à fêter cet événement dans un grand restaurant. Aurélie eut le plaisir de revoir William Asbury au bras d'une jolie femme blonde dans la quarantaine. Il n'avait plus cette tristesse dans le regard. Quand il apprit que Richard étudiait à Oxford, il passa une bonne partie du repas à se remémorer ses études dans la même ville. La soirée fut agréable et le champagne coula à flots. Le lendemain, les Savard et Richard continuèrent à visiter la ville. Antonine surveillait de près les jeunes gens, visiblement heureux d'être ensemble. Ils se moquaient de ce chaperon à qui ils essayaient le plus souvent possible de fausser compagnie, souriaient souvent, encore plus complices. Richard fit découvrir à Aurélie un salon de thé où ils passèrent l'après-midi à discuter. Il était content de la revoir, de parler avec elle. Elle attendait pourtant des mots tendres qui ne venaient pas.

— Richard, comment vois-tu notre avenir ? Je ne parle pas de la province ni du pays. Je parle de nous.

Il la regarda avec son éternel petit sourire en coin et plissa les yeux.

— Je le vois ensemble, nous deux. Je pense enseigner à l'université à mon retour. Je ne pourrai sans doute pas t'offrir la vie luxueuse que tu as connue, mais je crois que je peux te rendre heureuse. J'aimerais avoir des enfants de toi.

La perspective d'entendre des cris d'enfants dans le parc du manoir, de les voir courir entre les arbres, d'aménager leur chambre avant leur naissance, ravit la jeune femme. Elle allait avoir vingt-sept ans l'été suivant. Il était temps de se caser. Aussi bien le faire avec un homme comme Richard.

— J'aimerais aussi avoir des enfants.

Dans un même mouvement, ils se prirent la main. Ils venaient de sceller leur avenir. En la quittant, Richard la serra dans ses bras et l'embrassa. Ses lèvres étaient douces et chaudes. Aurélie se lova au creux de sa poitrine, heureuse. Lorsqu'elle reprit le bateau avec les autres Savard, elle annonça qu'elle avait maintenant un fiancé. Tout le monde la félicita. Ce n'était pas trop tôt !

Les fiancés se retrouvèrent au début de l'été. La date du mariage avait été fixée par Edmond, le dernier samedi du mois d'août 1949. Les nouveaux mariés repartiraient ensuite pour l'Angleterre où Richard terminerait sa deuxième année de maîtrise ès sciences économiques et politiques.

L'été se passa en planification. Edmond invita mille cinq cents personnes au mariage de sa fille. Il voulait que toute la bonne société canadienne se retrouve autour de lui. La famille Savard était l'une des plus puissantes forces financières du Québec. Personne ne refusa cette invitation. Aurélie se fit confectionner une robe de rêve, tout en dentelle et en organdi, digne d'une princesse. Muriel regardait sa grande sœur avec admiration, comme Aurélie avait regardé Ariane mettre sa robe de bal pour le duc de Kent. Tous ces préparatifs occupaient la jeune femme du matin au soir. Comme elle aurait aimé demander conseil à Ariane! La robe, les fleurs, les alliances, les cartons d'invitation, le menu du repas, le choix du gâteau, la décoration du jardin. À chaque décision, Aurélie essayait de s'imaginer ce qu'en aurait pensé sa mère. Elle se rappelait aussi les phrases de madame Alexandra: «N'oubliez pas ce que votre nom exige de vous. L'épouse légitime demeure la première dame de toutes. Nous prolongeons les noms et les dynasties.» Aurélie en était rendue à prolonger la dynastie Savard. Elle avait choisi pour le faire un jeune homme intelligent, déterminé, avec qui elle pouvait parler de tout. Elle était décidée à assumer sa vie de femme adulte, responsable, essayant d'oublier la jeune fille qui pointait parfois le nez, de taire ses rêves érotiques, se disant que, dans les bras de Richard, elle oublierait cet après-midi londonien qui la hantait parfois.

Le fiancé devenait de plus en plus nerveux devant cet étalage de luxe. Le gâteau de noces à lui seul coûtait plus que le loyer mensuel du petit appartement qu'il venait de prendre en Angleterre. Lui qui était toujours à calculer ses sous imaginait tout ce qu'on aurait pu faire avec cet argent en le répartissant autrement. Mais les Savard semblaient avoir une bourse inépuisable. Le matin du grand jour, Edmond prit son nouveau gendre par les épaules et lui montra le parc du manoir aménagé pour recevoir les nombreux invités.

— C'est comme à Beverly Hills. Tu ne verras que des gens riches et célèbres.

— J'espère ne pas vous décevoir, monsieur.

— Allons, mon garçon, tu fais partie de la famille maintenant. Les portes te sont ouvertes, partout où tu voudras aller.

La cérémonie du mariage eut lieu à l'église Saint-Pierre. Tous les bancs étaient occupés même si la majorité des invités, anglophones et protestants, ne se rendraient qu'à la réception. Charles se tenait aux côtés de Richard, dont il était le témoin. Dans sa somptueuse robe de demoiselle d'honneur, Muriel précédait Edmond, qui marchait lentement avec sa fille aînée à son bras. La fierté se lisait sur tous les traits de son visage. Aurélie était nerveuse. Elle comprit brusquement, en pénétrant dans l'église, qu'elle ne pouvait plus reculer. Son sort était scellé: elle passerait sa vie avec Richard. Elle pensa à Ariane, à son mariage d'amour, à la passion qui l'avait animée toute sa vie et elle dut admettre qu'une telle passion ne brûlait pas en elle. Richard attendait sa future épouse le cœur battant. Jusqu'au dernier moment, il avait eu peur qu'Aurélie ne se présente pas, qu'elle s'enfuie loin de lui. Cherchant l'amour dans les yeux de sa princesse, il n'y vit que l'étonnement.

Le curé mit beaucoup d'emphase sur les qualités exceptionnelles des deux jeunes gens réunis devant lui.

Richard prit les mains d'Aurélie avant de déposer un baiser sur ses lèvres. La jeune femme serra ses doigts et se sentit soulagée. Elle pourrait aimer une telle douceur. Une foule de badauds accueillirent les nouveaux mariés à leur sortie sur le parvis. Aurélie descendit les marches au bras de son nouvel époux. Ils souriaient tous les deux comme un couple royal pendant que des photographes immortalisaient la scène.

La réception fut en effet digne de Beverly Hills. Tous les milliardaires que comptait le pays étaient réunis, un verre de champagne à la main. Les Savard, nombreux, circulaient avec aisance parmi eux. Richard avait envie de se pincer régulièrement pour être certain que ce rêve était devenu réalité. Aurélie faisait le tour du parc, se promenait dans toutes les pièces du manoir. Elle quitterait dans quelques heures ce cocon qu'elle aimait tant, ce monument dédié à Ariane, ce refuge. Muriel la suivait partout, malheureuse de perdre sa grande sœur et ennuyée de devoir vivre avec la tante Mathilde. Elle aurait tellement voulu partir en Angleterre avec elle! Mais, à treize ans, elle se voyait encore confinée au manoir.

— Tu vas revenir à Noël?

— Je ne pense pas. Tu devras m'attendre jusqu'au printemps.

— Jusqu'à la fin des classes? Mais ça finit en été.

Aurélie prit la main de sa sœur et l'emmena dans la serre.

— Je veux que tu fasses une chose pour moi. Tu vas t'occuper tous les jours des rosiers. Tu te souviens de ce que je t'ai montré? Et chaque fois, tu leur parleras de ma part, compris? Ce sera comme si tu me parlais à moi aussi. Et puis, je t'écrirai souvent.

Muriel enfouit son visage dans le corsage de sa sœur pour ne pas pleurer. Les perles cousues à la robe lui chatouillaient le nez. La fillette resta malgré cela un long moment accrochée à Aurélie qui avait, elle aussi, envie de pleurer. Elle hésitait maintenant à laisser sa petite sœur pendant de si longs mois. Elle aurait aimé la garder près d'elle, mais c'était impossible. Elle était devenue une femme mariée. Une nouvelle vie commençait, avec un mari, un appartement à Oxford, des inconnus à rencontrer, une vie de couple à apprivoiser.

Les nouveaux mariés quittèrent la réception en début de soirée pour se faire conduire au Ritz Carlton à Montréal. Aurélie, contrairement à sa mère, avait déjà l'habitude des hôtels luxueux. Elle monta dans leur suite sans un regard pour le décor. Elle quitta son tailleur de voyage pour revêtir un déshabillé de satin rose. Richard se plaignit d'indigestion.

— Je vais aller chercher du lait de magnésie.

— Appelle la réception et fais-en monter.

— Je pense qu'un peu d'air frais me ferait du bien.

Aurélie le cajola un peu. Devant le visage blême du jeune homme, elle s'inquiéta. Richard sortit finalement prendre un peu d'air. Elle s'allongea sur le lit pour l'attendre et s'endormit. Elle se réveilla au matin. Richard dormait à ses côtés, encore habillé. Elle l'embrassa. Il lui sourit et alla s'enfermer dans la salle de bains. Ils devaient prendre un avion pour Londres dans peu de temps. Ils se hâtèrent donc de se rendre à l'aéroport de Dorval. Edmond leur avait offert de se marier une semaine plus tôt et d'aller passer leur voyage de noces en Floride ou en Jamaïque. Mais le jeune couple préférait partir directement en Angleterre. Aurélie était habituée à aller en Floride chez son oncle Jules tous les hivers et elle avait plutôt envie de passer quelques jours dans une petite auberge de la campagne anglaise.

L'ère des traversées en paquebot semblait terminée. L'aviation commerciale connaissait un essor fulgurant depuis la fin de la Seconde Guerre mondiale. Le nombre de passagers était passé de neuf millions à vingt-quatre millions en trois ans. La compagnie TransCanada Airline avait été créée en 1937 pour offrir un service aérien transcontinental. Les cabines n'étant pas pressurisées à cette époque, les passagers devaient porter des masques à oxygène. Mais la TCA offrait maintenant des vols internationaux tout confort depuis l'acquisition des Douglas DC-3.

Aurélie regarda l'appareil sur le tarmac. Blanc et rouge, il reposait près de la porte d'embarquement, ses deux grosses hélices arrêtées, sa queue touchant presque le sol. Une hôtesse vêtue d'un joli uniforme bleu, un képi posé de guingois sur la tête, se tenait près de la passerelle. Elle souriait aux passagers qui montaient dans l'avion. Aurélie prit le bras de Richard et marcha fièrement vers le DC-3. Elle avait hâte de faire son baptême de l'air. Elle découvrit à l'intérieur une allée centrale séparant des rangées de sièges à haut dossier. Elle s'assit près d'une fenêtre carrée par laquelle elle pouvait voir les hélices pendant que Richard prenait place à ses côtés. Quand tous les passagers furent à bord, l'hôtesse ferma la lourde porte. Aurélie vit deux hommes pousser la passerelle vers un hangar.

Les hélices se mirent à tourner. La carlingue vibra un peu. Aurélie vit l'aérogare s'éloigner et sentit que l'avion prenait encore plus de vitesse. Les hélices tournaient si vite qu'elles semblaient être devenues un nuage de brume devant les ailes. Le cœur de la jeune mariée fit un bond au moment où l'avion quitta le sol. Puis la ville s'éloigna, assemblage de briques et de masses vertes. Le DC-3 se trouvait maintenant entouré de petits nuages blancs, la vallée du Saint-Laurent n'étant qu'un filet bleu enchâssé dans une masse sombre.

Aurélie se rappela la traversée d'Edmond et sourit. Comme les choses avaient changé en si peu d'années. La modernité, avec la paix retrouvée, semblait porteuse d'un bel avenir. Après un arrêt à Gander, à Terre-Neuve, le DC-3 continua sa route vers l'Irlande puis l'Angleterre. L'hôtesse se montrait d'une gentillesse extrême avec tout le monde, et le voyage fut agréable. Le couple se retrouva dans la soirée à Londres. Richard insista pour se rendre immédiatement à Oxford qui ne se trouvait qu'à trente minutes de la capitale par la gare de Paddington. Ils arrivèrent tard dans la nuit. Épuisés, ils s'endormirent tous les deux dans la chambre de leur minuscule appartement.

Les cours reprendraient sous peu et Richard avait mille choses à régler. Aurélie défit les bagages, et ne trouva rien à faire. Une femme venait une fois la semaine s'occuper du ménage, mais Aurélie se mit à tout nettoyer elle-même. Elle s'aperçut que chasser la saleté et la poussière occupait ses journées et l'empêchait de réfléchir à sa nouvelle situation de femme mariée. Elle se regardait souvent dans la glace, se demandant pourquoi son corps n'attirait pas son mari. Elle avait essayé les doux baisers, les décolletés plus audacieux, les arrivées inopinées dans la salle de bains quand il était sous la douche. Rien à faire. Il lui offrait plein de douceurs, de mots tendres et de petites attentions, mais quand venait le temps de passer aux actes, ses malaises se multipliaient : indigestion, migraine, toutes les raisons étaient bonnes pour attendre que sa jeune épouse s'endorme avant de se mettre au lit. Richard se levait à l'aube et Aurélie le découvrait penché sur sa table de travail, sérieux comme un pape.

Ils passèrent leur premier week-end en Angleterre dans une auberge des environs d'Oxford. La gentillesse des propriétaires des lieux, les balades dans un paysage verdoyant et bucolique, les mots d'amour de Richard réussirent à adoucir Aurélie. Mais les copains qui se présentèrent le samedi soir pour les saluer, ne repartant que tard dans la nuit, plutôt éméchés, eurent raison des espoirs de voyage de noces de la jeune mariée. Aurélie n'était pas dupe, mais Richard éludait toujours ses questions. Après dix jours, ils ressemblaient déjà à un vieux couple se parlant à peine. Elle avait fait un mariage aristocratique comme au XVIIe siècle, un contrat entre gens de bon goût.

Aurélie reçut un appel de sa cousine Évelyne. Elle était à Londres avec ses parents. Lucien, en tant que directeur des chantiers de la Maritime, devait se rendre en France le lendemain pour devenir chevalier de l'ordre du Mérite maritime. Il serait le premier Canadien à recevoir cette récompense bien française. Évelyne invitait sa cousine à venir les rencontrer à Londres. Aurélie accepta avec plaisir. Elle avait passé deux semaines tristes à errer dans la ville universitaire où tout le monde semblait occupé à quelque chose sauf elle. Elle laissa une petite note à Richard et prit le train. Elle n'aurait jamais cru être aussi contente de revoir sa tante

Antonine et ses cousines Évelyne et Fabienne. Elles passèrent l'après-midi à admirer le changement de la garde au palais de Buckingham et l'abbaye de Westminster. La vue de la tour de l'horloge, où Big Ben sonnait régulièrement, pinça le cœur d'Aurélie à peine quelques secondes. Elle était occupée à jouer les nouvelles épouses heureuses. Évelyne, un peu plus âgée que sa cousine, parlait du bonheur que lui apportaient ses deux jeunes enfants.

— Tu verras, devenir mère est merveilleux.

Aurélie souriait pour ne pas pleurer. Fabienne vint à sa rescousse.

— Pourquoi ne viens-tu pas à Paris avec nous? Tu pourrais nous faire découvrir la ville mieux qu'un guide touristique. On prend le ferry demain. Accepte.

Aurélie hésitait. Elle mourait d'envie de revoir la ville tant aimée, mais elle avait peur d'y déterrer trop de souvenirs.

— Je dois en parler à Richard.

— Qu'il vienne avec nous quelques jours. Il doit pouvoir manquer un cours ou deux.

Aurélie repensa à son mari studieux, penché pendant des heures sur de gros bouquins, le cou étiré comme un oiseau de proie au-dessus de son nid, cherchant à découvrir quand les œufs allaient éclore. Il refuserait sans doute cette invitation, la laissant partir seule à Paris. Une belle occasion de s'enfuir, au moins pour quelques jours. Ariane aurait sans doute dit à sa fille qu'elle était encore trop jeune pour s'enterrer vivante parmi les vieilles pierres oxfordiennes. Aurélie reprit le train dans la soirée. Richard l'attendait assis à sa table de travail. Il se leva pour aller l'embrasser. Il la serra contre lui.

— Tu m'as manqué, mon amour.

Aurélie, étonnée, ne trouva rien à dire. Elle enleva son imperméable et fit part à son mari de l'invitation d'Évelyne. Richard trouva l'idée très bonne. Il avait visité Paris à la sauvette avec des amis au printemps. Changer d'air leur ferait du bien à tous les deux. D'autant plus que leur premier voyage dans la campagne anglaise n'avait pas été un grand succès.

Ce serait une belle occasion de se rapprocher. Aurélie voyait mal comment ils pourraient se rapprocher davantage qu'en vivant côte à côte dans ce petit flat. Mais elle avait bien envie d'un voyage de noces. Elle embrassa Richard longuement. Il lui caressa les cheveux et arrêta sa main au creux de ses reins.

Nous devrons nous lever tôt, nous avons une demi-heure de train à faire pour nous rendre au ferry. Je dois aviser quelques personnes de notre départ. Prépare tes bagages, mon amour. Je reviens.

Aurélie le regarda s'éloigner. Elle savait qu'il rentrerait tard. Elle alla dans leur chambre et prit une valise sous le lit. Au moins, Paris l'attendait.

Les Savard se retrouvèrent tous à Southampton. Arrivés au Havre, ils prirent le train pour Paris. Aurélie avait l'impression de revenir sur les lieux d'un crime. La reconstruction de l'Europe était lente, mais, déjà, on s'efforçait d'effacer les souvenirs de la guerre. Antonine faisait un signe de la croix chaque fois qu'elle voyait une bâtisse en ruine. Ses deux filles en faisaient autant. Aurélie se tournait alors vers Richard qui passait son temps à lui sourire et à lui caresser la main. Arrivés à Paris, ils se rendirent à leur hôtel. Pas de sorties nocturnes en vue, pas de Folies-Bergère ni de Casino de Paris. Lucien et sa famille, après une balade sur les Champs-Élysées, montèrent tôt à leur chambre. N'ayant pas envie de rentrer, Aurélie proposa à Richard d'aller manger chez Maxim's.

— C'est un peu cher, non? Je trouve que c'est du gaspillage de mettre autant d'argent sur le décor. Et sans réservation, nous avons peu de chances d'avoir une table. À moins d'être un milliardaire ou une tête couronnée. Ce n'est pas notre cas, mon amour. Je préférerais quelque chose de plus intime. Et si on allait à l'aventure?

Aurélie fut surprise de voir Richard aventureux. Ils marchèrent un bon moment à la recherche d'un restaurant. Il y en avait beaucoup, mais aucun ne semblait plaire à Richard. Trop chers, trop snobs, trop pleins. Ils se retrouvèrent, affamés, dans Saint-Germain-des-Prés. Ils mangèrent un veau mitonné et entrèrent ensuite dans une boîte où des Noirs jouaient du jazz. Ils y passèrent la soirée. Ils revinrent à leur hôtel enlacés comme des amoureux. Mais dès qu'ils entrèrent dans le lobby, Richard enleva son bras des épaules de sa femme. Il lui prit le coude doucement et alla chercher la clé à la réception. Il s'écarta pour la laisser entrer dans l'ascenseur. Il était redevenu un mari poli et sérieux. Dès qu'Aurélie se mit au lit, Richard accapara la salle de bains un long moment. Elle dormait quand il se glissa sous les draps à ses côtés.

Le lendemain se passa en visites touristiques. Aurélie fit les choses dans les règles, de la tour Eiffel à l'Arc de triomphe, des Invalides à l'église Notre-Dame où Antonine se recueillit un bon moment. Aurélie suivit ensuite ses cousines et sa tante dans les boutiques. Lucien était retourné à l'hôtel avec Richard. Les deux hommes aimaient parler affaires entre eux. Ils le firent jusque tard le soir.

La réception officielle pour la remise du Mérite maritime eut lieu le jour suivant en fin d'après-midi. Elle fut de courte durée et assez simple, sans tout le protocole déployé au palais de Buckingham l'hiver précédent. Le grand commandeur de l'ordre, un homme aux cheveux blancs et à la moustache impeccable, remit à Lucien la distinction au nom du gouvernement de la République, le faisant chevalier de l'ordre du Mérite maritime, puis il lui serra la main. Lucien, tout fier, retrouva les siens avec sa médaille suspendue à un ruban bleu outre-mer épinglé sur le revers de son veston. C'était une étoile en forme de rose des vents à seize branches sur laquelle était plaquée une ancre. Les huit branches principales étaient ornées d'émail blanc, et l'ancre était en or. Au centre, un médaillon d'or représentait le symbole de la République, entouré de la légende «République française» sur fond émaillé bleu. Un vin d'honneur fut servi et on parla de construction navale. Plusieurs personnes vinrent complimenter Lucien pour la flotte variée qui était construite à Sorel et qui avait rendu le débarquement possible.

Les Savard et les Beaulieu sortirent du ministère de la Marine pour aller célébrer l'événement dans un bon restaurant. Lucien marchait en tête avec Antonine à son bras; leurs deux filles papotaient derrière; Aurélie et Richard fermaient la marche. Aurélie se tournait vers son mari quand elle vit, de l'autre côté de la rue, la silhouette d'un homme qu'elle reconnut aussitôt. Elle s'arrêta, pétrifiée. Son cœur se mit à battre trop vite. Ses mains tremblaient et elle serra fortement son sac à main. Elle sentit une goutte de sueur descendre le long de son dos. Laurent, qui la regardait depuis un moment, baissa la tête et marcha dans la direction opposée. Richard s'était arrêté lui aussi.

— Ça ne va pas? Tu es toute pâle.

Aurélie avait du mal à respirer. Richard lui souriait, vaguement inquiet.

— Je crois que c'est le vin. Il m'a donné la migraine.

— Je vais aller t'acheter des cachets.

— Non, j'y vais. J'ai besoin de marcher un peu. Excuse-moi auprès des autres. Je te retrouve à l'hôtel.

Aurélie le remercia en lui caressant furtivement la joue, puis elle traversa la rue. Quand elle se retourna, elle vit que son mari avait rejoint Lucien. Antonine la cherchait déjà du regard. Richard allait devoir mettre en pratique la diplomatie apprise dans les livres. Aurélie accéléra le pas. Laurent avait tourné dans une rue transversale. Elle n'eut aucun mal à le trouver. Il s'était arrêté et la regardait.

Les mots n'étaient plus nécessaires entre eux. Il la saisit par la taille et l'attira contre lui. Elle mit ses bras autour de son cou. Ils s'embrassèrent passionnément. Aurélie avait les larmes aux yeux, se demandant si elle n'était pas en train de devenir folle en imaginant tout cela. Elle fixait les yeux verts de Laurent. Ils firent quelques pas, enlacés, puis Laurent poussa la porte d'un petit hôtel. Tout se fit rapidement. Il déposa des billets sur le comptoir de bois. Le vieux préposé lui remit une clé sans les regarder. Ils montèrent un escalier en colimaçon. Laurent ouvrit la porte numéro 7, prit la main d'Aurélie et l'entraîna à l'intérieur de la chambrette. Ils enlevèrent leurs vêtements à la hâte, sans se quitter des yeux. Il remarqua l'alliance qu'elle portait au doigt. Il en fut soulagé, en quelque sorte. La jeune femme n'eut pas besoin de le supplier de l'aimer, comme elle l'avait fait à Londres.

Laurent avait maintenant trente-cinq ans, une femme, deux enfants, une vie rangée en Bourgogne, mais il n'avait pu résister à la tentation de revoir son amour impossible. Il avait appris par les journaux que, pour la première fois, un étranger serait fait chevalier de l'ordre du Mérite maritime. Quand il avait lu le nom de Lucien Savard, les battements de son cœur s'étaient accélérés. Il avait passé les nuits suivantes à revoir le visage d'Aurélie au chalet de Saint-Alexis, au manoir, sur la Dauphine, dans la petite chambre londonienne. Il retrouvait non seulement ses yeux rieurs, mais aussi la douceur de sa peau, son odeur. Il regardait Delphine dormir à ses côtés, et l'angoisse l'assaillait. Il ne pouvait pas détruire la vie qu'il avait eue tellement de mal à construire. Il ne pouvait pas blesser la femme qui s'était sacrifiée pour le sauver. Il ne pouvait pas abandonner ses jeunes enfants. Mais il ne pouvait plus lutter contre cette force, ce besoin qui se faisait impérieux. Il devait revoir Aurélie, au moins une dernière fois, pour la déloger de sa vie.

Il avait surveillé les portes du ministère de la Marine pendant un long moment. Puis il l'avait vue, au bras d'un jeune homme mince à lunettes qui se penchait souvent vers elle pour lui parler. Ils avaient l'air de bien s'entendre. Elle avait posé son bras délicatement sur le sien, elle souriait. Puis elle l'avait vu, lui, Laurent. Il avait alors eu peur : peur de perdre le contrôle, peur d'être rejeté. Il avait détourné la tête, décidé à retourner auprès des siens, à enterrer l'image d'Aurélie au plus profond de lui, comme il avait réussi à enterrer des images de la guerre, de la Résistance. Il avait entendu ses talons claquer sur le pavé. Elle courait vers lui. Il ne pouvait plus reculer. Tout son être était tendu de désir.

Aurélie croyait toujours rêver. Sa tête reposait sur l'épaule de son amant, ses cheveux étaient collés par la sueur, son sexe palpitait encore, un liquide chaud coulait doucement entre ses cuisses. Elle caressait la poitrine de Laurent pendant qu'il passait tendrement la main sur sa hanche. Ils reprenaient leur souffle, n'ayant plus aucune notion du temps ni de l'espace. Ils étaient là, simplement présents l'un à l'autre. Aucun mot n'avait été prononcé, aucune explication donnée. Ils avaient pourtant mille questions en tête, mais ils avaient tous les deux l'impression que la moindre parole viendrait rompre le charme.

La réalité s'installa graduellement. Aurélie frissonna, pensant à Richard. Comment avait-elle pu lui faire ça ? Ils étaient mariés depuis à peine quelques semaines et voilà qu'elle venait de s'offrir à Laurent, les yeux fermés, sans explication. Mais elle ne réussissait pas à se sentir coupable. Elle se sentait plutôt soulagée. La passion qu'elle avait accumulée en elle depuis des années était enfin sortie comme une éruption volcanique. Elle craignait, depuis la mort de sa mère, d'être devenue insensible. Elle avait traversé le deuil, la douleur, avec une froideur cérébrale qui l'avait effrayée. Elle était heureuse de savoir qu'elle pouvait encore vivre une passion profonde. Ce qui n'excusait rien face à Richard. Elle avait trompé sa confiance. Mais pour le moment, elle préférait demeurer allongée sur le lit et caresser cet homme merveilleux à ses côtés. Laurent l'embrassa encore. Il fit glisser sa main vers le sexe de la jeune femme ; ses doigts se tachèrent de sang. Il regarda Aurélie, surpris. Elle lui sourit, se rappelant ses suppliques à Londres.

— Je t'avais dit que je voulais que tu sois le premier.

Laurent revoyait le sang couler le long des cuisses de Delphine, l'uniforme gris, le fusil. Il se mit à trembler. Aurélie ne comprenait pas. Elle tenta de le rassurer, se fit plus câline, l'embrassa avec tendresse en prenant son visage entre ses doigts. Peu à peu, il se calma et lui rendit ses baisers. Il la pénétra doucement, la berçant presque. Ils retrouvèrent un rythme commun, accélérèrent en crescendo et oublièrent de nouveau la réalité.

Le soleil avait disparu à l'horizon. Aurélie s'était lavée au petit lavabo avec Laurent. Il devait prendre le train tout de suite pour rentrer chez lui à une heure raisonnable. Il s'habilla rapidement. Il se sentait coupable de partir si vite, de l'abandonner dans cette chambrette. Il la regarda et ouvrit la bouche. Elle mit ses doigts sur ses lèvres.

— Pas de promesses. Je sais que nous nous aimerons toujours, même sans nous revoir.

Il l'embrassa et la garda contre lui un long moment. Puis il sortit. Elle regarda autour d'elle le lit défait, le drap taché de sang, ses vêtements épars un peu partout, vestiges de cette grande passion qui l'avait consumée pendant des années. Elle s'habilla et retourna à son hôtel.

Elle frappa à la porte de leur chambre, heureuse de ne pas avoir croisé ni son oncle, ni sa tante, ni ses cousines. Richard ouvrit. À la vue d'Aurélie, les joues en feu, le regard brillant, il se douta de ce qui s'était passé. Il recula pour la laisser entrer. Sur le chemin du retour, la jeune femme avait préparé beaucoup de belles phrases. Aucune ne lui revenait à l'esprit. Elle ne faisait que jouer nerveusement avec ses doigts.

— Pardonne-moi.

— Ne dis rien. Ce sera notre secret. Mes sentiments pour toi n'ont pas changé.

— Je te remercie, Richard. Je te rendrai heureux, je te le promets.

— Je n'en doute pas. J'espère faire la même chose pour toi.

Reconnaissante, elle se serra contre lui. Il lui caressa le dos, machinalement, comme on flatte un jeune chiot. Il commença à la déshabiller. Elle ne pouvait pas supporter ses mains sur sa peau. Elle aurait besoin d'un peu de temps pour oublier les caresses de Laurent. Ce fut à son tour de prétexter un mal de ventre pour se rendre à la salle de bains. En voyant sa culotte tachée de sang, Richard la crut. La vue du sang menstruel lui donnait la nausée. Il ne pourrait toucher sa femme que dans quelques jours. Il remettait ce moment depuis trop longtemps déjà. Il le ferait dès leur retour à Oxford.

Antonine s'enquit le lendemain de la santé de sa nièce. Richard avait été un excellent diplomate, les persuadant tous qu'Aurélie, quand elle avait traversé la rue, se dirigeait vers une pharmacie pour acheter des cachets pour la migraine. Quelques jours après, les Savard reprirent un paquebot vers New York pendant qu'Aurélie et Richard retournaient à Oxford. Richard tint la promesse qu'il s'était faite. Il retrouva Aurélie au lit après avoir éteint toutes les lumières. Elle le caressa savamment. Il n'osa pas demander où elle avait appris ça, voulant croire qu'elle avait passé des heures à parler avec Laurent. Il profita de cet état d'excitation pour enfin déflorer sa jeune épouse. Les cris qu'elle poussa le rassurèrent. Il s'était conduit comme un homme.

Lorraine essayait de retenir un rire qui fut plus fort qu'elle. Il sortit en cascade, se communiquant à Simone, et même à Aurélie. Lorraine s'essuya les yeux d'avoir tant ri. C'était trop pour elle.

— Excusez-moi, je ne devrais pas... Vous avez vraiment réussi à lui faire croire que vous étiez vierge? Après Laurent?

— Richard n'a pas été long à se persuader que, Laurent et moi, nous nous étions bécotés pendant quelques heures. Surtout que j'avais, selon lui, mes menstruations. Il était un peu naïf, côté sexe.

— Vous en êtes certaine? Je dirais plutôt «asexué». Il y a des hommes comme ça. Ils ne s'intéressent pas beaucoup à la bagatelle. Ce qui ne les empêche pas d'être de bons pères. Ils ne sont jamais menés par leurs hormones, comme s'ils n'en fabriquaient pas. Mais je ne comprends pas Richard. Il vous aime et accepte que vous partiez avec Laurent. Je ne connais pas un seul homme qui ferait ça.

— Il y en a pourtant qui, face à une épouse infidèle, décident de passer l'éponge et de ne pas divorcer. Richard aimait se montrer magnanime. Et il recherchait avant tout la stabilité, la complicité. Il les a toujours obtenues avec moi. Nous avons fait un vrai mariage, nous nous sommes engagés l'un envers l'autre pour la vie. Ce n'était pas le feu d'artifice de la passion. Et Richard savait que je ne le quitterais pas pour Laurent. Il se disait aussi que la passion assouvie meurt d'elle-même.

— Et il avait raison?

— Comment ça?

— Ne jouez pas avec moi. Votre passion pour Laurent s'est vraiment éteinte à jamais après cette escapade parisienne?

Aurélie sourit, les yeux dans le vague.

— Il se fait tard, allons dormir.

— Vous l'avez revu, j'en suis certaine.

— Je peux te dire qu'il ne m'a jamais quittée. Il m'avait fait le plus beau des cadeaux. Mais je suis une vieille femme fatiguée. Je te raconte tout demain, promis. Il est tard. Tu passes la nuit ici, n'est-ce pas? *Mi casa es su casa*, comme on dit au Mexique.

— Je ne savais pas que vous parliez espagnol.

— C'est la seule phrase que je connaisse. Elle m'a plu. Elle était tellement loin de tout ce que j'avais appris du clan Savard. Bonne nuit.

La vieille dame se leva de son fauteuil et sortit de la pièce. Simone s'approcha de Lorraine.

— Je vous offre un dernier verre de porto?

— Non merci, Simone. Tu connaissais… On peut se tutoyer, n'est-ce pas? Tu connaissais cette histoire de Laurent?

— Vaguement. Avant ton arrivée, madame Aurélie ne parlait pas beaucoup.

— Cette photo qu'elle avait quand elle est partie à sa recherche après la guerre, tu sais si elle l'a toujours?

— Je ne l'ai jamais vue. Il faudrait lui demander.

— Pourquoi s'intéresse-t-elle tellement à moi?

Simone baissa les yeux et joua avec un bouton de son chemisier. Ce n'était pas à elle de poursuivre l'histoire d'Aurélie. Mais Lorraine attendait une réponse.

— Tu as les mêmes yeux que Laurent.

— C'est tout?

— Et tu es aussi une très bonne photographe. Si tu permets, je vais aller dormir, je me lève tôt.

Simone s'éclipsa. Lorraine se retrouva seule dans la salle de séjour. Tout était silencieux. Elle prit ses appareils photo. Avant de monter à sa chambre, elle éteignit les lumières dans les pièces du rez-de-chaussée. Ce geste tout simple lui fit se rendre compte qu'elle s'habituait peu à peu au manoir. Elle n'en était plus une invitée, mais une résidente. Cette idée la troubla. Éternelle nomade, serait-elle en train de devenir sédentaire?

Elle aurait aimé développer les clichés pris dans la journée, mais elle n'avait pas envie de repartir vers la maison familiale. Il était tard, elle n'avait pas d'auto et il faisait trop froid pour marcher jusque-là. Une fois dans sa chambre, Lorraine commença à étiqueter les rouleaux de négatifs. Puis elle éteignit et resta dans le noir un moment, à suivre un cargo, ses lumières se reflétant sur l'eau noire du fleuve. Le bateau descendait le courant vers Québec, le golfe, puis l'océan. Traverser les mers. Lorraine était habituée à prendre l'avion, toutes sortes d'avions, du gros Boeing au petit Cessna, de la ligne commerciale à l'avion de brousse qui atterrissait cahin-caha entre des plantations de bananiers ou des dunes de sable. Elle se demanda ce qui se passait après des jours et des jours de traversée. Sur un paquebot, il y avait bien sûr les divertissements qui permettaient aux passagers de se sentir dans un camp de vacances. Mais à bord d'un cargo, que faire à part se sentir sur une île flottante?

La table du petit-déjeuner était toujours aussi bien garnie et animée. Jean-Paul faisait rire Aurélie et sa dame de compagnie en leur mimant un superbe arrêt du gardien de but au cours du dernier match des Canadiens. Simone tartinait des toasts. La vieille dame mangeait une orange avec ses doigts en souriant. Ce spectacle plut à Lorraine qui s'assit parmi eux. Tout le monde la salua comme si elle faisait partie désormais de la famille. La table du repas matinal était l'endroit où les habitants du manoir planifiaient la journée. Jean-Paul installerait les pneus d'hiver à la Cadillac après avoir aidé Simone à ranger les meubles de jardin. Aurélie comptait passer un bon moment dans la serre à s'occuper des rosiers qu'elle avait un peu négligés depuis l'arrivée de Lorraine. Celle-ci pouvait donc rentrer chez elle pour téléphoner au notaire et passer quelques heures dans sa chambre noire. Avant que Lorraine ne quitte le manoir, Aurélie lui demanda de lui rapporter quelques vêtements de Jeanne, question de pouvoir entrer dans son personnage.

Rendue à la maison de ses parents, Lorraine s'empressa d'appeler le notaire. Il était très occupé. Un rendez-vous fut pris pour la semaine suivante. Lorraine aurait aimé précipiter les choses, mais elle ne savait pas quel argument invoquer. D'autant plus que le notaire aurait aimé parler à Jeanne au téléphone. Lorraine raccrocha. Elle se retourna et sursauta en voyant Martin.

— Je pensais que tu étais parti travailler.

— J'ai changé d'horaire avec un collègue. Tu parlais à qui, au notaire ?

— Bien, j'ai pris un rendez-vous pour Aurélie.

— Elle n'est pas capable de faire ça toute seule ? Surtout que tu sembles vivre là-bas maintenant.

— Au prix qu'elle me paie, je ne peux pas appeler ça du temps supplémentaire.

— Qu'est-ce qui se passe, Lolo ? Tu m'évites, tu me racontes des histoires.

Quand Martin appelait sa sœur Lolo, tout un pan de leur enfance revenait : la complicité, les jeux et les mauvais coups. Lorraine soupira.

— Je ne sais pas, Tintin. J'ai parfois l'impression que le manoir et surtout sa vieille propriétaire me tiennent sous le charme. Ce sont des détails, des regards, des petits gestes, des sourires. Cette femme sait des choses qu'elle ne me révèle que par petites touches. Et je sens que ça me concerne. Toi aussi probablement.

— Vous irez chez le notaire toutes les deux, c'est ça ?

— Nous avons rendez-vous lundi prochain.

— Peu importe ce que vous allez trouver, je ne veux pas le savoir.

Lorraine s'enferma dans la chambre noire. Elle fit les gestes mille fois répétés en pensant à son frère. Il avait sans doute raison de ne pas vouloir abîmer l'image qu'il gardait de Jeanne. Elle aurait aimé ne pas avoir cette curiosité qui la poussait à vouloir découvrir la vérité. Elle avait peur de le regretter ensuite. Mais ce besoin de tout savoir était plus fort que sa peur.

Les clichés étaient intéressants. Le visage d'Aurélie se reflétant dans le miroir de la coiffeuse était troublant. L'angle de la lumière transformait ses cheveux en bandeau sombre. C'était le portrait d'Ariane. Le même regard bleu, le même profil. Lorraine frissonna. Le manoir, hanté de mille présences, lui donnait la chair de poule. Après avoir accompagné sa mère pendant sa longue maladie, Martin déménagerait samedi dans un appartement bien à lui. Les nouveaux propriétaires de la maison arriveraient dimanche. Lorraine devait emballer tout le matériel de la chambre noire avant le week-end. Comment ferait-elle pour développer ses photos ensuite? Elle devrait faire des allers-retours à son studio de Montréal. Elle arriva au manoir dans une rutilante auto rouge qu'elle gara près de la Cadillac. Simone vint lui ouvrir.

— Une nouvelle auto? Elle est belle.

— C'était tout ce qui restait en location. Je n'aime pas cette couleur voyante.

Aurélie, curieuse, les avait entendues parler. Elle alla voir l'auto. Quand elle apprit que Lorraine l'avait louée pour se rendre régulièrement à son atelier montréalais, elle lui proposa d'installer sa chambre noire dans une salle de bains au sous-sol. La photographe hésitait; elle avait peur d'être ainsi entièrement à la merci d'Aurélie.

— Si tu préfères voyager matin et soir, ça ne me dérange pas. C'est toi qui seras plus fatiguée. Et puis, tu n'es pas obligée de développer les clichés tous les jours. Tu peux le faire une ou deux fois par semaine. Tu m'as déjà donné beaucoup de belles photos, de quoi meubler les murs de ce manoir pour une exposition.

Tout en parlant, Aurélie s'était installée dans un fauteuil de la salle de séjour. Lorraine l'avait suivie avec ses appareils photos. Elle promit d'y penser, puis elle lui montra la photo du miroir de la coiffeuse. Aurélie la regarda longtemps en souriant.

— Tu sais, après toutes ces années, Ariane me manque encore parfois. À mon âge, c'est un peu ridicule. Mais plus je vieillis, plus les souvenirs de ma mère sont précis alors que je devrais demander à

Simone si je voulais savoir ce que j'ai fait la semaine dernière. C'est comme si, en vieillissant, le temps s'inversait pour nous jouer des tours.

Aurélie posa la photo sur la table.

— Et ce rendez-vous?

— Lundi prochain.

— Alors, j'ai le temps de te montrer des photos de mon somptueux mariage. Je suis souvent absente de tous ces jolis portraits. Je n'ai jamais aimé être sur le devant de la scène. Tu vas me dire qu'en épousant un homme qui adorait la politique, je ne faisais pas le bon choix pour passer inaperçue. Mais je t'avoue que je ne pensais pas faire la une des journaux. Je savais que tout se tramait en arrière-scène et c'est là que je voulais rester.

— Une éminence grise?

— En quelque sorte. Je trouvais cette position plus confortable. J'avais vu mon père et mes oncles régler le sort du monde autour d'une table avec plus d'efficacité que les politiciens. Et à cette époque, les femmes se mêlaient très peu de politique.

— Richard savait, en vous épousant, qu'il aurait ces éminences à son service.

— C'est plus complexe que ça. Richard avait de l'ambition politique, il ne s'en cachait pas. Et la fortune familiale l'aiderait certainement. Mais il voulait aussi mener sa barque seul, sans voir débarquer des membres de la famille pour obtenir ses faveurs. Sa ligne de conduite était bien tracée.

— C'est pour ça qu'il a passé l'éponge sur Laurent.

— Non. J'ose croire, encore aujourd'hui, qu'il était un homme d'honneur. Il était mon mari et le resterait, peu importe ce qu'il adviendrait.

— Et ce cadeau que Laurent vous a laissé?

— Tu te doutes bien de ce que c'est.

— Vous étiez enceinte.

— Et quand je l'ai découvert, j'ai été la femme la plus heureuse du monde. Mais j'étais seule à connaître la raison profonde de cette joie. Je me suis donc refermée sur mon ventre.

L'université d'Oxford, avec ses nombreux collèges, était une institution historique unique. Elle était la plus vieille université de langue anglaise du monde, ayant traversé plus de huit siècles depuis sa fondation. Oxford s'était développée rapidement quand Henry II avait interdit aux étudiants anglais d'étudier à l'université de Paris. Les collèges étaient devenus peu à peu des résidences sous la supervision d'un maître. Centre de controverses sur des batailles religieuses et politiques, elle avait connu la Réforme, la guerre civile, et l'un de ses philosophes avait même été suspecté de trahison. L'un de ses professeurs de géométrie, Edmund Halley, y avait aussi prédit le retour de la comète qui portait maintenant son nom.

Richard avait été admis au Trinity College dans Broad Street, en plein centre de la ville. Bien qu'il fût l'un des collèges qui accueillaient le moins d'étudiants, Trinity jouissait d'un site spacieux. Une immense pelouse occupait le côté de l'édifice, coupée en son centre par une allée de gravier qui donnait sur Parks Road. Le rez-de-chaussée possédait des rangées régulières de longues fenêtres en arc de cercle alors que le premier étage avait des fenêtres rectangulaires et le troisième, des fenêtres carrées plus petites. L'angle de la toiture était à peine incliné. Cette bâtisse aurait pu être simplement austère, mais les longues boîtes de fleurs ornant le bord des fenêtres, les haies d'arbustes près des murs et les magnifiques jardins sur le côté allégeaient l'ensemble. La bibliothèque Bodleian et les autres édifices importants de l'université étaient situés tout près. Richard avait logé l'année précédente dans une chambre d'étudiant, mais, avec sa femme, il avait choisi de vivre dans un appartement situé au nord de la ville, dans Rawlinson Road, à environ un mille et demi de Trinity.

Les appartements meublés, chauffés au gaz et au charbon, petits et humides, se ressemblaient tous. Aurélie essayait de prendre possession des lieux en y plaçant toutes sortes d'objets. Elle allait souvent à Londres pour acheter des vases, des rideaux fleuris, des cadres décoratifs représentant des enfants souriants. Richard remarquait à peine ces changements de décor, rentrant souvent fatigué après avoir passé beaucoup de temps à la bibliothèque du collège, ouverte jour et nuit. On encourageait les étudiants à former des équipes de recherche, à travailler en groupe sous les directives d'un superviseur de maîtrise. Deux choses essentielles leur étaient demandées: la capacité intellectuelle et la volonté de faire mieux en travaillant fort. Richard ne manquait ni de l'une ni de l'autre et s'acharnait à le prouver quotidiennement.

La nouvelle de sa grossesse avait certes réjoui Richard, mais Aurélie rêvait d'un monde d'angelots sur fond pastel qui ne se matérialisait pas. La ville avait beau comporter neuf cents édifices historiques, Aurélie lui trouvait plutôt un air d'éteignoir avec son architecture faite de pierres grises, de fenêtres à carreaux, de chapelles surmontées de tours carrées. Seul Hertford Bridge, qui enjambait New College Lane, la faisait sourire. Le petit pont reliant deux bâtiments lui faisait penser, par ses courbures et ses fenêtres arrondies, à un pont vénitien, sauf qu'il enjambait une rue et non un canal. Son unique bien-être, la jeune femme le trouvait dans les parcs et les jardins superbes, entretenus avec fierté. Les plantes n'étaient pas que décoratives; les Anglais les étudiaient avec attention, cherchant à comprendre non seulement chaque plante, mais aussi leur relation entre elles, en les regroupant scientifiquement. Aurélie pensait souvent au parc du manoir et à ses rosiers, entretenant une correspondance assidue avec Muriel. La lecture des lettres à l'écriture serrée de sa jeune sœur était un moment heureux de la journée.

Après avoir pris son courrier, Aurélie descendait Randall Road et se promenait dans l'immense parc de l'université. Vers midi, elle marchait le long de Park Road pour rejoindre Richard au réfectoire de Trinity ou dans un restaurant bon marché des environs. Richard surveillait les dépenses du ménage, tenant à vivre sur sa bourse et non de l'aide de son beau-père. Il mangeait rapidement, embrassait tendrement sa femme et retournait à ses activités, heureux de ce court moment passé en tête-à-tête avec elle. Aurélie visitait le musée d'histoire naturelle, déambulait sur les bords de la rivière en regardant les étudiants ramer dans de longs canots étroits ou entrait dans une des *glasshouses*, des serres abritant des plantes de partout dans le monde, des cactus aux palmiers, des bananiers aux cacaotiers. Elle revenait ensuite vers son petit appartement après s'être arrêtée dans un salon de thé. Une routine confortable qui n'était pas de son âge et qui, surtout, ne correspondait pas à son tempérament. L'absence de défi l'étouffait peu à peu.

Voyant qu'Aurélie commençait à s'ennuyer, Richard décida d'accepter des invitations à des soirées le samedi soir, même s'il n'aimait pas beaucoup cela. Les étudiants se rencontraient dans des pubs ou des salles du collège pour prendre une bière ou un verre de vin. Les femmes étant acceptées depuis 1920 à l'université, quelques étudiantes prenaient part à ces réunions souvent informelles. Aurélie essaya de s'y faire des amies. Elle se promenait d'un petit groupe à un autre, sans parvenir à s'intéresser à leurs conversations sur les études, les professeurs et les autres étudiants. Personne ne parlait d'enfants, de grossesse ou d'art de vivre, mais plutôt de chimie, de physique ou de droit. Elle se rapprochait donc de Richard qui aimait discuter avec les étudiants européens du modèle de fédération dont on parlait beaucoup à ce moment-là, celui de l'association volontaire d'États égaux et souverains. À la suite de la Seconde Guerre mondiale, on désirait non seulement une reconstruction déjà bien en marche, mais aussi une union des pays européens pour ne plus connaître une telle destruction. Comme tout changement commence souvent par des rêves, Richard rêvait de ce modèle même s'il savait très bien qu'il était difficilement réalisable au Québec sous le règne de Maurice Duplessis. Aurélie l'écoutait discourir avec passion. Dans ces moments-là, il s'animait à en être méconnaissable. Elle souriait en se disant que parfois, en petit groupe, avec des gens en qui il avait confiance, il avait la verve d'Edmond. Le grand timide solitaire cédait sa place à l'homme politique qu'il espérait devenir.

Quand l'automne s'installa définitivement avec ses pluies froides, ses brouillards et ses arbres dénudés, Aurélie n'en pouvait déjà plus. Elle prétexta le climat anglais pour aller passer Noël au manoir. Richard, très occupé, se demandait comment éviter ce voyage.

— Il faudra prendre l'avion. Par bateau, c'est trop long. Je dois être de retour pour le 2 janvier. Ça ne nous laisse que quelques jours pour voir la famille. Et puis, c'est cher.

L'obsession qu'avait Richard de faire des économies faisait toujours sourire Aurélie. Il n'avait pas encore appris à ne pas demander le prix de ce qu'il voulait acquérir.

— Alors, nous prendrons l'avion. Mais je ne pense pas revenir en janvier.

— Comment ça ?

— Je vais accoucher en juin, je ne veux pas le faire ici, encore moins sur un bateau au milieu de l'océan.

— Mais nous allons revenir en mai. Peut-être avant, j'en ai parlé à mon directeur de thèse.

— Je me sentirais plus en sécurité au manoir. L'hôpital est tout près.

Richard était déçu. Il avait une femme qu'il aimait, un enfant viendrait solidifier leur union et il se voyait mal vivre loin d'eux, de sa famille. Une partie de lui se sentait pourtant soulagée. Il savait bien qu'Aurélie s'ennuyait depuis des mois et cette tristesse lui pesait. Il n'avait plus la légèreté de l'année précédente où les cours, les réunions, les recherches prenaient tout son temps avec bonheur. Il enlaça sa femme.

— Comment je vais faire pour vivre loin de toi tous ces mois ? Tu es ce que j'ai de plus cher au monde.

— Ce n'est que pour quelques mois. Et puis, je serai bientôt affreuse avec mon gros ventre.

Il caressa le ventre à peine rebondie d'Aurélie.

— J'aimerais bien te voir, moi, avec ton gros ventre. Et toi, petit trésor, ne t'avise pas de venir au monde avant que je sois revenu. Je veux être là pour voir ta binette.

Aurélie sourit. Même si elle était presque certaine que l'enfant était de Laurent, elle était contente que Richard en soit le père. Il était un homme discret, qui préférait écouter plutôt que parler, mais quand il s'adressait au bébé, Aurélie le trouvait attendrissant.

— Ma chérie, promets-moi de lui parler de moi tous les jours. Je ne veux pas qu'il m'oublie.

— Oh, Richard ! tu es tellement généreux !

— Simplement amoureux.

Pour la première fois depuis le début de son séjour à Oxford, Aurélie se sentit légère. Les répétitions de chants de Noël qu'elle entendait dans différentes chapelles, les couronnes de sapins décorées de rubans rouges, les vitrines qui s'ornaient de cadeaux la réjouirent enfin. Elle serait au manoir pour fêter Noël et le premier de l'an avec les siens. Richard s'en réjouissait aussi, espérant secrètement convaincre sa femme de revenir avec lui en janvier. La plupart des étudiants britanniques retournaient dans leur famille pour les fêtes et Oxford se viderait bientôt d'une grande partie de ses résidents.

Le retour fut aussi rapide qu'agréable. Richard était plein d'attentions pour sa femme. Edmond les attendait au manoir, entouré de ses enfants. Charles et Roland n'avaient pas changé. Depuis qu'ils étudiaient à la même université, ils étaient redevenus comme des jumeaux. Charles en était à sa dernière année, et un bureau avait déjà été aménagé pour lui à Sorel Industries. Roland suivrait un an plus tard. Muriel, en revanche, avait beaucoup changé en peu de temps. Elle aurait quatorze ans dans quelques mois et son corps se transformait. Elle avait de petits seins qu'elle essayait de cacher, car ses frères la taquinaient tout le temps sur ses «petits raisins», ses «petits pains chauds», ses «petites pommettes surettes». Demeurée seule au manoir avec la tante Mathilde, elle s'était renfermée en elle-même, passant tout son temps dans sa chambre à rêver de ces beaux acteurs qu'elle voyait au cinéma. Elle cachait leurs photos sous son matelas de peur que Mathilde ne les lui confisque. Elle accueillit sa grande sœur avec un bonheur immense. Quand Aurélie lui confia qu'elle resterait au manoir jusqu'à son accouchement, Muriel sauta de joie.

Edmond voulait faire de ce Noël un événement plus joyeux que ceux des années précédentes. Le manoir avait été surchargé de décorations, de rubans, de lumières scintillantes, d'angelots immaculés. Un immense sapin trônait dans le salon avec ses boules de verre multicolores et ses guirlandes. La venue d'un premier petit-fils réjouissait Edmond. Il pensait encore plus à Ariane. Si seulement elle avait été là pour vivre ce bonheur avec eux! Elle était pourtant là, dans les pensées de chacun, mais personne n'osait mentionner son nom. Quand quelqu'un montait l'escalier, il y avait toujours un petit silence devant le portrait d'Ariane qui se trouvait en haut des marches. Aurélie sentit les larmes lui monter aux yeux la première fois qu'elle le revit. Elle caressa machinalement son ventre.

— Ce sera une fille, maman, je le sens.

Elle reprit sa chambre ronde et passa un long moment à regarder le fleuve. Elle se rendit compte que ce paysage lui avait beaucoup manqué. Même la beauté des jardins anglais, la verdeur de leur pelouse et l'aménagement de leurs parterres fleuris ne touchaient pas son âme aussi profondément que ce fleuve devenu un filet d'eau bleu acier coulant entre des planchers de glace, ce ciel gris, cette neige immaculée sur les berges, ces arbres dénudés dont les branches se couvraient de frimas et ces conifères à la mine sombre qui abritaient quelques moineaux téméraires. Aurélie était de retour avec une nouvelle vie qui se développait en elle. Moment de paisible bonheur. Muriel n'osa pas parler; elle entra dans la chambre de sa sœur sur la pointe des pieds et s'assit à ses côtés sur le lit. Aurélie lui ouvrit les bras et Muriel posa sa tête sur son épaule. Elles fixèrent le paysage longuement.

— Je suis là maintenant, tout va bien aller.

— Je sais. Promets-moi de m'amener avec toi quand tu déménageras avec Richard. Ne me laisse plus toute seule ici. J'aiderai avec le bébé, je te servirai de bonne si tu veux.

— Muriel, tu n'es pas ma fille, tu es ma sœur. Tu deviens une jeune femme, tu seras bientôt entourée d'amoureux, tu iras à l'université.

— C'est loin, tout ça. Pour le moment, je suis toute seule. Charles et Roland ne viennent même pas toutes les fins de semaine. Papa est tout le temps à Montréal quand il n'est pas à son camp dans le bois. Il a même d'autres femmes dans sa vie.

— Papa a amené une femme ici?

— Non, mais ça arrive qu'il sente le parfum. L'autre jour, il y avait du rouge à lèvres près de son oreille. C'est un drôle d'endroit pour du rouge, tu trouves pas?

Aurélie se retint pour ne pas rire. Elle était soulagée de savoir que son père s'offrait de petites distractions. Elle n'avait jamais songé qu'une femme pourrait remplacer Ariane. Edmond aurait cinquante-quatre ans en juin et il pourrait être tenté de refaire sa vie. Aurélie lui souhaitait du bonheur, mais elle ne voulait pas qu'il touche au manoir. Il n'y avait qu'à espérer que la nouvelle élue, si elle existait, préférerait vivre dans un environnement plus moderne.

Noël fut solennel; le jour de l'an, fastueux; et la semaine entre ces deux fêtes, remplie de mondanités. Tous les Savard vinrent au manoir saluer les jeunes mariés. Les cousines et les tantes papotant autour de tasses de thé et de petits fours, les hommes discutant avec Richard et Edmond devant des verres d'alcool et des cigares. Le ralentissement de l'économie de guerre,

95

le taux de chômage élevé, la Maritime n'employant plus que trois cent cinquante personnes, la transformation des usines, les demandes de plus en plus pressantes des travailleurs depuis la longue grève de l'amiante l'année précédente, les investissements à déplacer, tout cela était au cœur de leurs débats. Chacun espérait que le brillant étudiant d'Oxford aurait des idées ingénieuses à leur communiquer. Richard tournait autour du pot, essayant de plaire, de ne pas déplaire, ou du moins de ne froisser personne. Il développait ses talents de diplomate, ce qui agaçait beaucoup Edmond, habitué à foncer. Sur les questions concernant la politique et, surtout, la fiscalité, Richard s'en tirait beaucoup mieux, laissant son beau-père fier de lui.

Charles participait à ces discussions en observateur. S'il avait hérité de la prestance de son père, il n'avait pas l'esprit aussi vif que lui et il avait appris très tôt à ne pas trop parler pour éviter de donner des explications qu'il ne possédait pas. Il se contentait de suivre Richard comme son ombre. Ce dernier aimait bien exposer ses idées à son beau-frère, enviant souvent son magnétisme purement physique, ses yeux limpides, ses épaules larges, son sourire qui ne laissait aucune femme indifférente. Richard avait hérité du physique ingrat de sa mère, grande, maigre, osseuse, et il commençait déjà à marcher le dos légèrement voûté.

Il se sentait toujours un peu en visite dans cette demeure à la décoration chargée, aux domestiques efficaces et presque invisibles. Il était le mari d'Aurélie, le gendre d'Edmond, le beau-frère de Charles, « monsieur Richard » pour le personnel. Il avait l'impression d'avoir perdu un peu de son identité en se mariant. Il ne s'habituait pas à dormir devant toutes ces fenêtres ouvertes sur la nuit. Aurélie lui avait proposé de faire installer des tentures, mais il avait refusé. Il savait ce que cette vision panoramique représentait pour elle. Il tournait donc le dos au fleuve, essayant de s'endormir en fixant la porte bien close de la chambre. Aurélie se lovait contre lui et lui caressait le dos. Quand elle était certaine qu'il s'était endormi, elle se tournait vers les fenêtres, regardait le ciel avant de sombrer dans un profond sommeil. Elle avait eu un mal fou à s'endormir à Oxford en fixant le mur de brique de l'immeuble voisin. Elle avait fini par peindre à la gouache un fond bleu parsemé de nuages blancs en haut de la petite fenêtre. Ce faux ciel la faisait au moins sourire avant de s'endormir.

Le 2 janvier au matin, Richard fit ses adieux à sa belle-famille. Il avait bien essayé de convaincre sa femme de revenir à Oxford avec lui, mais, chaque fois, il s'était heurté à un refus, d'abord poli, puis plus ferme.

— N'insiste pas, Richard. Je n'accoucherai pas là-bas.

— Ce n'est que pour quelques mois. Tu pourrais revenir en avril ou en mai.

— Je n'ai rien à faire là. Notre enfant sera beaucoup plus en sécurité ici. Pourquoi te montres-tu si égoïste?

— Ce n'est pas de l'égoïsme… c'est… En fait, j'ai peur que tu ne m'aimes plus à mon retour. Tu vas retrouver tes habitudes de jeune fille, tu vas réaliser que tu n'as pas besoin de moi, que tu peux très bien vivre sans que je sois là. J'ai l'impression d'être une marionnette pour ta famille. Alors, si je le deviens pour toi…

Aurélie sourit et l'enlaça.

— Comment peux-tu penser ça? Tu es mon mari, pour le meilleur et pour le pire. Et pour toute la vie. Quelques mois de séparation ne changeront pas ça. Et puis, ça te permettra de te concentrer davantage sur tes études pendant que j'attendrai la venue de notre enfant.

Aurélie l'accompagna à l'aéroport dans la limousine d'Edmond. N'aimant pas les épanchements en public, Richard embrassa doucement sa femme et monta à bord du DC-3 sous un vent glacial. Aurélie retourna à l'auto. Léopold lui ouvrit la portière. Elle lui sourit.

— Comme les choses ont changé en quelques années, Léopold! Pas de boutiques et pas de consulat. Nous retournons au manoir.

— Je suis heureux de votre bonheur, madame. Et heureux que vous soyez de retour. Votre absence a laissé le manoir bien triste.

— Muriel en a souffert plus que les autres, je crois. Mais la vie va reprendre de nouveau.

— Oui, madame. Surtout avec la venue d'un enfant. Ce sera comme au début, avec votre mère, que Dieu protège son âme.

La jeune femme regarda le paysage immaculé défiler derrière les vitres de l'automobile. Les glaces avaient emprisonné le fleuve; les branches des arbres dénudés frissonnaient au vent; seule la fumée des cheminées permettait de déceler une présence humaine. Aurélie avait l'impression qu'Ariane était près d'elle. Cette sensation la réconforta. Ariane veillerait sur elle et sur son enfant.

Le froid finit par céder la place au printemps. La future maman avait repris ses visites quotidiennes dans la serre pour s'occuper des rosiers tout en regardant son ventre s'arrondir. La première fois qu'elle sentit le bébé bouger, elle poussa un cri de joie qui alerta tout le monde. Dès qu'elle revenait de l'école, Muriel ne quittait plus sa sœur d'une semelle. Aurélie se revoyait faisant la même chose quand Ariane était enceinte de Muriel. Cette répétition de l'histoire la rassurait. Charles et Roland revenaient plus souvent au manoir; Edmond y passait même parfois les fins de semaine en attendant que la débâcle emporte les glaces qui l'empêchaient de se rendre à son camp. La vie familiale avait repris son cours, Aurélie tenant la place de sa mère. Tous les membres de la famille attendaient la venue de cet enfant.

Richard écrivait tous les jours à sa femme. C'étaient souvent de courtes lettres parlant de son quotidien, résumant les conversations les plus intéressantes, décrivant la ville qui se transformait avec le changement de saison. Il avait pris un colocataire pour partager les frais de l'appartement et il se sentait proche de ce jeune homme venant du West Island montréalais. Aurélie découvrit que Richard sortait davantage que lorsqu'elle était avec lui à Oxford. Il n'était pas un grand sportif, mais il faisait maintenant beaucoup de natation. Il disait que cela lui faisait le plus grand bien, lui permettant de mieux réfléchir face à des décisions importantes, sans expliquer quelles étaient ces décisions. Aurélie était ravie d'être au manoir et soulagée de ne sentir aucune tristesse dans les lettres de son mari.

Richard, diplôme en poche, revint à Sorel à la fin du mois de mai. Il y trouva une femme avec un ventre énorme, marchant avec lenteur, les nerfs à fleur de peau. Aucun fauteuil n'était assez confortable pour elle. Muriel avait pris l'habitude de l'aider à sortir du lit, la poussant comme une roche. Aurélie était heureuse de l'arrivée de son mari.

— Tu vois, je suis devenue une baleine. Au moins, tu as évité de voir la transformation.

Elle prit la main de Richard et la posa sur son ventre à la peau tendue.

— Tu la sens? Elle a la bougeotte et ne me laisse même pas dormir toute une nuit. Elle a hâte de sortir.

Richard s'émerveilla de voir des bosses apparaître sur le ventre, comme si des petits pieds poussaient de l'intérieur.

— Pourquoi tu dis «elle»? On dirait plutôt un solide garçon qui veut devenir boxeur.

— Laurence ou Laurent, peu importe, je suis impatiente de le voir. J'ai l'impression que le temps s'est arrêté. Le médecin m'a dit que j'avais encore trois semaines à attendre.

Richard se figea. Ils avaient vaguement parlé de prénoms au début de la grossesse, puis le sujet avait disparu des conversations. Même dans ses lettres, il n'avait jamais pensé en parler. Aurélie remarqua immédiatement le changement d'attitude de son mari. Un lourd silence s'installa. Richard aurait aimé rayer ce prénom à jamais de sa mémoire, mais c'était impossible. Ce Dumontel, qu'il n'avait jamais connu, faisait partie de sa vie. Et puis, il y avait aussi Larry White, son colocataire, son ami avec qui il avait tellement partagé de choses en quelques mois. Larry reviendrait d'Oxford dans un an avec une maîtrise en droit international. Richard avait déjà hâte de le revoir, de refaire des longueurs de piscines jusqu'à s'épuiser, de sentir son corps lancé comme une torpille, de rire devant un grand verre de bière brune, de reprendre ces discussions si enrichissantes, de refaire le monde avec lui. Laurent, c'était aussi Larry.

— Je tiens beaucoup à ces prénoms, Richard.

— Ils sont très jolis, ma chérie. J'espère que ce sera un petit Larry.

— Ne commence pas déjà à lui donner un nom anglais. Oxford a déteint sur toi.

— Bien au contraire. Les Britanniques aiment bien parler français, plus que les Canadiens, en tout cas. Regarde ton père, il parle anglais avec tout le monde. Même les prospectus de la compagnie sont rédigés en anglais.

— C'est le côté Westmount de mon oncle Jules. Il fait affaire avec les Américains et les Britanniques.

— Et avec les gens d'ici.

— Je pense que si tu nommes les outils en français, les ouvriers ne comprendront pas. Ç'a été un problème avec les ingénieurs du Creusot.

Voilà que le fantôme planait de nouveau. Aurélie avait essayé de garder un ton neutre, de ne montrer aucune émotivité. Elle rêvait pourtant encore de Laurent. Elle lui parlait aussi de leur enfant. Plus sa grossesse avançait, plus elle était persuadée qu'elle portait son bébé. Richard se demanda si elle avait écrit à ce Dumontel, si elle l'avait revu. Elle n'en parlait jamais et il décida d'en faire autant. Pourquoi partager des secrets douloureux pour l'autre?

Aurélie avait le sommeil léger et se levait plusieurs fois par nuit, ou plutôt roulait d'un côté à l'autre du lit. Richard prit donc la chambre d'amis. Il aimait cette pièce, la seule de dimension modeste, dont la fenêtre donnait sur la route et non sur le fleuve. Il n'osait pas quitter le manoir bien longtemps, visitant sa mère rapidement à Montréal et revenant s'enquérir de sa femme et de son enfant.

Les contractions commencèrent en pleine nuit, quelques jours à peine après l'arrivée de Richard. Aurélie réveilla son mari qui l'aida à descendre l'escalier. Ayant vu sa sœur passer devant sa chambre, Muriel avait couru avertir Léopold qui avança la limousine. En quelques minutes à peine, Aurélie était rendue à l'Hôtel-Dieu. Une infirmière la conduisit dans la chambre privée qui lui était réservée depuis longtemps. Richard se rendit compte qu'il avait gardé ses pantoufles et qu'il avait enfilé son pantalon par-dessus son pyjama. Léopold était reparti au manoir pour téléphoner à monsieur Edmond à Montréal. Quand ce dernier arriva un peu plus tard, les choses en étaient toujours au même point. Aurélie grimaçait de douleur à chaque contraction. Richard, nerveux, ne savait pas quoi faire, prenant la main de sa femme, essuyant son front en sueur. Muriel était assise au pied du lit et fixait sa sœur en silence.

— Qu'est-ce que tu fais là, toi? Tu devrais être à l'école.

— Mais… papa…

— Il n'y a pas de mais. Ta place n'est pas ici. Allez, retourne à la maison, prends ton cartable et file à l'école.

Muriel se leva lentement.

— Papa a raison, Muriel, tu reviendras dans l'après-midi. Ta petite-nièce ou ton petit-neveu sera là. Je l'espère.

Muriel sortit de la chambre en traînant les pieds. Edmond regarda Richard puis Aurélie. Il ne savait plus quoi dire. Il sentait que ce n'était pas sa place. Il n'avait d'ailleurs jamais assisté à la naissance de ses enfants, attendant dans le salon qu'on vienne lui dire qu'il était l'heureux père d'une fille ou d'un garçon. Aurélie poussa un cri.

— Bon, je vais aller au fumoir. Si vous avez besoin de moi…

Comme Edmond sortait de la chambre, le médecin entrait avec l'infirmière pour examiner la future maman. Edmond n'était pas rendu au bout du corridor qu'il voyait sa fille être transportée dans une salle d'accouchement. Ayant été invité à sortir, Richard rejoignit son beau-père.

— Les femmes n'ont pas besoin de nous pour ça.

Richard ne dit rien, trop angoissé pour parler. L'attente était interminable. Edmond tournait en rond pendant que Richard fixait le bout de ses pantoufles. Le temps passa lentement. Aurélie le voyait passer encore plus lentement. Ce bébé lui déchirait le ventre et, pourtant, il n'arrivait pas. Le médecin sortait régulièrement pour assister une autre parturiente. Chaque fois, Aurélie avait peur qu'il ne revienne pas à temps pour accueillir son bébé. Deux infirmières étaient pourtant là pour la rassurer. Les douleurs s'intensifièrent et Aurélie n'en pouvait plus. Elle pensa à Ariane qui avait vécu quatre fois cette expérience. Et Violette avec sept enfants, Antonine avec onze. Comment avaient-elles fait? Le médecin revint et fit signe à l'anesthésiste.

— Tout va bien aller, madame Beaulieu. La tête va bientôt sortir. Respirez bien.

Aurélie vit un masque approcher de son visage. Elle prit une grande inspiration et tout devint noir. Quand elle ouvrit les yeux, une petite fille au visage rouge hurlait, enveloppée d'un petit drap blanc. Aurélie était encore sous l'effet de l'anesthésiant; tout était flou. Mais elle entendit clairement le bébé crier. Elle entendit ensuite l'infirmière lui répéter que c'était une belle petite fille. Aurélie tendit les mains et prit son enfant quelques minutes. La petite se tut, la fixa un bref instant, puis se mit à hurler de nouveau. Aurélie ne savait pas quoi faire. L'infirmière reprit l'enfant. La jeune maman essaya de garder les yeux ouverts, mais cela lui demandait un trop gros effort. Elle se rendormit et se réveilla dans sa chambre, entourée de Richard et d'Edmond, souriant tous les deux.

— Elle est magnifique, mon amour, elle a tes yeux.

— Tu l'as vue?

— Oui, à la pouponnière. C'est celle qui crie le plus fort.

— Je veux la voir. Demande à l'infirmière de me l'apporter.

Richard appuya sur la sonnette. L'infirmière arriva peu après. Elle conseilla à Aurélie de se reposer et de reprendre des forces en restant bien allongée dans le lit. On nourrissait les bébés en ce moment. La petite était beaucoup mieux là où elle se trouvait.

— Vous aurez tout le temps de la prendre. Et puis, il ne faut pas gâter trop les enfants en les ayant souvent dans ses bras. Ils deviennent capricieux et prennent plus de temps à devenir autonomes. Reposez-vous. Vous la verrez dans quelques heures.

En sortant de la chambre, l'infirmière fut bousculée par Muriel qui arrivait, tout excitée. Elle alla embrasser sa sœur.

— Elle est belle, la petite Laurence. Elle a plein de cheveux, comme un petit singe.

— Un petit singe? Qu'est-ce que tu racontes?

— Elle a la tête entourée de cheveux bruns, ça lui fait comme une couronne. Une princesse. Les autres sont tous chauves comme des petits vieux.

Aurélie était frustrée. Elle était donc la seule à ne pas avoir vu son enfant, du moins pas assez longtemps. Ressentant encore les effets de l'anesthésie, elle devait faire des efforts pour ne pas se rendormir. Ses visiteurs le savaient et ils la quittèrent un à un, après l'avoir embrassée. Edmond était fier d'être grand-père et le répéta plusieurs fois à Aurélie. Muriel promit de revenir dans la soirée. Richard devait aller changer de vêtements et reviendrait tout de suite après. La nouvelle maman retrouva le calme d'une chambre vide. Elle s'endormit aussitôt.

Quand Aurélie ouvrit les yeux, le soir était tombé et la chambre était envahie par de nombreuses gerbes de fleurs. Richard la regardait dormir, assis près du lit. Muriel plaçait les bouquets qui arrivaient encore, ne sachant plus où les mettre.

— On peut dire que tu as dormi profondément. Même les fleuristes ne t'ont pas réveillée. Il ne doit plus rester une seule fleur coupée à Sorel.

Aurélie sourit.

— On devrait en envoyer à la chapelle de l'hôpital. Vous avez vu Laurence?

— L'infirmière a voulu te l'amener, mais tu dormais si bien qu'elle a préféré te laisser te reposer, ma chérie.

— Je vais aller à la pouponnière la demander.

Muriel partit aussitôt, laissant les nouveaux parents en tête-à-tête. Richard embrassa la main de sa femme.

— Je suis tellement heureux! Jamais je n'aurais pensé être aussi fier d'un bébé. Maman va venir demain. Ça ne te dérange pas si elle reste quelques jours au manoir? C'est sa première petite-fille. Et pas la dernière, j'espère.

Pour Aurélie, c'était le bonheur parfait. Enfin presque. Ses seins gonflés lui faisaient mal et une brûlure montait entre ses cuisses. Elle avait aussi envie d'uriner. Comme elle faisait un geste pour se relever, l'infirmière entra. Elle lui tendit la bassine: pas question de se lever trop tôt. Richard sortit de la chambre et fit patienter Muriel qui arrivait dans le corridor. Aurélie apprit que la petite Laurence buvait son biberon. Elle pourrait la voir tout de suite après.

Muriel était repartie avec Richard au manoir quand une autre infirmière lui apporta sa petite fille enveloppée dans une couverture. La petite dormait paisiblement. Aurélie la tint dans ses bras un long moment, lui souriant, émerveillée de ce calme, de cette douceur. Sa vie venait de changer avec ce petit paquet de chair qui sentait le lait et le talc. Elle aurait gardé le bébé dans ses bras toute la nuit, mais on revint le chercher pour le ramener à la pouponnière.

Le lendemain, Aurélie reçut beaucoup de visiteurs. Richard se sentait déboussolé au manoir et il préférait rester auprès de sa femme. Charles vint avec une jeune fille de vingt ans aux grands yeux bruns qu'il présenta comme sa petite amie. Étudiante comme lui, Aline Côté était timide, souriant de tout et de rien en félicitant encore et encore la nouvelle maman. Charles la couvait du regard, ne lâchant pas sa main. Aurélie se réjouit que le séducteur ait enfin trouvé une fille avec qui il semblait vouloir faire sa vie. Roland vint avec Muriel qui aurait préféré passer ses journées à l'hôpital plutôt qu'à l'école. Mathilde arriva avec sa fille Lucille; Antonine, avec Évelyne et Fabienne, puis Rosemarie, avec Adrien, l'aîné de Jules qui vivait maintenant à Sorel. Ils avaient tous vu la belle petite Laurence qui dormait tranquillement au milieu des pleurs des autres bébés. Des bouquets arrivaient encore. Non seulement des oncles et des tantes, mais aussi des cousins et des cousines. Il y avait tellement de monde dans la chambre que le médecin leur demanda de laisser sa patiente se reposer.

La jeune maman put prendre sa petite fille en fin de journée. Laurence, éveillée cette fois-ci, grimaçait. L'infirmière lui dit que la petite avait des coliques et elle la ramena à la pouponnière. Aurélie fut réveillée au milieu de la nuit. Le médecin était à ses côtés; il lui touchait le bras doucement. Après avoir hésité un long moment, il lui annonça que sa petite fille était morte. Aurélie le fixa, incrédule. Impossible. Elle l'avait vue quelques heures auparavant et tout allait bien. Comment pouvait-on mourir ainsi, sans raison?

— Je veux la voir.

— Ce serait sans doute moins douloureux de ne pas le faire.

— Je veux la voir, vous m'entendez?

— Je vous l'apporte.

Le médecin revint quelques minutes plus tard avec un petit corps roidi, enveloppé dans une couverture rose. Seul le visage bleuté du bébé ressortait du tissu. Aurélie tendit les bras. Le médecin hésita. Il approcha le bébé tout en le gardant entre ses mains. Les yeux rougis, il semblait aussi bouleversé que sa patiente. Aurélie posa sa main sur la poitrine de l'enfant. On aurait dit du bois glacé. Elle était morte depuis longtemps et ce n'était que maintenant qu'Aurélie l'apprenait. L'air entrait péniblement dans ses poumons. Une énorme vague de douleur remonta de sa poitrine et s'arrêta dans la gorge. Aurélie ouvrit la bouche, cherchant un peu d'air. Le médecin ramena l'enfant vers lui. Il parlait, mais Aurélie n'entendait rien. Des paroles d'encouragement, elle n'en voulait pas. Elle ne voulait que hurler, ce qu'elle était incapable de faire. Elle reçut ensuite une piqûre, et un mur s'abattit devant elle, la faisant sombrer dans une noirceur profonde. Elle souhaitait mourir, mais elle se réveilla le lendemain. Richard lui tenait la main, le visage blême, la mine défaite. Tout était silencieux; on avait sorti les fleurs pour ne pas rappeler un salon funéraire. Le vide s'installait dans la vie d'Aurélie; il ne serait jamais tout à fait comblé.

— Même la venue de deux autres enfants ne m'a jamais fait oublier Laurence. Je suis simplement devenue une mère apeurée à la moindre toux, au moindre bobo. J'ai trop couvé mes enfants, je les ai protégés au point de les étouffer. Dès qu'ils ont eu l'occasion de se rebeller, ils l'ont fait.

Le vent soufflait, faisant ployer les branches des arbres comme de longues griffes rayant le ciel clair. Lorraine les avait photographiées au-dessus de la tête d'Aurélie. Elles formaient alors une auréole de douleur, une couronne d'épines. La vieille dame jouait avec le tissu de sa robe. Le silence s'était installé, presque confortable. Lorraine se disait qu'elle avait été là, dans la même pouponnière, à entendre les cris de Laurence, impuissante, insouciante, ne réclamant que les biberons et les bras de sa mère. Jeanne lui avait raconté qu'elle l'avait laissée à la pouponnière plus de trois semaines. Elle avait perdu son premier bébé l'année précédente, à cinq mois de grossesse. Dans l'angoisse de revivre la même chose, elle avait insisté pour que l'hôpital s'occupe de son nouveau-né assez longtemps pour s'assurer de sa bonne santé. De poupon chétif, Lorraine était rapidement devenue un solide bébé aux joues roses. La photographe souriait aux anges. Aurélie le remarqua.

— De beaux souvenirs ?

— Je me rappelais mon baptême. En fait, la photo de mon baptême. Vêtue d'une longue robe blanche brodée, je suis là, à cinq jours, dans les bras de ma marraine. Elle porte une jolie robe à pois, un chapeau de paille blanc.

À ses côtés, mon père sourit, légèrement penché vers ma mère, étendue sur son lit d'hôpital dans un déshabillé de satin. Il y avait aussi une taie d'oreillers et de faux draps de satin brodés. Je fixe l'objectif de l'appareil photo avec curiosité. Une photo parfaite. Jeanne m'a raconté qu'au même moment, je faisais un pipi qui ne semblait pas vouloir s'arrêter. Il faut croire que les couches de l'époque n'étaient pas trop étanches. Tout le monde entendait l'urine dégoutter sur le plancher et sur les souliers de ma marraine. Mais personne ne bougeait, attendant que le photographe ait fini de prendre la photo.

— J'avais oublié l'usage de ces faux draps qui faisaient partie du trousseau de la nouvelle maman. C'était une bordure ouvragée qu'on posait sur le revers des draps quand on recevait des visiteurs et qu'on enlevait rapidement pour ne pas la salir. J'aimerais beaucoup voir cette photo.

— Elle est avec les autres dans une malle. Il y en a tellement. Je me suis contentée de les empiler. Je devrais en faire le tri et jeter tout ce qui est inutile. Ce n'est pas évident avec les vieilles photos. Elles ne parlent pas beaucoup aux inconnus, mais elles font remonter le temps aux familiers. Je ne suis pas certaine d'être prête à ça. Tout est trop récent.

— Je te comprends. J'ai essayé de faire la même chose. Je me suis dit que c'était mieux de le faire soi-même plutôt que de laisser ça à ceux qui nous survivent. Mais je n'en ai pas été capable. Je voulais tout garder, ou tout jeter, en fonction des journées. Ce n'est pas facile d'accepter de disparaître de cette terre sans laisser de traces.

Simone entra dans la pièce.

— Est-ce que je peux servir le repas du soir un peu plus tôt, madame Aurélie ? J'aimerais prendre une soirée de congé.

— Ne me dis pas que tu te décides enfin à sortir un peu, Simone ! Un rendez-vous galant, j'espère.

Simone baissa les yeux sans un mot. Lorraine sourit. Aurélie avait oublié son chagrin comme par magie.

— Nous nous débrouillerons sans toi, ne crains rien. Prends le thé avec nous.

La Corée du Nord envahit la Corée du Sud le 25 juin 1950. Deux jours plus tard, le président américain Harry Truman déployait la Septième Flotte vers Taiwan. Mao avait proclamé l'année précédente la République populaire de Chine. La guerre froide s'installait. Le communisme commençait à se répandre et à vouloir se partager le monde. À Sorel, on comptait sur le capitalisme pour combattre le chômage. Deux ans plus tôt, deux compagnies américaines avaient formé la compagnie Quebec Iron and Titatium dans le but d'extraire la scorie de titane du plus important gisement d'ilménite du monde, des dépôts de deux cents millions de tonnes de minerai découverts sur la Côte-Nord. La QIT cherchait un endroit où s'établir. Edmond joua son rôle de commissaire industriel pour l'occasion. Il persuada les Américains de venir s'établir à Sorel en vantant la situation géographique et la main-d'œuvre de la région. En août 1948, le premier ministre Maurice Duplessis était fier d'annoncer que la nouvelle usine serait construite le long du fleuve, sur un terrain vendu par Edmond Savard. Mais cette nouvelle usine ne donnait pas plus de travail aux chantiers de la Maritime ou à Sorel Industries. L'invasion de la Corée du Sud permit de relancer la production d'armement et de réembaucher bon nombre d'employés mis à pied à la fin de la Seconde Guerre mondiale.

Edmond se retrouva fort occupé, ce qui lui permit de ne pas crouler sous le chagrin en regardant sa fille aînée pleurer son enfant. Charles avait terminé ses études à l'université. Il épaulait son père, s'éloignant du manoir à son tour. Roland devait retourner à l'université d'Ottawa en septembre. Il profita de son été avec plus d'insouciance, se promenant sur le *Bucéphale*, évitant lui aussi la demeure familiale. La vue d'Aurélie les désespérait tous. Il ne restait plus que Richard pour s'asseoir le matin dans la véranda et lire les journaux. Il refusait de se déconnecter du monde.

Aurélie lisait à peine les grands titres, occupée à cultiver son chagrin, à éviter les gens et, surtout, la vue de tout jeune enfant. Elle passait presque tout son temps dans la serre. Richard se faisait fantôme. Il allait de plus en plus souvent à Montréal sous prétexte de voir sa mère. Il en profitait pour revoir des amis, discuter de politique et d'actualités et essayer de retrouver une vie normale. Il avait reçu la bourse Ford pour étudier le droit fiscal à Harvard. Cette bonne nouvelle avait été éclipsée par la mort de Laurence. Madame Beaulieu ne cessait de lui répéter de faire tout de suite un autre enfant à sa femme. C'était le seul moyen de l'éloigner de son chagrin et de lui redonner goût à la vie. Richard aurait bien aimé. Mais dès qu'il l'approchait, Aurélie se mettait à trembler. Les paroles de réconfort ne semblaient pas porter fruit. Les gestes de tendresse non plus.

— Ça ne peut plus continuer ainsi, Aurélie. Il faut que tu sortes d'ici. Accompagne-moi en septembre à Harvard. Ça ne peut que te faire du bien, de quitter cette maison et tous ces souvenirs.

— Les villes universitaires sont faites pour les étudiants. Je ne vois pas ce que je ferais là-bas.

— Tu seras tout près de Boston. Tu peux prendre des cours aussi, assister à des conférences. Je ne t'ai jamais caché que je voulais faire de la politique. Un politicien a besoin d'une femme qui puisse le soutenir, l'épauler, qui est au courant de ce qui se passe. Une experte en roses dijonnaises ne suffit pas. J'ai besoin de toi. Et nos enfants aussi.

— Nos enfants ?

— La vie ne s'arrête pas là. Je veux des enfants de toi.

— Pour les voir morts ?

— Non. Pour les voir courir dans le parc, pour les entendre crier de joie, pour les regarder dormir à poings fermés.

Aurélie fixait le vide, essayant de s'imaginer la chambre d'enfant toute décorée de fleurs roses et bleues à l'étage et qu'elle avait fait fermer. Elle y entendait des babillages, des rires, des pleurs. Mais comment oublier Laurence, son petit corps raidi, son visage grimaçant? Elle essayait parfois de se rappeler Laurent et elle découvrait que son visage s'estompait pour faire place à celui du bébé. Richard lui prit la main et la força à se lever.

— Viens, Roland nous attend. Ça nous fera du bien de faire une randonnée en bateau.

Aurélie le suivit et monta à bord sans un mot. Le yacht glissait rapidement sur le fleuve. Roland pilotait avec Richard à ses côtés. Ils ne s'étaient pas occupés de leur passagère. La jeune femme avait pris place à la proue, allongée sur le pont. Elle fixait l'horizon. Le *Bucéphale* ralentit et se promena entre les nombreuses îles. Aurélie ne bougeait pas, s'imprégnant d'air et de soleil. Roland fit ensuite une virée sur le lac Saint-Pierre et revint vers Sorel au moment où le soleil descendait lentement. Aurélie regardait le ciel enflammé. L'horizon, si vaste, lui donna le vertige. L'immensité la réduisait à n'être elle-même qu'un point entre ciel et eau. Ses yeux se mirent à piquer. Elle cligna des paupières, attribuant cela au vent qui lui fouettait le visage. Mais ça n'arrêtait pas; des larmes coulaient sur ses joues, asséchées presque aussitôt par le vent. Le fleuve l'avait ramenée comme il ramenait les noyés sur les rives, les rejetant pour les rendre aux vivants. Elle abandonna finalement la lutte et se mit à sangloter abondamment. Richard vit ses épaules secouées par l'émotion. Il avait envie d'aller la retrouver pour la serrer contre lui, mais il n'en fit rien. Roland le regarda un moment. Il était soulagé de voir sa sœur se libérer enfin. Il ralentit un peu plus le bateau pour attendre que le soleil ne soit plus qu'une ligne rouge au ras de l'eau avant de rentrer.

Aurélie, épuisée, monta dans sa chambre et dormit plus de douze heures. Au réveil, elle se sentait enfin prête à reprendre sa vie. Elle accepta de quitter le manoir et d'aller vivre dans la ville de Cambridge, au

Massachusetts, pour un an. Muriel fut la seule à regretter cette décision. Après avoir vécu douloureusement la perte de cette petite-nièce qu'elle s'apprêtait à chouchouter, elle devait de nouveau vivre sous les bontés écrasantes de la tante Mathilde. Elle avait hâte que Richard arrête de se promener d'université en université et d'y entraîner sa sœur. Il lui promit, en souriant, qu'à l'avenir il donnerait les cours au lieu d'en recevoir.

Edmond avait offert au jeune couple une auto neuve. Aurélie et Richard partirent à la fin du mois d'août. Les villages pittoresques s'étendant autour de petites églises au long clocher blanc, les campagnes paisibles et le beau paysage montagneux de la Nouvelle-Angleterre réjouirent la jeune femme. Elle se sentait enfin mieux. Ils arrivèrent à Cambridge, foyer de l'université Harvard et du célèbre Massachusetts Institute of Technology, en fin de journée. Le soleil se couchait à l'horizon. Après Everett Street, les nombreux bâtiments de la faculté de droit s'étalaient sur un vaste terrain. Un immense parc leur faisait face. La vue de ces édifices de pierre, imposants et pourvus souvent de colonnes, leur rappela l'Angleterre. Plusieurs étudiants circulaient dans les rues, décontractés, leur jeunesse contrastant avec la vieillesse des bâtiments.

La voiture longea Massachusetts Avenue et, rendue à Harvard Square, un triangle entouré de restaurants, de boutiques, de cafés et de librairies, elle emprunta Harvard Street pour atteindre la rivière Charles. Dans Memorial Drive se trouvaient de nombreux immeubles qui appartenaient à l'université et où logeaient une partie des étudiants. Les bâtiments, pour la plupart assez vieux, étaient entourés de parterres verdoyants et bien entretenus. Richard avait trouvé un appartement sur le campus. Il y avait deux petites chambres et une grande pièce servant de salon, de salle à manger et de salle d'étude. Les fenêtres du salon donnaient sur la rivière Charles qui formait un coude face aux édifices de la Business School. Richard aurait pu loger plus près du campus de la faculté de droit, mais il avait préféré s'installer près de la rivière. Aurélie aurait ainsi un cours d'eau à regarder de sa fenêtre, lui rappelant son fleuve tant aimé.

Boston était de l'autre côté de cette rivière qui ondulait et s'élargissait davantage à mesure qu'elle s'approchait de l'océan. La ville était en fait une petite péninsule sur la côte du Massachusetts. La partie nord-est était occupée par le centre historique alors que les édifices gouvernementaux et le district des affaires se trouvaient au sud. C'était une ville faite pour se promener, ce qu'Aurélie faisait tous les jours. Les rues étroites de la partie nord lui plaisaient. Elle aimait arpenter la rue Salem, au cœur du quartier italien, et sentir l'odeur du pain frais s'échappant des boulangeries, admirer les vitrines des boutiques de bonbons et boire un espresso dans un petit café. Elle prenait aussi plaisir à marcher le long de ce que les Bostonnais appelaient le «collier d'émeraude», une suite de parcs reliant l'Esplanade à Back Bay. Richard était occupé par ses études, mais Aurélie ne sentait pas la lourdeur d'Oxford. Peut-être parce qu'elle savait qu'elle pouvait retrouver son manoir en quelques heures.

Comme les couleurs automnales décoraient à merveille les parcs de Boston et de Cambridge, Aurélie apprit qu'elle était de nouveau enceinte. Une joie profonde mêlée à une peur viscérale la saisit. Richard dut lui répéter souvent que les meilleurs médecins se trouvaient autour d'elle pour calmer un peu son angoisse. Edmond accueillit la nouvelle avec joie. Muriel aussi, espérant voir revenir sa sœur tout de suite. Mais Aurélie se plaisait bien dans cette ville étudiante et elle décida d'y rester. Elle aimait prendre l'auto et aller marcher le long des plages désertées par les touristes à l'approche de l'hiver. Elle aimait particulièrement Coast Guard Beach près de Eastham, une longue plage bordée par des dunes couvertes de longues herbes. Les cheveux enveloppés dans un grand foulard, elle affrontait le vent, admirant les vagues qui venaient mourir sur le sable. Elle en profitait pour parler à son bébé, lui dire à quel point elle le désirait en bonne santé et heureux. Celui-là ne mourrait pas. Elle ne permettrait même pas qu'il quitte son lit. Elle serait à ses côtés jour et nuit. Le visage de Laurence s'estompa peu à peu. Celui de Laurent revint parfois à sa mémoire, entouré d'une brume lointaine.

Aurélie vivait beaucoup plus dans le présent. Quand il commença à faire plus froid, elle assista à des conférences et à des concerts, visita des musées et eut de longues conversations avec son mari qui affinait sa vision politique. Toujours aussi discret, Richard affichait plus de détermination qu'avant. Les étudiants le trouvaient habile et ambivalent. Insaisissable pour plusieurs, il se montrait souvent un bon tacticien. Aurélie commençait à voir le monde par ses yeux, à vouloir aussi le changer, le rendre meilleur. Les descendants de puritains, conservateurs et traditionalistes avaient aussi cru fermement aux idéaux de liberté et à l'abolition de l'esclavage. Les sentiments révolutionnaires originaires de Boston n'avaient-ils pas mené la colonie à déclarer son indépendance par rapport à la couronne britannique? Cette effervescence se sentait dans le boom de l'après-guerre. L'optimisme était au rendez-vous.

Les futurs parents passèrent les fêtes de Noël et du jour de l'an au manoir, lieu des rencontres familiales. Muriel se transformait en jeune fille et affichait plus ouvertement sa révolte contre la tante Mathilde. Dior avait créé le «new look» quelques années auparavant. Muriel adorait les robes de cocktail qu'elle portait à la moindre occasion. Mathilde reprochait à sa nièce de se vieillir inutilement pendant qu'Edmond tempérait les ardeurs de sa plus jeune fille en lui promettant un bal pour ses seize ans. Mais Muriel ne voulait pas attendre plus d'un an pour se sentir enfin une jeune femme et, aussi souvent qu'elle le pouvait, elle portait des souliers à talons hauts et des jupes étroites.

Charles profita du réveillon de Noël pour annoncer ses fiançailles avec Aline. Ils avaient l'intention de se marier en juillet. Edmond, qui adorait les grandes fêtes, lui promit un mariage aussi fastueux que celui de sa sœur. Aline, timide, sourit en baissant les yeux. C'était à ses parents de s'occuper de cela.

Bien sûr, bien sûr. Et ça me fera plaisir de faire ma part. Il faut les inviter pour le nouvel an. Tu t'occupes de ça, Charles.

Charles s'occupait de tout ça. Les parents d'Aline n'avaient pas la fortune des Savard, et Charles savait qu'il devait faire attention à ne pas froisser la fierté de Pierre Côté, propriétaire d'une petite imprimerie à Louiseville. S'il était fier que sa fille fasse un riche mariage, le père d'Aline n'avait pas l'intention pour autant de se faire snober par le bouillant Edmond. Mais il n'avait pas compté sur le charme de celui-ci. Edmond l'accueillit comme un homme important, ce qu'il devenait en étant le beau-père de son fils. Il lui offrit whisky et cigare pour discuter de l'avenir brillant qu'il voyait pour leurs enfants. Les nouveaux mariés s'installeraient sur un immense terrain qu'Edmond avait acheté à Sainte-Anne-de-Sorel et ils y feraient construire une maison à leur goût, moderne et vaste comme ces bungalows qu'on voyait en Californie. Face à une aussi intéressante proposition, Pierre Côté offrit de meubler cette résidence avec ce qu'il y avait de mieux. Il voulait le bonheur parfait pour sa fille.

Madame Côté eut droit aux attentions d'Aurélie qui lui fit visiter le manoir. Les deux femmes s'attardèrent dans la chambre d'enfant. Madame Côté avait hâte d'être grand-mère et Aurélie trouvait bien longs les cinq mois qu'elle avait encore à attendre la venue de son bébé. Elle se plaisait à Cambridge, mais le fait de se trouver de nouveau au manoir lui donna envie d'y rester. Elle regardait la neige tomber. Rester ici avec Muriel lui ferait revivre exactement l'année précédente où elle avait vu son corps se transformer. L'enfant devait naître au milieu du mois de mai, soit à quelques semaines à peine de la date de naissance de Laurence. Cela faisait trop de coïncidences. C'était sans doute de la simple superstition, mais Aurélie ne voulait pas répéter ce qu'elle avait vécu, de peur que cela ne conduise à la mort du bébé. Elle se dit que le paysage de la Nouvelle-Angleterre serait magnifique sous cette neige immaculée. Et il le fut. Tout comme l'arrivée du printemps dans les parcs entourant les bâtiments universitaires.

Richard préférait qu'Aurélie accouche à Sorel et ils revinrent à la fin du mois d'avril au manoir. Il ferait quelques allers-retours à Harvard simplement pour des conférences importantes et des rencontres avec son directeur de thèse. La réception fut chaleureuse. Muriel sauta au cou de sa sœur. Mathilde se sentit soulagée. Elle avait envie de se reposer de ses luttes constantes avec la jeune rebelle et de s'occuper de ses petits-enfants, plus dociles. Charles surveillait la construction de sa nouvelle maison avec Aline à ses côtés, qui écarquillait les yeux au moindre bonheur. Ayant terminé son cours d'économie à l'université d'Ottawa, Roland se promettait un bel été au bras de sa nouvelle flamme, Rita Péloquin, une jolie secrétaire qui travaillait depuis peu à Sorel Industries. Edmond voyait d'un bon œil ses fils prêts au mariage. Il ne restait à s'occuper que de Muriel et il comptait sur Aurélie pour le faire.

Quelques semaines plus tard, Aurélie accouchait d'un bébé costaud et en bonne santé. Elle refusa que son enfant soit emmené à la pouponnière. Le médecin et les religieuses lui affirmèrent que c'était le règlement, que les pleurs du bébé réveilleraient les autres mères qui ne pourraient se reposer, que le nouveau-né serait plus en sécurité sous la surveillance d'infirmières. Rien n'y fit; la jeune maman s'obstina. Elle payait une chambre privée et les autres mères étaient aussi bien de s'habituer tout de suite aux courtes nuits de sommeil, c'est ce qu'elles vivraient pour les mois à venir. La direction de l'hôpital accepta finalement cette entorse au règlement. Aurélie engagea une infirmière pour passer les nuits avec elle et elle dorlota le petit Laurent comme un cadeau venu du ciel.

De retour au manoir, elle s'occupa avec Edmond des préparatifs du mariage de Charles. La réception aurait lieu au manoir et Aurélie la planifia comme celle de ses propres noces. La jeune Aline, qui venait d'avoir vingt et un ans, la suivait partout, demandant conseil sur conseil de peur de commettre des impairs.

Elle n'avait pas l'habitude des mondanités et Aurélie joua pour elle le rôle qu'Ariane avait tenu des années auparavant. Les deux femmes passaient de longs moments ensemble, de quoi rendre Muriel jalouse. Elles se promenaient dans le parc, suivies de la jeune fille, essayant de trouver le meilleur emplacement pour les tentes abritant le buffet, l'orchestre à cordes, les chaises et les fauteuils pour que les invités puissent se reposer. Le petit Laurent dormait dans un gros landau anglais recouvert d'une moustiquaire pendant que la nurse lisait, assise sur un banc à ses côtés. Le manoir était redevenu un lieu magique où il faisait bon vivre. Edmond se surprit à y passer plus de temps, délaissant son camp en haute Mauricie pour se consacrer aux mondanités et surtout à sa famille. Les repas étaient de nouveau animés. Richard étonnait même les autres en dévoilant un sens de l'humour que personne ne lui avait soupçonné.

Quelques jours avant l'anniversaire d'Aurélie, la réception grandiose du mariage de Charles et d'Aline fut à la hauteur des espérances de tous. Les nouveaux mariés partirent ensuite pour l'Europe en voyage de noces. La tournée des grandes capitales émerveilla Aline. Elle en revint transformée, plus sûre d'elle et d'une élégance raffinée. Elle venait d'entrer dans le clan des épouses d'hommes riches. Le jeune couple s'installa dans sa luxueuse demeure sur les rives du fleuve et commença à donner des réceptions très courues. Cette maison devint le nouveau centre d'attraction, et le manoir fut un peu délaissé par les quelques mondains de la région. Mais Aurélie ne s'en formalisa pas. Elle avait repris possession des lieux et passait ses journées à s'occuper de son fils et de ses rosiers.

Richard avait trouvé un poste de conseiller fiscal pour le gouvernement fédéral. Il commença à chercher une maison dans les environs de Hull, mais Aurélie n'avait aucune envie de quitter son manoir. Après bien des discussions, Richard prit un appartement à Ottawa, non loin du Parlement. Il ferait ce que Charles et Roland avaient fait pendant des années : la navette entre Ottawa et Sorel. Aurélie, heureuse de cette décision, retrouvait sa vie de jeune femme libre. Elle offrit à Richard chauffeur et limousine qu'il refusa. Il était un simple conseiller fiscal, pas encore un ministre. Les mondanités et les flaflas ne lui disaient rien. Il refusa aussi la Jaguar dont Charles ne voulait plus. Il prendrait des taxis pour se déplacer, acceptant seulement qu'un chauffeur vienne le prendre le vendredi pour le ramener au manoir: il profiterait du trajet pour travailler sur ses dossiers. Léopold se faisant vieux, Aurélie embaucha un nouveau chauffeur pour faire ce voyage hebdomadaire.

Après quelques semaines seulement, Richard commença à trouver cette double vie d'homme célibataire et d'homme marié assez routinière. Il travaillait beaucoup, ce qui lui valait les compliments de son entourage et, aussi, une certaine jalousie de la part de ses collègues. Sa femme et son fils lui manquaient et il essayait de profiter pleinement des deux jours passés avec eux. Le petit Laurent faisait fête à son père dès qu'il le voyait et Richard passait beaucoup de temps avec lui, le promenant, le berçant. Aurélie était heureuse de le voir s'occuper ainsi de son enfant. Les déchirements passés, la passion qu'elle avait éprouvée pour Laurent, ses retrouvailles douloureuses d'après-guerre, tout ça s'estompait pour se fondre dans un calme champêtre. La vie reprenait doucement son cours grâce à la présence de l'adorable petit garçon. Aurélie ne se lassait pas de s'émerveiller de ses transformations quotidiennes. Elle découvrit avec bonheur, peu avant Noël, qu'elle était encore enceinte.

Edmond serait doublement grand-père, puisque Aline attendait aussi un enfant pour l'été. Les deux belles-sœurs se rapprochèrent davantage et le manoir devint de nouveau le lieu de rencontres et de secrets partagés. Aurélie trouvait des ressemblances entre Ariane et Aline. Les deux femmes avaient changé de milieu par leur mariage mais, contrairement à Ariane, qui avait fui une mère sévère, Aline avait une mère attentionnée qui lui téléphonait presque tous les jours, question de partager la routine. Aucune décision importante ne se prenait sans qu'Aline consulte sa mère, ce qui commençait à agacer Charles, lui qui avait passé sa vie avec des femmes indépendantes.

Edmond avait beaucoup de raisons de se réjouir. La prospérité était revenue à Sorel. Des contrats gouvernementaux pour des brise-glaces, des traversiers, un pétrolier et une grue flottante pour le dragage permirent à la Maritime de réembaucher des travailleurs. À Sorel Industries, on produisait deux nouveaux types de canons: un canon naval qui contenait plus de vingt-huit mille pièces constituées de cent vingt-cinq métaux différents, et qui nécessitait trente mille opérations mécaniques — ces mécanismes étaient les plus complexes qu'on ait jamais usinés au Canada; un autre canon de défense antiaérienne dont les procédés de construction restaient secrets, et qui avait été surnommé «gratte-ciel» à cause de la portée très étendue de son tir.

Edmond avait retrouvé sa fierté de bâtisseur. Charles essayait de la partager, mais il ne parvenait pas à sortir de l'ombre de son père. Il se rabattait sur les mondanités dont Aline devenait de plus en plus friande et sur les conversations politiques avec Richard. Tous les samedis, il passait de longues heures au manoir à discuter avec son beau-frère pendant qu'Aline parlait layettes avec Aurélie tout en s'amusant avec le petit Laurent. Le 14 juin 1952, Aline put assister à une réception extraordinaire organisée par Jules et Edmond. Les frères Savard avaient réuni six mille personnes pour la présentation de canons à l'armée américaine et pour le lancement du plus puissant brise-glace du monde, le Labrador, et du balayeur de mines Chignecto. Les journalistes furent invités à parler de cette journée glorieuse où s'affirmait le savoir-faire des nôtres, comme ils l'écrivirent le lendemain. Le premier ministre Louis Saint-Laurent, accompagné de plusieurs membres du gouvernement, parla de progrès économiques et techniques pour le Canada et de la sauvegarde de la paix grâce à ces canons défensifs. Le vice-amiral Schoeffel vanta l'excellence du travail accompli et tout le monde fut d'accord pour féliciter de nouveau la famille Savard pour son audace. Encore une fois, guerre et politique avaient fait bon ménage pour assurer la prospérité de la région.

Aline ne put jouir jusqu'à la fin des mondanités. Elle dut partir plus tôt, des contractions la forçant à se rendre à l'hôpital où elle accoucha le lendemain d'un petit garçon. Aurélie se fit discrète pendant la réception, incommodée par la chaleur. Elle aurait préféré s'asseoir à l'ombre des arbres du manoir pour regarder son fils dormir, mais elle s'était rappelé ses devoirs d'épouse et de Savard. Elle avait accompagné Richard qui était présenté par Edmond à tous les membres du gouvernement. Déjà estimé pour ses qualités de conseiller fiscal, il pouvait rêver d'une belle carrière en politique fédérale.

Un mois plus tard, Roland épousait Rita Péloquin, vingt-quatre ans. Il avait toujours suivi son frère en tout. Le voyant se marier et devenir père de famille, Roland avait décidé qu'il était temps pour lui de se caser aussi. Rita était une fille simple, sérieuse et posée. Elle entrait dans la famille Savard sans prétention. Contrairement à Aline, elle n'aimait pas beaucoup les mondanités, mais elle pouvait s'y adonner comme à un travail, avec le plaisir du devoir accompli. La réception eut lieu au manoir et le champagne coula à flots à la santé du jeune couple discret qui avait visiblement hâte de se retrouver en tête-à-tête.

Charles présenta avec fierté son tout jeune fils aux invités pendant qu'Aline restait assise dans un fauteuil, appelant une bonne au moindre besoin. Elle avait découvert depuis son accouchement que les autres pouvaient tout faire pour elle. Elle n'avait pas été élevée avec des domestiques, mais elle avait appris rapidement à se faire servir. Quand Charles eut terminé de parader avec son fils, il le confia à sa femme qui appela immédiatement la nourrice pour s'en occuper. Aline se déplaçait maintenant avec son personnel comme si elle était une star hollywoodienne.

Aurélie allait accoucher dans un peu plus d'un mois et elle promenait son gros ventre avec effort en essayant de se faire discrète. Elle regardait les invités déambuler dans le magnifique jardin anglais qu'était devenu le parc. Certains se rendaient jusqu'à la serre, mais peu y entraient. Il y avait une sorte de religiosité qui se dégageait de cet endroit, comme une chapelle dédiée à un grand amour. Les gloires de Dijon ornaient toutes les tables du buffet et tous les vases dans la maison. Cette rose, offerte par madame Alexandra, était devenue un emblème familial, du moins au manoir.

Roland partit le soir même avec Rita pour un voyage en Europe. Mais, contrairement à Charles et à Aline, ils préférèrent les petits villages de Toscane aux lumières de Paris, les îles de pêcheurs grecs aux foules de Piccadilly Circus. À leur retour, les nouveaux mariés aménagèrent dans une grande maison à Sainte-Anne-de-Sorel. Voulant se montrer équitable envers ses deux fils, Edmond leur avait fait construire à chacun un grand bungalow sur un immense terrain adjacent. Rita s'empressa de faire entourer leur domaine de hauts cèdres pour s'isoler de sa belle-sœur. Elle avait peu d'affinités avec Aline et, à l'entendre crier ses ordres toute la journée, Rita la trouva rapidement insupportable. Mais elle n'en dit rien, trop polie pour cela. Aline s'insurgea contre ce rideau d'arbres qui lui bloquait la vue. Rita tint bon et, à sa grande surprise, Roland l'appuya. C'était une des rares fois où le cadet tenait tête à son frère aîné. Charles, à qui la haie ne déplaisait pas car elle lui offrait plus d'intimité, calma Aline avec un bijou coûteux et tout rentra dans l'ordre.

Richard faisait toujours la navette entre Ottawa et le manoir. Cette distanciation du quotidien commençait à lui plaire. Quand il était au manoir, il était un père de famille heureux et attentionné. Pendant la semaine, il était un collaborateur précieux et pouvait offrir une remarquable disponibilité à ses collègues et à ses patrons. Il avait l'impression d'avoir le meilleur des deux mondes. Aurélie ne se plaignait pas de son absence, menant sa barque seule comme elle l'avait si souvent fait. Elle était contente de voir Richard le vendredi soir et elle était aussi contente de le voir repartir le dimanche soir. Mais le deuxième dimanche de septembre, Richard ne retourna pas à Ottawa.

Il accompagna plutôt sa femme à l'hôpital. Le lendemain matin naissait une jolie petite fille qu'ils appelèrent Gisèle. Aurélie la tint longtemps dans ses bras. Gisèle la consolerait un peu de la perte de Laurence. C'était une petite fille douce et rieuse, ce qui remplit sa mère de joie. Elle se disait que le bonheur était enfin entré dans sa vie et qu'elle ne le laisserait plus jamais repartir.

Aurélie passa l'automne puis l'hiver à pouponner. Le manoir s'était transformé en un immense jardin d'enfants. Le sapin de Noël n'avait jamais été si gros, si lourdement décoré. Edmond et les siens se retrouvèrent au manoir pour fêter Noël. La demeure était redevenue le lieu de rencontre familiale et, avec la présence des trois petits-enfants, la tristesse de la disparition d'Ariane s'était envolée des pièces redevenues lumineuses. Rita et Roland profitèrent de l'occasion pour annoncer qu'ils seraient parents au début de l'été.

Edmond regardait ses enfants réunis autour de l'immense table de la salle à manger, leur visage éclairé par le grand lustre qu'Ariane avait choisi. Malgré les belles femmes dont il savait s'entourer parfois, il ne pouvait oublier celle qui avait été à ses côtés pendant tellement d'années, celle qui avait été une part de lui-même et qui l'était encore. Il avait quitté le manoir pour essayer de s'éloigner de ces souvenirs, mais Ariane l'avait accompagné partout, aussi bien dans son appartement de Montréal que dans son camp en bois rond. Sur les bords du lac, il s'était souvent surpris à lui parler. C'était d'ailleurs là qu'il se sentait le plus proche d'elle. Il ne la partageait avec personne; il n'y avait aucun décor pour l'enfermer; elle l'habitait complètement. Remarquant le regard lointain de son père, Aurélie lui caressa la main. Il ne réagit pas tout de suite; il avait eu l'impression que c'était Ariane qui l'avait touché. Puis il se ressaisit et sourit à sa fille. Elle était la digne descendante de sa mère, la légitime héritière du manoir.

Le temps coulait doucement. Au cours de l'été, Rita accoucha difficilement d'un garçon. Une hémorragie et d'autres complications obligèrent le médecin à lui annoncer qu'elle ne pourrait plus avoir d'enfant.

La jeune mère s'émerveillait devant son poupon et il lui fallut beaucoup de temps pour admettre qu'elle n'aurait qu'un seul fils. Elle le couvait et passait de longs moments enfermée dans sa maison, cachée derrière sa haie de cèdres. Aline n'allait jamais la voir et la saluait à peine quand elle la croisait. Aurélie décida d'inviter Rita plus souvent au manoir. Sa belle-sœur trouvant toutes sortes de raisons pour refuser ses invitations, Aurélie se mit à lui rendre visite fréquemment avec les enfants sous prétexte qu'ils voulaient voir le bébé. L'immense pelouse se faisait piétiner par les petits pieds de Laurent et par les ballons. Gisèle commençait à se traîner pour rejoindre son frère. À un moment, elle se leva et fit quelques pas. Aurélie cria de joie. Sa petite fille avait marché pour la première fois. Ce spectacle fit d'abord pleurer Rita, puis elle regarda son jeune fils dans son landau. Lui aussi ferait ses premiers pas un jour. C'était maintenant qu'il fallait profiter de ces moments qui passaient si vite. Pleurer sur des enfants qui ne viendraient pas au monde était inutile. Rita fut reconnaissante à Aurélie de ce soutien qui lui permit de sortir de sa dépression.

Si la prospérité était revenue dans les usines Savard, tout n'était pas au beau fixe dans leurs affaires. Des élections provinciales avaient eu lieu l'année précédente. Maurice Duplessis, en pleine campagne électorale, avait sommé les Savard de ne pas se mêler de politique. C'était comme demander à un oiseau de ne pas voler pendant quelques semaines. Edmond n'en avait rien fait, bien entendu. Il était rouge et libéral; il n'allait pas devenir bleu pâle pour plaire à un homme qui lui déplaisait. D'autant plus que les usines avaient été remises en marche grâce à ses amis fédéraux. Duplessis avait été réélu premier ministre du Québec, mais l'Union nationale avait perdu plusieurs sièges aux mains des libéraux. Le comté de Richelieu, libéral depuis le début du siècle, avait élu un député de l'Union nationale qui n'avait réussi à faire qu'un seul mandat. Duplessis détestait ce genre de revirement et, vindicatif, il s'était empressé d'enlever le permis d'alcool à l'hôtel Saurel et au club nautique, propriétés des Savard. Cette suspension était un coup dur pour eux. Un hôtel sans alcool, un dancing sans bar, un club nautique ne pouvant servir un bon whisky à ses clients après leur virée en bateau, tout cela menait droit à la fermeture. Jules, toujours si posé, s'était mis en colère. Edmond avait ragé pendant plusieurs jours. Si les Savard voulaient poursuivre la province en justice, il leur fallait la permission du procureur général, Maurice Duplessis en personne, qui se ferait un plaisir de la leur refuser. Les menaces étaient inutiles, tout comme les lettres d'avocat, pour se sortir de cet imbroglio administratif qui permettait aux autres hôtels et bars de prospérer.

Richard voyait la tension dans les yeux d'Edmond qui n'arrivait pas à digérer cette décision de Duplessis. Cette vengeance politique suscita chez lui un engouement pour la scène provinciale. Si le fédéral régissait le côté international, la scène provinciale était plus près du quotidien, de ces luttes de clochers qui permettaient de continuer de tourner en rond. Richard avait envie de changement et il commençait à se dire que ces changements viendraient peut-être du Québec.

L'hôtel Saurel et le club nautique avaient de plus en plus de difficulté à survivre, n'offrant que des cafés et des boissons gazeuses. Edmond avait bien essayé de retrouver son permis d'alcool en donnant quelques pots-de-vin à des remplisseurs de paperasse, comme il les nommait, mais ça n'avait rien donné de concret. Tout restait bloqué sur le bureau du premier ministre. Richard s'était informé auprès de ses collègues et il avait un plan; encore fallait-il persuader son beau-père de son bien-fondé. Edmond fut invité à manger au manoir un dimanche. Après le repas, Richard fit une promenade avec lui.

— Il faut vous rendre à Québec, sinon vous devrez vendre l'hôtel et Duplessis aura gagné.

— Ne prononce pas le nom de ce bâtard devant moi.

— La colère ne servira à rien. Duplessis n'admettra jamais qu'il s'est trompé. Il agit en roi et maître, et il veut qu'on le considère comme tel. Il est convaincu qu'il est supérieur à tout le monde.

— Je ne me mettrai pas à ses pieds. Je ne lui ferai jamais ce plaisir.

— Si vous ne faites rien, il aura gagné. Regardez ce qui arrive dans Verchères. Un médecin n'a pas pu se rendre à temps auprès d'une patiente parce que les chemins étaient impraticables. Duplessis les avait avertis de ne pas élire un libéral. Ils n'ont pas écouté et le comté ne reçoit ni subventions ni octrois depuis. Mais vous pouvez lui faire une proposition qu'il pourra difficilement refuser.

Edmond regarda son gendre avec un sourire. Il ne s'était pas trompé en le présentant à sa fille. Ce grand maigre à lunettes, malgré ses apparences banales, avait un cerveau qui fonctionnait à merveille. Richard sourit, heureux de l'attention de son beau-père.

— C'est une bête politique, il en vit, il en mange. Vous n'aurez pas à vous mettre à genoux. Votre présence fera suffisamment jaser. Tout le monde croira que vous vous aplatissez devant le chef. Et il en sera tellement fier ! Vous saurez l'appâter. S'il mord à l'hameçon, vous retrouverez le permis de la Régie provinciale des alcools.

— Si je lui fais une promesse, je devrai la tenir.

— Si elle n'est pas formelle, elle n'engage à rien. Faites-moi confiance.

Edmond écouta attentivement son gendre et il décida de se rendre à Québec dans les jours suivants. Il n'était pas toujours facile d'avoir un rendez-vous avec le chef, mais quelques appels téléphoniques bien placés firent merveille. Duplessis était trop heureux de voir enfin un Savard se déplacer. Devant le Parlement, Edmond admira le drapeau fleurdelisé qui avait remplacé l'Union Jack en 1948. C'était la seule chose qu'il avait apprécié du premier ministre. Ça et le fait que la police de Duplessis avait été extrêmement efficace pendant les grèves de 1937. Il se dirigea vers les bureaux du premier ministre. À sa grande surprise, on le fit attendre dans l'antichambre. Edmond s'assit et regarda son chapeau neuf. Il se rappela alors que

Duplessis s'habillait toujours avec soin, qu'il aimait les cols empesés, qu'aucun faux pli ne se dessinait sur son pantalon, mais qu'il portait toujours de vieux chapeaux. L'ancien député de Richelieu lui avait d'ailleurs confié que son chef trouvait que le vieux chapeau rapprochait du peuple, lequel jugeait hautain celui qui s'habillait trop bien. Edmond tripota son chapeau, espérant l'user un peu.

Des gens se levèrent; d'autres sortirent de leur bureau; des voix se firent entendre au loin. Tout indiquait que le chef arrivait, entouré de ses fidèles partisans. Duplessis jeta un bref coup d'œil à Edmond qui se leva. Le chef se tourna vers son garde du corps.

— Allez, raconte.

— Mais vous êtes trop occupé, monsieur le premier ministre.

— Non, non, raconte.

Maurice Duplessis souriait; il avait toujours le temps d'écouter des anecdotes, surtout quand elles concernaient ses adversaires politiques. Il se tenait au courant de tout, travailleur infatigable doté d'une grande mémoire. Il écouta les confidences de son garde du corps et se mit à rire.

— Celle-là, je ne la connaissais pas.

Il entra dans son bureau sans un regard pour tous ceux qui attendaient. Son secrétaire en sortit aussitôt pour appeler Edmond. Maurice Duplessis était assis derrière son bureau. Il regarda Edmond Savard entrer, satisfait de voir à ses pieds l'homme qui l'avait combattu. Il aimait rendre sa propre justice, recevoir les hommages de ses courtisans, récompenser les bons, réprimander les tièdes et punir les méchants qui s'obstinaient à ne pas comprendre que, hors de l'Union nationale, il n'y avait point de salut. Le premier ministre ne savait pas encore dans quelle catégorie classer Edmond. Tiède ou méchant? Edmond sourit, son chapeau un peu tordu à la main. Duplessis sourit à son tour.

— Alors, les Savard ont appris leur leçon?

— Ça fait cinquante ans qu'on vote rouge dans Richelieu. C'est pas facile de changer les mentalités.

— Ça s'est fait en 48. Ça aurait pu se refaire en 52.

— Mais ça ne s'est pas fait. Sauf qu'il y aura d'autres élections. Dans quatre ans, bien des choses pourraient changer. Qui sait, le comté pourrait redevenir bleu ?

— T'es-tu en train de virer bleu ?

— Moi, je ne suis pas un politicien. Je suis un homme d'affaires. J'ai des employés qui ont des familles à nourrir. Je vais là où la prospérité me porte. C'est payant pour moi et pour ceux qui travaillent pour moi. Et la prospérité dans une région, ça fait élire des gouvernements. Le contraire est aussi vrai.

Maurice Duplessis passa sa main sur son menton. Ce Savard était habile. Il lui proposait presque un député de l'Union nationale aux prochaines élections. Mais ce n'était qu'une promesse et les élections étaient encore loin. Il lui avait été facile de se venger de l'injure que les Savard lui avaient faite en s'opposant à lui. Mais c'était une simple épine dans la patte du lion. Les usines fonctionnaient toujours et il n'était pas question de les fermer. La perte du permis d'alcool était plutôt symbolique. Le résultat, faire venir Edmond à Québec, était déjà une victoire en soi. Duplessis, satisfait de cet étalage de pouvoir, avait réussi à démontrer qu'il était le chef, ce qui avait été le but de toute l'opération. Pourquoi ne pas se montrer magnanime comme les grands princes savent le faire ?

— Aide-toi et le ciel t'aidera, ou aide-toi et l'Union nationale t'aidera, c'est synonyme. Si seulement tout le monde pouvait comprendre ce beau principe !

— Ne vous en faites pas, monsieur le premier ministre, beaucoup l'ont compris.

Edmond sortit du bureau avec un grand sourire aux lèvres. L'hôtel et le club nautique avaient retrouvé leur permis d'alcool.

Lorsque la guerre de Corée prit fin, Sorel Industries dut s'adapter de nouveau à l'industrie de paix. La Maritime s'en sortait mieux avec la fabrication de wagons de chemin de fer, de lourdes pièces de machinerie industrielle et le dragage pour la canalisation du Saint-Laurent. La guerre froide était toujours là et la crainte d'une bombe atomique lancée sur l'Amérique se faisait plus présente. Le gouvernement distribuait des brochures expliquant comment construire dans son sous-sol un abri contre les retombées radioactives avec un plan détaillé, une liste des fournitures nécessaires et des matériaux à utiliser, ainsi que les principes de base du secourisme. La peur de la bombe et des communistes s'installait. Mais Aurélie ne vivait pas dans cette peur. Le manoir était un refuge, une tanière, un lieu à l'abri du monde. Il s'était établi avec le temps une relation d'amitié profonde entre Aurélie et Richard. Vivre ainsi séparés les avait amenés à des existences très différentes. Il était plongé dans le fonctionnariat, la fiscalité et se rapprochait peu à peu de la politique active. Elle vivait dans un autre monde, entourée de ses enfants, attendant le retour ponctuel de son chevalier servant.

Il n'y avait que Muriel pour secouer sa sœur. Elle avait terminé ses études au couvent des dames de la Congrégation et n'avait pas envie de les poursuivre à Montréal. Elle aurait aimé simplement habiter avec son père dans la grande ville pour pouvoir sortir tous les soirs. Edmond refusa ; il n'avait pas le temps ni l'énergie de s'occuper de cette jeune fille bouillante.

Aurélie essaya d'intéresser sa jeune sœur aux filles d'Isabelle, aux dames patronnesses de l'Hôtel-Dieu, à différentes œuvres de charité. Sans succès.

— Depuis la mort de maman, je t'ai laissée faire tous tes caprices. Je n'ai pas beaucoup de dons pour jouer les mères sévères.

— Et c'est pour ça que je t'adore.

— Tu te conduis comme une enfant gâtée.

— C'est tellement ennuyeux, toutes ces mémères. Laisse-moi m'amuser un peu.

Muriel sourit. Elle préférait passer son temps sur le yacht avec l'un ou l'autre de ses frères en été et dans une salle de cinéma à la saison froide. Elle sortait maintenant en cachette, faisant le mur le soir pour aller danser au Marine Cabaret. Comme Edmond délaissait de plus en plus Sorel pour Montréal, les employés de l'hôtel fermaient les yeux sur la présence de Muriel. Le barman se contentait de ne pas mettre d'alcool dans les *drinks* chics qu'elle commandait. L'idée de boire la soûlait déjà ;

elle n'avait pas besoin des effets de l'alcool. Elle rentrait très tard après avoir parfois flirté avec des clients. Un employé de l'hôtel était chargé de la suivre discrètement pour s'assurer qu'elle arrive sans problème au manoir. Muriel l'avait remarqué à une ou deux reprises et elle avait cru que c'était un amoureux secret, trop timide pour lui déclarer sa flamme. Ce petit jeu dura de longs mois jusqu'à ce qu'Aurélie, réveillée au milieu de la nuit par les pleurs de Gisèle, voie sa sœur se faufiler par la porte des domestiques. Elle rattrapa Muriel au moment où elle se glissait dans sa chambre.

— Où étais-tu?

— Je suis sortie m'amuser. Je ne fais rien de mal. J'ai le droit de danser, non? À moins que tu ne veuilles te conduire comme grand-mère Brunet et appeler le curé.

Cette référence à la mère d'Ariane secoua Aurélie. Était-elle devenue, avec la maternité, une vieille femme bornée? Elle n'avait pourtant que trente-deux ans. Cet instant de silence fit plaisir à Muriel. Elle avait frappé au bon endroit. Aurélie secoua la tête.

— Sortir seule la nuit... Tu aurais pu au moins demander au chauffeur de te conduire. Et où vas-tu danser à cette heure?

— C'est toi qui me demandes ça? Tu es partie en France toute seule pour retrouver ton amant...

— Il n'était pas mon amant.

— Mais il l'est devenu, non? Peu importe. Moi, je n'ai pas d'amant. Je veux des hommes à mes pieds, je veux m'amuser, pas finir dans leur lit à les entendre souffler fort.

— Parce que tu penses qu'un homme qui passe la soirée à danser avec toi n'a pas l'intention de te traîner dans son lit?

— Je sais ça, c'est pourquoi je ne danse jamais avec le même. Et puis, le personnel me connaît, je me sens en sécurité.

— Tu vas au Marine Cabaret. Un employé devrait te reconduire.

— Je pense qu'ils le font. Il y a toujours un homme qui me suit et qui rebrousse chemin dès que j'ai passé les grilles du manoir. Au début je croyais que c'était un admirateur timide mais, hier, j'ai reconnu le portier. Ne t'en fais donc pas, petite maman. Je suis assez grande pour me débrouiller toute seule.

Aurélie se revoyait à son âge. Les baisers furtifs au camp de pêche de Jules, le voyage à bord de La Dauphine, la chambrette londonienne. Laurent revenait la hanter. C'était hier et, pourtant, ça semblait si lointain. Elle comprenait maintenant l'angoisse d'Ariane quand elle lui avait annoncé son départ pour la France. La lourde responsabilité aussi que cela représentait. Que ferait-elle quand sa petite Gisèle lui poserait le même problème? Muriel la regardait, frondeuse. Aurélie sourit.

— Je ne peux t'empêcher de devenir amoureuse. J'espère seulement que tu ne tomberas pas sur un pilier de taverne qui n'en veut qu'à ton corps ou à ton héritage.

— Je ne suis pas amoureuse et je ne tiens pas à le devenir.

— Alors, ne sois pas une fille à matelots.

Muriel sursauta. Elle, une fille à matelots? Elle regarda sa robe de cocktail rose fuchsia, ses souliers recouverts du même tissu, ses bracelets dorés. Trop luxueux pour une fille à matelots. Trop chic aussi pour attirer les fils d'épicier. Elle se demanda pour la première fois quel genre d'hommes elle attirait. Ceux qui dansaient avec elle étaient pour la plupart des voyageurs de commerce, quelques notables qui la traitaient comme leur fille, sans doute de peur de voir Edmond leur arracher les yeux s'il apprenait qu'ils s'étaient mal conduits. En fait, il lui était impossible de jouir du moindre anonymat à Sorel.

— Et la prochaine fois, je veux qu'un chauffeur te ramène. Ou alors, prends un taxi. Je vais d'ailleurs appeler le gérant de l'hôtel.

— Non, je t'en prie, ne fais pas ça. Il me surveille déjà. Je te promets de prendre des taxis. Et je vais t'avertir quand je sortirai. Ça te va?

Aurélie embrassa sa petite sœur devenue une grande fille et retourna se coucher. Muriel continua d'aller danser souvent. Elle rencontra un jeune homme à peine plus âgé qu'elle. Son père étant bijoutier, il venait régulièrement approvisionner les bijouteries locales en colliers, bagues et montres de toutes sortes. Il lui parla de pierres précieuses, la comparant à un diamant aux mille facettes. Muriel se raidit, refusant de se laisser enjôler par un beau parleur, et elle alla danser avec un autre. Mais Paul ne se laissa pas décourager. Chaque fois qu'il venait à Sorel, il allait l'attendre au dancing. Elle dansait avec lui une fois ou deux, puis changeait de table. Elle dansait avec un vieux notaire ou un comptable de Sorel Industries. Il souriait, décidé à la conquérir. Elle cherchait un homme plus jeune de qui il pourrait être vraiment jaloux, mais Paul souriait toujours. Il insistait pour avoir la dernière danse et aller la reconduire. Elle prenait un taxi et rêvait de plus en plus souvent à ce jeune homme brun aux grands yeux noirs si expressifs.

Après plusieurs mois, elle l'invita à un repas du dimanche au manoir. Aurélie et Richard pourraient ainsi le rencontrer. Le repas fut animé et joyeux. Paul plut à tous par sa simplicité. Muriel se laissa peu à peu conquérir. Paul la couvrait de bijoux. Ce n'était plus des colliers clinquants, mais des merveilles d'or et de pierres précieuses finement ouvragées. Edmond, à la vue de ces cadeaux somptueux, fut surpris des intentions honnêtes du jeune homme. Il s'informa sur son père et découvrit que Gaston Cournoyer était un prospère bijoutier de Saint-Hyacinthe, un honnête citoyen qui était père de deux enfants. Sa fille aînée venait d'épouser un avocat de Montréal; il ne restait que Paul à la maison, déjà prêt à succéder à son père qui possédait trois bijouteries dans la province. Toutes les filles en âge de se marier reluquaient le jeune célibataire qui n'avait d'yeux que pour Muriel. Edmond finit par donner son consentement. Tout le monde était d'accord, sauf la principale intéressée qui hésitait encore.

— Tu ne m'aimes pas, c'est ça? Je te dégoûte?

— Mais non, Paul. J'aime bien être avec toi. Mais je suis jeune, je n'ai rien vécu. À mon âge, ma sœur avait voyagé, rencontré des gens importants. Moi, je suis enfermée ici, à Sorel, où il ne se passe rien.

— Alors, nous voyagerons. Je t'amènerai au bout du monde, si c'est ça que tu veux. Ça te dirait, d'aller acheter des pierres en Indochine, en Iran, en Afrique du Sud ? C'est plus exotique que l'éternel voyage en Europe.

Muriel le regarda, fascinée, comme si c'était la première fois qu'elle le voyait. Il l'embrassa. Elle se lova dans ses bras.

— Promets-moi que nous ne vivrons pas ici. Ni à Saint-Hyacinthe.

— Outremont, ça te va ?

— Entre deux voyages, ça peut toujours aller.

Elle se mit à rire. C'était la première fois que Paul la voyait aussi joyeuse. Après deux ans de cour assidue, elle se laissait enfin aller dans ses bras. Le jeune homme était très fier de lui. Ils se marièrent au cours de l'été. Muriel avait vingt ans ; Paul, vingt et un. Le mariage eut lieu au manoir, comme les autres. Et le voyage de noces se fit en Thaïlande, ancien royaume de Siam, lieu insolite pour tous.

Muriel revint bouleversée, transformée en grande voyageuse. Elle s'occupa à peine de décorer son appartement donnant sur la montagne, prête à repartir pour une autre aventure de globe-trotter. Elle se sentait enfin libérée du manoir, de sa famille, des neveux et des nièces qui venaient brailler en chœur presque tous les dimanches, de ce va-et-vient de domestiques qui voyaient tout, savaient tout. Elle appréciait l'anonymat que pouvait lui offrir une grande ville et elle aimait toutes les petites attentions dont Paul l'entourait.

Aurélie était bien loin de tout ça. Elle s'occupait de Laurent et de Gisèle, imitant les mères parfaites qu'on voyait à la télévision, vêtues d'un tablier brodé, préparant des tartes aux pommes dans une maison impeccable et tenant un martini prêt pour l'arrivée du père, épuisé par sa journée de travail mais sans un faux pli à sa chemise. Aurélie ne cuisinait pas vraiment, la maison avait toujours été impeccable grâce aux domestiques, et Richard ne rentrait pas du travail tous les jours, mais l'illusion était là, réconfortante. La vie coulait comme une paisible rivière, et le temps passait si lentement que c'étaient les anniversaires des enfants qui le marquaient.

Richard avait quitté Ottawa pour Québec. Il travaillait comme professeur à l'Université de Montréal et à l'Université Laval, en plus d'être devenu conseiller auprès du ministre des Ressources et du Développement économique dans le cabinet Saint-Laurent. Il était secrétaire pour une commission d'enquête sur la fiscalité quand il avait été remarqué par Jean Lesage. Celui-ci avait admiré son immense gentillesse et sa grande capacité d'écoute. Richard pouvait passer des heures silencieux, affable, respectueux des aînés. Il semblait se plaire à écouter. Et Jean Lesage se plaisait à parler. Quand ce dernier fit le saut en politique provinciale et devint chef du Parti libéral en 1958, Richard prit un appartement à Québec.

Aurélie l'accompagnait parfois. Elle aimait se promener dans la vieille ville, admirer le fleuve du château Frontenac, marcher dans les rues étroites bordées de vieilles maisons de pierre, visiter l'hôtel du Parlement construit à la fin du XIXe siècle, avec un fastueux décor néo-Renaissance inspiré du palais du Louvre, et regarder l'architecture symétrique du Manège militaire flanqué de ses deux tours. En mangeant au restaurant le midi, elle entendait les gens chuchoter: le chef par-ci, le chef par-là. Tout tournait autour du roi Duplessis qui dominait tout le monde, même ses ministres qui n'étaient là que pour satisfaire son insatiable désir de pouvoir. Il suivait le fonctionnement du gouvernement dans les moindres détails, révisant lui-même la liste des salaires et se donnant le plaisir d'accorder des faveurs à qui bon lui semblait les mériter. Mais Aurélie se sentait loin des conversations qu'elle captait, des petites luttes de pouvoir que se livrait le moindre fonctionnaire, de la réceptionniste au coursier.

Lorraine s'acclimatait au manoir. Elle s'était levée et avait ramassé sa tasse d'espresso vide pour la ramener à la cuisine. Aurélie aimait sa présence et souriait de la voir enfin prendre ses aises. Elle la suivit et s'installa à la table. Lorraine rinça sa tasse et alla rejoindre Simone qui remplissait les assiettes. Puis elle s'assit près d'Aurélie et huma la soupe en souriant. La vie était vraiment confortable ici. Lorraine prenait moins de photos, mais posait plus de questions. Elle avait l'impression d'être devenue reporter photographe.

— Pourquoi n'avez-vous pas été plus active en politique?

— Je trouvais l'ombre plus utile, discutant avec Richard de tous ces changements que lui et ses amis voulaient apporter. Les femmes avaient obtenu le droit de vote en 1940, mais nous étions encore loin de la politique active et d'un siège au Parlement. Il y avait bien des groupes de femmes qui essayaient de faire des miracles. Parce que, sous Duplessis, c'était ni plus ni moins une question de miracle. Ce cher premier ministre adorait les sentiers battus, la routine. Tout ce qui était nouveau l'inquiétait et il ne s'entourait que de visages connus. Richard, tout comme Edmond, essayait de faire bouger les choses, mais tout était sclérosé. Aux élections de 56, le comté de Richelieu était même passé aux mains de l'Union nationale. Il faut croire que les menaces du chef avaient été efficaces. Je me souviens qu'Edmond en était gêné. Il se disait que Duplessis croirait qu'il avait travaillé pour lui, ce qui n'avait pas été le cas, évidemment.

— C'est étonnant comme Duplessis a réussi à faire l'unanimité après sa mort. Il a pourtant été au pouvoir longtemps. Comment autant de personnes pouvaient-elles le détester et l'élire en même temps? Pour des routes et des ponts?

— La peur et les faveurs. On se consolait avec la royauté britannique.

— Oui, je me rappelle le passage du paquebot royal sur le fleuve. La jeune reine Elizabeth II, que ma mère admirait, était venue inaugurer la voie maritime du Saint-Laurent, je crois. Elle était une jeune mère comme elle et ça la faisait rêver. La princesse s'était mariée au même âge qu'elle, elle avait eu une fille la même année qu'elle.

— Je m'en souviens aussi. La jeune reine est arrivée en juin 1959 pour un voyage de quarante-cinq jours au Canada. Le jour où elle est passée sur le fleuve devant Sorel, toutes les embarcations et les bateaux de plaisance étaient là pour suivre le navire royal. La ville au complet s'était déplacée. J'étais sur le *Bucéphale* avec les enfants. Nous sommes allés sur le lac Saint-Pierre pour éviter la cohue.

— Et quelle cohue! De la moindre chaloupe au yacht luxueux, tout le monde était de la partie pour se promener dans un bouillon de vagues autour du bateau. Il y avait tellement de monde que c'était plutôt dangereux. Mon frère et moi, on se tenait au rebord de la chaloupe pendant que mon père manœuvrait pour ne pas être coulé par les plus gros yachts. C'était un marin dans l'âme, il n'avait pas peur des vagues. Ma mère, par contre, avait les yeux agrandis par la peur. Au début, j'ai cru que c'était l'émotion de voir ce luxueux paquebot, mais j'ai vite compris que sa peur de l'eau était la plus forte. Elle avait failli se noyer toute petite et elle n'a jamais pu surmonter cette peur, même si elle a passé sa vie sur les rives du fleuve.

— Alors, tu ne te baignais jamais?

— Au contraire, nous étions tout le temps dans l'eau. Mais Jeanne ne nous quittait pas des yeux. Elle nous obligeait à plonger au bout du quai avec un flotteur attaché à une corde. Si le courant nous emportait, elle nous ramenait en tirant dessus. Elle nous a appris à dériver. Quand mon père revenait du travail, on partait avec lui faire ce qu'on appelait «un tour de yacht». Ce n'était qu'une chaloupe Verchères, mais elle nous amenait dans les petites baies, dans les petits chenaux où les saules pleureurs se rejoignaient au-dessus de nos têtes, dans les couloirs marécageux couverts de nénuphars où les grenouilles et les ouaouarons offraient leurs tours de chant. Nous aimions nous tenir à la proue, le menton collé sur le bois vernis et les bras tendus, pour avoir l'illusion que nous volions sur l'eau comme des libellules. Nous revenions au coucher du soleil. Entourée par les maringouins, ma mère nous attendait sur le quai, guettant la brunante. Les fins de semaine, nous allions à la plage du Survenant ou au Banc de sable. André faisait la navette plusieurs fois pour emmener tous les enfants du voisinage à la plage.

Lorraine se tut. Des souvenirs depuis si longtemps oubliés refaisaient surface. Elle parvenait à revoir ses parents jeunes et souriants, voulant eux aussi jouer les couples parfaits. Ils étendaient des couvertures sur le sable après avoir déposé les sacs à doubles parois de plastique qui servaient de glacière à l'ombre du seul arbre de l'endroit, pendant que les enfants allaient se jeter à l'eau. Quand passait un Empress, un de ces gros bateaux de croisière tout blanc, de belles vagues se formaient dans son sillage. Tout le monde voulait sauter dans ces vagues qui faisaient croire aux enfants qu'ils étaient sur une plage exotique dans les mers du sud et non au bord du fleuve. Les hommes partaient pêcher non loin pendant que les femmes surveillaient les plus petits en bavardant. Il y avait aussi parfois l'oncle qui venait de Montréal. Il arrivait avec son chapeau rigide d'explorateur comme s'il allait embarquer sur l'*African Queen*, ce qui faisait rire les gamins. La journée passait toujours trop rapidement et quand venait l'heure de rentrer, tous les enfants voulaient faire partie du dernier voyage. André ramenait une famille à la fois. Jeanne restait jusqu'à la fin, regardant le soleil se faire plus rouge à l'horizon. Lorraine souriait de les revoir ainsi. Ils n'étaient plus âgés et souffrants comme sa mémoire les lui rendait trop souvent.

Aurélie et Simone souriaient, elles aussi, chacune à l'évocation de souvenirs différents. Aurélie était heureuse d'entendre parler de la douce enfance de Lorraine, la petite fille qu'elle n'avait pas vue grandir. Elle l'avait prise toute faite, adulte et mature, essayant de lui deviner un passé.

— Et tu te souviens du *Fantôme* ?

— L'île aux Fantômes ?

— Non, le bateau. Un magnifique voilier à quatre mâts qui a passé trois ans à quai au bord de la rivière Richelieu. Bon pour la ferraille, Jules l'avait obtenu pour une bouchée de pain. Le voilier avait été construit en 1925 pour le duc de Westminster. Baptisé le *Flying Cloud*, il avait été vendu sept ans plus tard à un associé de John Rockefeller. Il paraît que le duc avait vendu son bateau à la demande de la duchesse qui en avait marre de le voir divertir ses maîtresses à bord, dont Coco Chanel. Le voilier fut de nouveau acheté et remisé à Vancouver par la famille de brasseurs Guinness, qui le baptisa *Fantôme*. À la mort d'Arthur Guinness, il fut racheté par des gens de Seattle et dépossédé de ses antiquités pour finir dans les mains de Jules. Mais lui et Edmond aimaient trop les bateaux pour laisser partir celui-là en pièces détachées. Ils l'amarrèrent près des chantiers, et ce superbe navire servit à recevoir des VIP à bord.

— Je me souviens d'avoir vu un long voilier sur la rivière, mais c'est vague, j'étais toute petite.

— Tu devais avoir cinq ou six ans. C'était l'un des plus grands voiliers existants, avec ses deux cent quatre-vingt-deux pieds. Construit avec un grand luxe pour se promener sur la Riviera française, il pouvait accueillir plus de cent vingt passagers. Jules et Edmond se mirent à la recherche d'un acheteur. Jules se tourna vers celui qui avait, par le passé, recyclé de nombreux navires canadiens pour en faire un empire naval. Aristote Onassis l'acheta donc en 1956 pour l'offrir en cadeau de mariage à la princesse Grace de Monaco. Mais il ne fut pas invité au mariage, et le cadeau disparut pendant des années.

— Il est devenu un fantôme.

— Oui, mais il a refait surface dans les années soixante-dix, rénové par une compagnie américaine spécialisée dans les croisières sur la mer des Caraïbes. Le

Fantôme a sombré lors du passage de l'ouragan Mitch près du Honduras. Les passagers avaient été évacués. Le voilier a quitté le Belize pour prendre la mer et essayer d'éviter l'ouragan. Il a coulé avec un équipage d'une trentaine de personnes à son bord.

Le silence se fit un moment. Puis Simone desservit la table rapidement. Se rappelant qu'elle devait sortir, Lorraine lui proposa de l'aider. Simone la remercia d'un sourire et alla à sa chambre. Elle revint vêtue d'une robe de velours prune qui lui allait à merveille, faisant ressortir son teint clair et ses cheveux blonds. Aurélie la regarda avec étonnement.

— Tu t'es faite très belle. J'espère qu'il le mérite.

— Si les choses allaient au mérite, tous les martyrs seraient prospères. Je ne rentrerai pas tard.

— Tu rentres quand tu veux. Du moins, pour le petit-déjeuner.

Simone rougit un peu. Lorraine ne put s'empêcher de capturer les deux femmes dans sa lentille. Il s'en dégageait beaucoup de tendresse.

Aurélie et Lorraine allèrent s'asseoir au salon. Lorraine ajouta une bûche dans l'âtre. La vieille dame regardait les flammes en silence. Elle était fatiguée de raconter sa vie; tous ces souvenirs commençaient à l'épuiser. Lorraine lui offrit de faire une partie de cartes pour la distraire.

— Tu joues aux cartes?

— Pas vraiment, mais quand j'étais petite, presque tous les samedis soirs nous recevions à tour de rôle les oncles et les tantes. Les femmes jouaient aux cartes dans la cuisine pendant que les hommes regardaient le hockey dans le salon.

— Ça jouait au poker?

— Je me rappelle du cinq cents, du bluff, du neuf, du cochon. En fait, je me rappelle surtout le sac de sous noirs que ma grand-mère traînait avec elle pour bluffer ses brus.

— Chez nous, c'étaient Charles et Adrien, les grands joueurs de poker. Edmond aimait ça à l'occasion, mais personne ne voulait jouer avec lui bien longtemps.

— Il trichait?

— Non, mais il avait assez d'argent pour détruire tout espoir de faire monter les mises et de s'en tirer avec un bluff.

— Il aurait eu peut-être du fil à retordre avec ma grand-mère Léveillée. Elle feignait des malaises dès qu'elle voyait qu'elle perdait. Ça arrêtait la montée des enchères. Aucune femme ne voulait être accusée d'avoir fait mourir sa belle-mère.

— Comment était ta grand-mère?

— Elle avait élevé neuf enfants dans les années de crise. Mon grand-père travaillait sur les dragues de la Maritime. Il était souvent absent pour des mois. Avec huit garçons et une fille, elle était comme beaucoup de femmes de cette époque: une maîtresse de maison qui voyait à tout avec une poigne de fer. Pas de château, de paquebot luxueux, pas de serviteurs. Mais une famille soudée. Par l'amour, le sacrifice, la pauvreté.

Aurélie la fixa un moment, se rappelant les grèves de son enfance, les sermons sur l'esclavage des travailleurs, le luxe du manoir, les voyages à Paris, à Londres.

— C'est comme ça que tu as vécu, dans la pauvreté et la misère?

— Non, pas moi. Mon père a toujours travaillé dur et nous avons vécu dans le confort. Même pour la Noël de mes neuf ans…

Devant le regard surpris d'Aurélie, Lorraine poursuivit:

— Avant Noël, ma mère nous amenait visiter les magasins pour choisir ce que nous voulions demander au père Noël. Au retour, nous faisions une jolie lettre et elle devait se rendre à destination, car nous recevions la plupart des choses demandées. Cette année-là, c'était en 59, je crois, nous avons fait notre liste et nous avons reçu un peu moins. Nous n'avons pas posé de questions au père Noël. Je n'ai appris que des années plus tard que mon père, à cause de ces longs mois de grève, avait vendu sa police d'assurance-vie pour nous permettre d'avoir un Noël ressemblant aux précédents. Mon frère et moi, nous étions leur seul trésor.

— La grève a duré cinq mois. Je m'en souviens aussi. Pas pour le manque d'argent, mais pour le visage amer d'Edmond.

La compagnie Crucible Steel of America s'était installée dans la forge de Sorel Industries au cours de l'été. Pour faire survivre l'usine, Edmond la morcelait afin d'en vendre des sections. Il avait appris à être un entrepreneur capitaliste et paternaliste comme Émile Snyders. Il avait dirigé, avec Jules, des entreprises selon les méthodes classiques, dans l'esprit de l'affirmation canadienne française, et il trouvait difficile de s'adapter aux exigences de la deuxième moitié du XXe siècle. Les grandes aciéries américaines et les multinationales de la construction navale faisaient la vie dure à l'entreprise familiale. Edmond devenait de plus en plus songeur. Charles essayait de lancer quelques idées à l'occasion, mais son père le faisait taire rapidement.

— Nous n'avons pas encore la compétence et la capitalisation nécessaires pour être compétitifs sur les grands marchés. C'est impossible d'offrir toute la gamme de produits fournis par les aciéries américaines.

— Il faut moderniser l'équipement, papa.

— Oui, oui. Mais pour ça, il faut des fonds et des contrats.

— Pour avoir des contrats, il faut de l'équipement moderne.

— Les gouvernements devraient exiger que les bateaux naviguant sur le fleuve soient construits au Canada. Il y a déjà plusieurs grands pays qui aident ainsi leurs industries locales. Mais ici, on fait construire ailleurs et on bat pavillon étranger pour ne pas payer d'impôt.

— Je sais, papa, mais…

— Il n'y a pas de mais et tu ne sais rien. Tu ne t'es jamais battu.

Edmond fixait de nouveau le vide et Charles s'esquivait. Il allait prendre un verre au club nautique ou assister à une réception qu'Aline organisait pour tout et pour rien chaque semaine. L'alcool coulait à flots et les femmes faisaient des imitations de danses hawaïennes à la fin de la soirée sous le regard vitreux des hommes. Chacun salivait sur la femme de l'autre et rentrait à la maison éméché, avec une urgence à satisfaire. Les femmes profitaient de ces étreintes du samedi soir et tout le monde se retrouvait à la messe du dimanche en essayant de se donner un air frais et dispos. Les femmes portaient de grands chapeaux de paille et des robes bain de soleil qu'elles recouvraient d'un «cache-poussière», un manteau très léger à manches longues qui leur donnait une allure assez modeste pour pouvoir aller à l'église Sainte-Anne. Les paroissiennes habiles de leurs mains se confectionnaient des copies et, après quelques semaines, presque toutes les femmes de la petite ville en portaient aussi. Les hommes faisaient étalage de leur rutilante auto neuve. Aline aimait particulièrement descendre le toit de sa voiture décapotable alors que tout le monde était encore sur le parvis de l'église. Les gens la regardaient, certains avec envie, d'autres avec aigreur.

Aurélie assistait rarement à ces fêtes. Richard n'avait rien d'un mondain et il estimait qu'il avait mieux à faire que boire comme un trou pour effleurer à l'occasion les fesses d'une autre femme. Il avait sa vie rangée et rythmée comme un métronome entre Québec, Montréal et Sorel. Il voulait passer plus de temps auprès de ses enfants. Laurent avait maintenant huit ans. Les fins de semaine, il suivait son père partout, lui demandant parfois de bricoler ou d'aller à la pêche comme les pères des autres garçons de son école. Richard ne savait rien faire de ses dix doigts, incapable de planter un clou sans s'écraser le pouce, mais il aimait nager et cet amour de la natation rapprochait père et fils pendant l'été. Le *Bucéphale*, qu'Edmond n'utilisait presque plus, était la plupart du temps entre les mains de Charles ou de Roland. Le yacht était rempli d'invités tous les dimanches. Richard acheta un bateau de dimension moyenne pour sa propre famille. Il avait ainsi la liberté de partir à la découverte de petites plages tranquilles, ce qui s'avérait parfois difficile durant la saison estivale, les îles étant envahies par les vacanciers.

Quelques jours à peine après la rentrée scolaire, le premier ministre Maurice Duplessis mourait d'une hémorragie cérébrale à Schefferville, dans l'Ungava. Le visage de la province allait changer radicalement. S'il y avait des personnes pour pleurer, il y en avait aussi qui réprimaient un sourire. Une sorte d'effervescence était dans l'air. Les gens donnaient plus librement leur opinion comme s'ils avaient été sur écoute auparavant. Richard se sentit soulagé. Son temps était enfin arrivé.

Les travailleurs savaient, eux aussi, que des changements devaient survenir. Les emplois étaient souvent précaires et la faiblesse des salaires empêchait les ouvriers de participer à cette belle prospérité des années cinquante. La publicité annonçait de rutilantes automobiles, montrait de jolies femmes portant des vêtements dernier cri et vantait les mérites de tous ces appareils électriques nécessaires pour faire des tâches ménagères un plaisir. En cette période de baby-boom qui avait suivi la guerre, tous les parents voulaient ce qu'il y avait de mieux pour leurs enfants, non seulement des jouets, mais aussi une éducation et une réussite sociale. Tout cela demandait des sommes d'argent que les travailleurs n'avaient pas et aucun ne voulait revenir à la misère de l'avant-guerre. Ils avaient donc décidé de se battre. Et la lutte s'annonçait féroce. En novembre, les ouvriers de Sorel Industries déclenchèrent une grève qui ne se termina qu'en mars. Ce long arrêt de travail occasionnait de lourdes pertes dans une industrie qui avait déjà de la difficulté à survivre.

Edmond était furieux. Il avait beau affirmer qu'il n'était pas contre le principe du syndicalisme, il ne pouvait pas accepter qu'une grève l'empêche d'entrer dans son usine, celle qu'il avait bâtie à force d'entêtement, de flatteries, d'audace financière. C'était sa possession, son joyau qu'on égratignait avec des piquets de grève. Lui qui avait foncé sans essayer de tout prévoir, qui avait appris à faire confiance à ses collaborateurs, se retrouvait mis à la porte, rejeté comme un déchet. On lui volait son bien, ou du moins l'usage de son bien.

Faire la navette entre Montréal et Sorel le fatiguait de plus en plus et il prenait souvent une chambre à l'hôtel Saurel. Il ne voulait pas habiter le manoir, ni chez ses brus. Aline l'étourdissait avec ses mondanités et Rita l'ennuyait comme une mère poule installée dans son nid. Il avait aussi l'impression d'avoir failli à la tâche avec ses deux fils qui se montraient incapables de prendre sa succession. Richard ne voulait rien savoir des affaires. Il aimait les chiffres, mais pour les utiliser en politique seulement. Muriel passait sa vie dans ses valises, ne revenant au manoir que pour fêter Noël en apportant une multitude de cadeaux des quatre coins du monde à ses neveux et nièces. Elle était devenue le père Noël exotique que tous les enfants attendaient avec impatience.

Aurélie recevait toujours toute la famille au manoir pour le réveillon de Noël. Aline avait bien eu l'idée une fois de faire ça chez elle, mais Charles l'avait tout de suite arrêtée. Noël se passait au manoir et il n'était pas question de bouleverser cette tradition. L'ombre d'Ariane flottait encore sous le lustre de la salle à manger. Son portrait trônait en haut de l'escalier et tous les petits-enfants connaissaient grand-mère Ariane même si aucun ne l'avait vue vivante.

Ce Noël-là ne fut pas des plus drôles. Edmond avait pris un coup de vieux; les cheveux qui lui restaient avaient blanchi entièrement et il ruminait souvent, le regard perdu sur le fleuve. Seul Richard trouvait grâce à ses yeux. La disparition de Duplessis l'avait rendu plus volubile, rempli d'espoirs. Paul Sauvé, qui avait succédé au chef, semblait être aimé de la population, mais Richard était persuadé que son chef à lui, Jean Lesage, saurait soulever les foules lors des prochaines élections. Edmond voulait partager son enthousiasme; il s'y accrochait dans l'espoir que l'avenir serait meilleur pour lui et les siens.

Paul Sauvé mourut le 2 janvier. La province venait de perdre deux premiers ministres en quelques mois. Edmond y vit le signe d'un changement radical. Il avait, avec Jules et Lucien, fait et défait des carrières politiques dans le Parti libéral du Québec pendant trente ans. Les bleus étaient partis au paradis; les rouges devaient maintenant réchauffer la province, et non l'enfer comme Duplessis s'était plu à le croire. Il était temps pour Richard de faire le saut en politique active. Mais il hésitait, tergiversait. Il ne se sentait pas prêt. Aurélie l'encourageait à le faire. Edmond insistait.

— Tu as trente-sept ans, l'âge idéal. Tu es jeune et tu as de solides diplômes derrière toi. Jean Lesage t'aime bien. Qu'est-ce que tu attends?

— Je suis réaliste. Je sais que j'ai d'excellentes idées, mais je n'ai pas tant de charisme que ça. J'ai une gueule de comptable.

— Et alors? Ça fait sérieux. Moi, je fais confiance aux comptables.

— Oui, mais les électeurs? Ils préfèrent la belle rhétorique, les discours enflés comme Duplessis aimait en faire. Ce n'est pas mon genre.

— Ils veulent surtout du changement. La province sent la boule à mites. Ça nous prend rien de moins qu'une révolution.

— Une révolution, c'est un bien grand mot. Il faut aussi y aller tranquillement, on ne peut pas brûler tous les ponts.

— Une révolution tranquille, ça ne s'est jamais vu.

Le printemps apporta un règlement de la grève à Sorel Industries et une campagne électorale bouillonnante. Richard suivit tous les débats avec intérêt. Et il y eut fête au manoir le 22 juin. Jean Lesage devenait premier ministre du Québec avec son équipe du tonnerre. Son slogan: «C'est le temps que ça change» avait été entendu. La révolution tranquille commençait. L'État prenait la place de l'Église dans les domaines de la santé, de l'éducation et des services sociaux.

Edmond délaissait de plus en plus son appartement montréalais pour son camp dans le bois. Il y retrouvait la paix et la sérénité. Des souvenirs d'enfance remontaient à la surface. Il courait sur les berges du fleuve, serrant bien fort dans sa main la corde du beau cerf-volant que lui avait fabriqué son père. Il reniflait le parfum de laine mouillée et de peur, se collant contre Jules au fond de la cabine, alors que leur père, dans son ciré de marin, luttait contre la tempête pour ne pas faire naufrage. Il ramassait du bois mort échoué sur la plage et l'amenait près du feu que ses frères attisaient à la nuit tombée, sentant la chaleur dégagée par le brasier. Il regardait Mathilde, dans sa longue chemise de nuit toute blanche; elle remontait, avec sa clé dorée, la vieille horloge, le mouvement du balancier et le tic-tac l'aidant à s'endormir. Les souvenirs heureux défilaient. Les enfants courant dans le parc autour du manoir, s'amusant au bord de l'eau, jouant devant le sapin de Noël. Et, de plus en plus souvent, il revoyait Ariane: son sourire, ses yeux clairs, la grâce de ses gestes, la courbure de son dos, la finesse de ses doigts, le velouté de sa peau, la blancheur de ses seins. Même la douceur de sa voix venait le bercer quand il s'assoyait au bord du lac. Il s'enivrait de toutes ces images, de toutes ces sensations, jeune de nouveau, amoureux encore, ne s'attardant à aucun coin sombre.

Richard était parti pour Québec et Aurélie trouvait soudain le manoir bien tranquille. Les enfants étaient à l'école; la bonne étendait la lessive au soleil; la cuisinière préparait les desserts et les collations de la semaine; le chauffeur lavait la voiture; le jardinier coupait le gazon. Tout le quotidien semblait aller de soi. Et pourtant, Aurélie se sentait angoissée. Elle regardait autour d'elle, tentant de découvrir la faille, et ne trouvait rien. Elle chercha refuge auprès de ses rosiers. La serre s'avéra étouffante. Elle sortit et regarda le fleuve. Qu'est-ce qui n'allait pas? Elle soupira et se dit qu'elle vieillissait tout simplement. Elle venait d'avoir trente-huit ans; sa vie était ordonnée au point d'en être répétitive; ses enfants grandissaient et s'éloignaient peu à peu, trouvant la compagnie des petits camarades plus drôle que la

146

sienne; son mari ne parlait que d'économie et de politique, préférant faire chambre à part pour se lever en pleine nuit et prendre des notes s'il le fallait. Elle était devenue la reine, isolée au centre de la ruche, délaissée par son faux bourdon. Il lui fallait changer sa routine.

Elle téléphona au bureau d'Edmond. Pourquoi ne pas aller manger avec lui ce midi? La secrétaire lui répondit que monsieur Edmond n'était pas entré au bureau ce jour-là. Aurélie n'arrivait pas à le croire. Son père n'avait jamais manqué un lundi matin: c'était pour lui le point de départ d'une bonne semaine. Elle appela à Montréal mais n'obtint pas de réponse. Elle téléphona au camp de Jules: personne. Edmond n'avait pas le téléphone à son camp. Elle composa le numéro de Charles.

— Il se passe quelque chose, Charles. Il faut aller au camp.

— Tu t'énerves pour rien. Ça lui arrive de rester plus longtemps.

— Il part parfois le vendredi, mais il est toujours à l'usine le lundi. Il tient à donner l'exemple, tu le sais très bien.

— Et alors? Il aura décidé de rester un jour de plus. Sa présence n'est plus aussi nécessaire ici, tu le sais. Tu te racontes des histoires. Il doit être en route, d'ailleurs. S'il n'est pas là ce soir, on avisera. Calme-toi et retourne à tes roses.

Aurélie eut une soudaine envie de l'étrangler. Charles avait de plus en plus la grosse tête, régnant sur les petits sujets qui gravitaient autour de sa maison et de sa femme comme à une cour médiévale. Il voyait Richard presque tous les samedis, discutant pendant des heures, ou plutôt écoutant son beau-frère parler de sa vie auprès des politiciens. Il avait envie de se lancer dans la politique, mais Edmond, qui encourageait Richard à le faire, conseillait à son fils de rester dans l'ombre et d'apprendre à brasser des affaires. Charles n'aimait pas ce double discours et continuait de demander conseil à Richard. Et là, il venait de réduire sa

147

sœur à une jardinière, la trouvant aussi stupide qu'un pot de fleurs. Elle souhaitait pourtant qu'il ait raison sur un point : tout était normal, Edmond rentrerait à Montréal le soir même et serait à son bureau le lendemain matin.

Mais Aurélie ne pouvait pas attendre jusque-là. Elle demanda au chauffeur de la conduire au camp d'Edmond. Le mois de septembre s'achevait sur des notes vertes et dorées. Le ciel était d'un bleu limpide et glacial. Le véhicule avait de la difficulté à rouler sur l'étroit chemin devenu boueux et glissant à cause des pluies de la fin de semaine. Aurélie surveillait les arbres comme s'ils allaient lui donner la réponse à ses questions. Elle espérait trouver le camp vide, apprendre qu'Edmond venait de partir pour Montréal ou Sorel. Au détour du chemin, l'auto de son père apparut, garée entre les arbustes. C'était la fin de la route. Le chauffeur arrêta la voiture derrière celle d'Edmond.

Aurélie courut le long de l'étroit sentier menant au camp en bois rond. Aucune fumée ne s'échappait de la cheminée ; tout était paisible ; les oiseaux chantaient. Elle poussa la porte. La pièce était en ordre ; les couverts du petit-déjeuner étaient encore sur la table de bois, des miettes de pain au fond de l'assiette. Aurélie se dirigea vers la petite chambre, derrière. Edmond était allongé sur le côté, les yeux fermés, un faible sourire sur les lèvres. Aurélie s'arrêta et le regarda longuement. Il semblait si paisible qu'elle hésitait à le réveiller. Mais il était midi passé. Elle s'approcha et lui toucha l'épaule. Il ne bougea pas. Il était glacé et rigide. Aurélie poussa un cri et recula.

Le chauffeur, qui se tenait derrière elle, lui saisit les épaules. Ils restèrent tous les deux stupéfaits, déroutés, ne sachant que faire. Aurélie cherchait dans sa tête des mots pour expliquer, pour dire les choses, mais elle ne trouvait que des lieux communs comme on peut en formuler face à un cercueil. La mort est d'une banalité courante, usuelle, affligeante. Elle frappe parfois avec éclat, parfois avec discrétion, mais toujours avec efficacité. Et le silence est la seule réponse à son travail.

Le chauffeur partit au village pour téléphoner. Il en aurait pour une bonne demi-heure avant de revenir. Aurélie avait tenu à rester auprès d'Edmond. Elle approcha une chaise du lit et s'assit. Puis elle parla, lentement, à mi-voix; elle dit à son père tout ce qu'elle ne lui avait pas dit de son vivant. Elle remonta dans sa vie jusqu'à la petite princesse, la petite étoile Polaire dans son berceau.

Un fourgon mortuaire corbillard arriva quelques heures plus tard. Aurélie l'avait attendu, assise dans la cuisine, à planifier les funérailles, à établir la marche à suivre, tournant la tête de temps en temps comme pour demander l'opinion du mort. Quand le corps d'Edmond fut en route pour Sorel, Aurélie prit place dans l'auto et suivit le cadavre de son père comme si elle se rendait au cimetière. Elle avait la tête vide, brumeuse, nauséeuse.

Les obsèques furent grandioses. Des centaines de personnes attendaient le cercueil à la sortie de l'église Saint-Pierre. Des policiers réglaient la circulation. Il ne manquait qu'un drapeau pour en faire des funérailles nationales. Le soleil était au rendez-vous comme pour essayer d'adoucir la douleur. Tous les Savard, du plus jeune au plus vieux, étaient habillés de noir et affichaient une triste mine. L'un des fondateurs de la dynastie avait disparu; les autres y voyaient leur propre mort. Jules était particulièrement bouleversé par la perte du cadet de la famille.

Plusieurs limousines couvertes d'immenses couronnes de fleurs précédaient le corbillard. Des journalistes prenaient des photos qui feraient la une de *La Presse* du lendemain: «Son histoire, ainsi que celles de ses frères, était une réplique fidèle des aventures américaines popularisées par l'expression *rags to riches*.»

Aurélie leva les yeux vers la foule. Qui étaient donc ces gens? De simples curieux, des travailleurs perdant leur patron, quelques notables perdant leur client. Ces derniers étaient derrière elle, encore dans l'église. Elle serra plus fort le bras de Richard qui se tenait, impassible, à ses côtés. Ayant horreur des débordements affectifs, il maîtrisait à merveille ses émotions. Elle l'avait pourtant entendu pleurer la nuit précédente et l'avait trouvé assis au bord du lit de la chambre d'amis, les pieds ballants, serrant si fort la couverture entre ses doigts que ses jointures en étaient blanches. Il avait repris rapidement contenance en la voyant et avait essayé de la rassurer: tout allait bien. Aurélie regarda Laurent et Gisèle qui descendaient les marches de l'église devant elle. Ils se tenaient par la main, la tête baissée, refusant de regarder la foule qui les observait. L'avenir reposait entre leurs mains et ils étaient encore trop jeunes pour en être conscients.

Aurélie savait que sa vie ne serait plus jamais la même. À la mort d'Ariane, elle avait joué le rôle de la mère, celle qui rassemble tout le monde pour Noël, les anniversaires. Maintenant, elle reprenait le flambeau de ses parents; elle était l'aînée, celle qui devait perpétuer la tradition familiale. Elle pensa au manoir. Il appartenait encore à Edmond; elle y avait toujours vécu sans poser de questions. Qu'adviendrait-il de lui?

La réponse arriva peu de temps après l'enterrement. Aucun des frères d'Aurélie ne voulait habiter le manoir. Trop vieux, trop pompeux, il n'avait pas le modernisme des longs bungalows californiens. Charles, en tant qu'aîné des garçons, se devait de prendre en charge la destinée de la famille, de négocier avec ses oncles sa place dans les usines, le chantier maritime. Edmond n'était plus là pour lui dire quoi faire, pour lui donner des ordres. Cette soudaine liberté, dont il rêvait depuis longtemps, l'étourdissait. Et il avait réussi à convaincre Roland qu'ils devaient mettre le manoir en vente pour augmenter les revenus qui avaient commencé à fondre. Muriel était la seule qui se désintéressait complètement de l'affaire.

Les quatre enfants d'Edmond se retrouvèrent dans le bureau du notaire pour entendre la lecture du testament. Edmond l'avait modifié l'année précédente. Il divisait en parts égales la part qu'il avait lui-même dans les entreprises familiales et il laissait le manoir et tout ce qu'il contenait à sa fille aînée, Aurélie. Charles blêmit. S'il ne pouvait avoir le château, il voulait au moins quelques meubles, des tableaux, des tapis orientaux, un peu d'argenterie, de la porcelaine de Sèvres. Aurélie était horrifiée de voir que son frère voulait éparpiller le contenu de ce qui était pour elle sa demeure, son foyer.

Roland essaya de calmer son frère. Ils avaient tous les deux reçu une maison luxueuse du vivant de leur père. Même Muriel avait reçu une maison qu'elle avait refusé d'habiter et qu'elle avait vendue. Mais Charles ne décolérait pas, menaçant de contester le testament. Son père n'avait pas toute sa tête pour commettre une telle injustice. Jules téléphona à Charles le soir même. Toujours aussi bien informé, le vieil oncle conseilla à son neveu de ne pas se montrer si égoïste. Charles avait des parts dans plusieurs compagnies, mais s'il voulait pouvoir siéger à leur conseil d'administration et participer aux activités économiques du clan, il devait se conduire comme un gentleman et cesser de se faire monter la tête par son ambitieuse épouse. Charles reçut le message très clairement et aussi solidement qu'une bonne gifle. Il s'était comporté comme un idiot. Même Richard, toujours si posé, lui avait ouvertement reproché sa conduite. Charles mit son énervement sur le compte de la douleur, du deuil et d'Aline qui vit son budget de vêtements fondre pour quelques mois.

— Pauvre Charles! Il n'arrivait pas à voir plus loin que le bout de son nez. Il n'était pas méchant, mais il n'avait jamais appris à réfléchir. Ou plutôt si, il réfléchissait comme un miroir peut le faire. Il avait toujours essayé de renvoyer l'image du fils qu'Edmond voulait. Mais sa nature était beaucoup plus simple que ça.

Lorraine étira ses jambes. Aurélie se leva. Elle avait commencé à raconter sa vie pour séduire Lorraine; maintenant, elle ne savait plus pourquoi elle faisait ces confessions et ces douloureux voyages dans le temps.

— Je suis fatiguée, je monte me coucher.

Elle embrassa Lorraine sur le front, comme si elle était une fillette. La vieille dame monta doucement l'escalier menant à l'étage. Sa main courait avec légèreté sur la rampe en bois. Lorraine ne put résister à la tentation de prendre une photo, puis elle se tourna vers la salle à manger laissée dans l'ombre. Vide et sombre, c'était une pièce presque lugubre avec ses chaises qui espéraient des occupants. Elle revint au salon. Elle n'avait pas envie de s'y rasseoir. Le crépitement des bûches l'endormait. Elle alla dans la salle de séjour. Une télécommande était posée sur une table basse; un grand écran occupait tout un coin de la pièce; la nuit immobile s'encadrait dans les nombreuses fenêtres de la grande salle ronde. Lorraine s'assit et prit la télécommande. Puis elle la reposa. Elle n'avait pas vraiment envie de se faire bombarder d'images. Qu'est-ce qu'elle faisait donc à errer dans cette grande maison déserte? Elle alla chercher son manteau et sortit en refermant la porte d'entrée avec beaucoup de douceur, comme si elle avait peur de se faire surprendre à faire le mur, comme Muriel quand elle allait danser au Marine Cabaret.

La petite auto rouge démarra en douceur elle aussi, telle une complice. Lorraine se dirigea vers le centre-ville. Tout était paisible, seulement quelques fenêtres éclairées témoignant de la vie de ses habitants. Elle descendit la rue George, tourna sur la rue Roi jusqu'à la rue Augusta pour remonter la rue Prince et revenir au carré Royal, ce parc qu'on avait dessiné en forme d'Union Jack. Sorel se voulait vraiment une ville monarchique. Lorraine rit toute seule. Elle refaisait le tour du carré comme à l'époque de son adolescence. Les filles marchaient dans le sens des aiguilles d'une montre pendant que les garçons allaient dans l'autre sens, quand ils ne s'arrêtaient pas tout bonnement pour regarder passer les groupes de trois ou quatre filles qui riaient comme des folles, l'une ou l'autre donnant un coup de coude à ses amies pour leur signaler celui qui lui semblait le plus séduisant, tout en baissant les yeux s'il osait la regarder. C'était le manège du vendredi soir. Lorraine gara l'auto et décida de marcher un peu, question de prendre l'air.

Simone avait donné rendez-vous à Martin dans un café-bar où des musiciens jouaient du jazz un soir par semaine. Elle s'était finalement décidée à lui téléphoner, mais elle n'avait pas osé parler de ce rendez-vous à Aurélie, et encore moins à Lorraine. Elle attendait de voir où cela la mènerait, peut-être simplement à un cul-de-sac. La salle était petite. Des banquettes couraient le long des fenêtres, et des tables s'alignaient le long du bar. Au fond, on pouvait voir une minuscule scène légèrement surélevée, meublée de tables quand il n'y avait pas de spectacle. Simone et Martin s'étaient assis à une petite table, près du trio qui jouait avec talent de vieux airs de jazz. Martin sirotait un whisky pendant que Simone regardait son Tequila Sunrise, se demandant pourquoi elle avait commandé cette boisson de plage, si peu appropriée à l'endroit. La plupart des gens autour d'elle avaient la trentaine et buvaient de la bière. Presque l'âge de ses enfants.

Martin se tourna vers elle et lui sourit, comme pour la rassurer. Elle défroissa un pli imaginaire sur sa robe de

velours sombre, sourit à son tour et se tourna vers les musiciens. Martin admira sa peau claire qui s'illuminait dans le
faible éclairage ambiant. Il s'était demandé pourquoi elle lui
avait téléphoné après toutes ces années. Il avait d'abord cru
que c'était pour lui parler de sa sœur. Mais Simone n'en
avait pas dit un mot. Elle avait parlé de la pluie et du beau
temps, des sorties qu'elle s'offrait trop rarement alors
qu'elle en avait toute la liberté. Le ton de sa voix avait
changé légèrement au mot «liberté». Martin n'était pas le
genre d'homme à chercher des problèmes où il n'en voyait
pas. Il décida d'attendre tranquillement la suite des événements. Il se sentait bien, léger même après le deuil et la
vente de la maison. Il avait passé la journée à repeindre son
nouvel appartement et il avait l'impression de traîner
l'odeur de peinture avec lui. Il s'approcha un peu plus de
Simone et respira son parfum. Quelle odeur enivrante!

Le vent s'était levé, glacial. Lorraine décida de
retourner vers son auto. En tournant dans la rue George,
elle vit que le café St-Thomas était rempli de gens. Par
les grandes fenêtres, elle pouvait apercevoir le trio de
jazz. Elle décida d'entrer prendre un verre, histoire de se
réchauffer. Elle avança lentement; toutes les tables
étaient occupées. C'est alors qu'elle vit, près de la scène,
Martin et Simone. La photographe s'arrêta net, le cœur
battant comme si elle les avait surpris nus dans un
buisson. Elle trouva sa réaction ridicule, mais n'osa pas
avancer pour autant. Elle ne voulait pas gâcher leur tête-
à-tête. Ils semblaient absorbés par la musique, leurs
corps penchés l'un vers l'autre comme des amis sur le
point de se confier le grand secret de leur vie.

Lorraine se retourna pour sortir, puis elle vit l'escalier
menant à l'étage. Elle y monta et trouva une table libre au
bord de la mezzanine. De là, on pouvait voir la scène et le
bar en dessous. Lorraine avait une vue plongeante sur la
table de Simone et de Martin. Il tournait souvent la tête
vers sa compagne. Elle passait souvent la main sur sa
gorge, peu habituée à porter un décolleté. Ils formaient un
joli couple. Simone avait l'air plus jeune que son âge avec
ses cheveux blonds glissant sur son cou, son maquillage
discret et soigné. Martin, par contre, avait l'air un peu plus

vieux à cause de ses cheveux gris, de sa moustache presque blanche. Leur apparence avait inversé leur âge véritable.

Lorraine se sentait comme une espionne. Elle admira le bel ambre du scotch dans son verre. La solitude se mit à lui peser lourdement et elle eut la soudaine envie de s'y noyer. Martin ne lui avait pas parlé de sa sortie avec Simone et elle ne lui dirait pas qu'elle les avait vus. Adolescent, il lui cachait déjà ses petites amies de peur qu'elle ne les trouve pas assez jolies ou intelligentes. Quand il invitait une fille à la maison, c'était presque la cérémonie des fiançailles officielles. En général, la pauvre fille était si impressionnée qu'elle en bafouillait. Pourtant, Jeanne et André faisaient tout pour la mettre à l'aise, trop peut-être, et Lorraine se montrait polie et gentille. Mais rien n'y faisait; Martin s'était toujours senti gêné de la situation d'examen dans laquelle il se mettait.

Ils s'étaient encore rapprochés l'un de l'autre, Martin posant lentement sa main sur l'épaule de Simone. Lorraine leva son verre aux amoureux. Son frère n'était pas du genre à signer un contrat à vie avec quelqu'un. Elle non plus. Pourquoi voulaient-ils tous les deux du temps partiel alors qu'ils avaient eu sous les yeux l'exemple parfait du mariage solide, de l'union durable? Elle laissa cette question sans réponse et retourna au manoir avec un certain malaise. Martin s'installait dans une nouvelle vie, et la sienne tournait en rond. Elle faisait son deuil en prenant des photos artistiques auprès d'une vieille dame de l'âge de Jeanne. Ce n'était plus un deuil; c'était son propre enterrement dans un château miniature. Où était donc passée la photographe de terrain, celle qui voulait montrer au monde l'existence des autres, des oubliés, des victimes de régimes absurdes, avilissants?

Au petit-déjeuner, Aurélie remarqua tout de suite l'humeur maussade de Lorraine et tenta de l'apaiser en l'invitant au cinéma. C'était la première fois qu'elles sortaient vraiment ensemble et Aurélie se retint pour ne pas raconter sa vie. Elle essaya plutôt de s'informer de celle de Lorraine. Mais celle-ci n'était pas bavarde. Elle avait beaucoup voyagé; il en restait des caisses de photographies. Les images avaient toujours parlé davantage que les mots pour elle. Le contact d'Aurélie lui fit pourtant du bien. Elles regardèrent un film d'animation en mangeant du pop-corn, redevenant des enfants pour quelques heures.

Ni l'une ni l'autre n'avaient oublié l'important rendez-vous avec le notaire. La sortie du dimanche n'avait été qu'un intermède. Le petit-déjeuner se déroula en silence. Jean-Paul proposa de nouveau de les conduire à Montréal et de cacher l'automobile dans un stationnement, mais Lorraine insista: elle voulait conduire la fausse Jeanne chez le notaire. Aurélie avait revêtu une robe bleue des plus sobres et accroché à son cou un simple rang de per-les. Elle dissimula ses cheveux sous un petit chapeau de feutre marine. Simone lui tendit son manteau de laine marine, son sac à main et ses gants de cuir.

— Nous serons de retour dans l'après-midi.

— N'hésitez pas à téléphoner s'il y a quelque chose.

— Ce n'est pas une expédition au pôle Nord, nous n'allons qu'à Montréal.

Aurélie sortit ses lunettes de soleil et se regarda une dernière fois dans le miroir de l'entrée.

— Ça devrait faire l'affaire pour cacher la couleur de mes yeux, pensa-t-elle. De toute façon, si le notaire voit les yeux de Lorraine, il ne s'étonnera pas de la couleur des miens, même si cet amoureux mystérieux lui avait juré que j'avais les yeux bruns.

— Bonjour, je suis Jeanne Léveillée, fit-elle à voix haute.

Lorraine ne put s'empêcher de sourire en la voyant répéter devant la glace.

— Vous êtes parfaite. Il n'y verra que du feu.

— Alors, partons à l'aventure.

Aurélie prit place dans la petite auto rouge pendant que Lorraine s'installait au volant. Simone et Jean-Paul regardèrent l'auto s'éloigner.

Comme elles étaient bien en avance, Aurélie demanda à passer par la vieille route qui longeait le fleuve. Lorraine n'avait pas emprunté ce chemin depuis des lustres, utilisant toujours l'autoroute pour aller à Montréal et en revenir. Elle acquiesça avec plaisir. Ce serait comme des vacances, et la vision du fleuve l'aiderait peut-être à se calmer. Elle n'avait presque pas dormi de la nuit.

Un défilé de magasins, de stations-service et de grandes surfaces les accueillit après qu'elles eurent passé le vieux pont Turcotte. Puis ce fut une suite d'usines qui n'avait rien de romantique, des blocs métalliques portant de longues cicatrices de rouille et surmontés de cheminées qui crachaient des fumées grises et blanches dans le ciel automnal d'un bleu profond. Lorraine regardait avec attention les maisons éloignées de la route, regroupées sur le bord du fleuve comme pour fuir l'industrialisation.

— C'est toujours le compromis, la laideur contre du travail.

— Les gens étaient contents de l'implantation de la Tioxide à Tracy. La filiale canadienne de cette compagnie américaine fabrique du pigment de titane utilisé dans la peinture et les plastiques. La matière première, la scorie de titane, vient de la QIT-Fer et Titane. C'est le fer de la Côte-Nord, si cher à Duplessis, qui coule le long des murs. Heureusement, Edmond est mort avant de voir disparaître son joyau. Les oncles Savard se sont associés à la Beloit Corporation.

— Je me souviens quand mon père m'a fait visiter l'usine.

— Tu as visité la Beloit ?

— Oui, il y a eu une journée portes ouvertes pour les familles d'employés. J'y suis allée avec mon frère. C'était immense. Et toute cette machinerie. Mon père était très fier de nous expliquer le fonctionnement de telle ou telle machine. On avait l'impression que ça lui appartenait. C'était un peu vrai. Il était là tous les jours de la semaine. Je me souviens surtout qu'on a marché beaucoup, que c'était très grand. L'usine était spécialisée dans les équipements pour l'industrie des pâtes et papiers, je crois.

— Oui. L'arrivée de la Beloit, qui s'ajoutait à la Crucible Steel, a mis fin aux activités industrielles de Sorel Industries. L'ère de gloire était terminée. Le collier, défait et les pierres précieuses, vendues séparément.

— On avait remplacé les armements par autre chose. Tout a une fin.

— C'est vrai, tout finit par disparaître.

Le début des années soixante fut marqué par une série de décès. Un an après la mort d'Edmond, la douce et naïve Rosemarie, la femme d'Albert, mourut d'une insuffisance cardiaque. Albert s'était retiré des affaires depuis longtemps, laissant la place au triumvirat formé par Jules, Lucien et Edmond. Ayant toujours eu l'impression d'être de trop, il avait préféré s'effacer pour passer plus de temps avec ses enfants. La mort de Rosemarie l'affecta beaucoup. Il ne sortait presque plus, passant de longues heures au lit, à feuilleter de vieux albums de photos. C'est d'ailleurs là qu'il trouva la mort au mois de janvier suivant. Personne ne sut ce qui s'était vraiment passé. S'était-il endormi avec une cigarette ou avait-il délibérément mis le feu aux draps ? Les pompiers purent circonscrire les flammes rapidement, limitant les dommages dans la chambre d'Albert et le salon qui se trouvait en dessous, mais ils découvrirent dans le grand lit un cadavre noirci, lové sur un gros album en cuir rempli de photos. Le clan Savard ressortit les vêtements de deuil qui n'avaient pas le temps de se démoder tellement les décès se suivaient de près.

L'année suivante, Aurélie, Richard et les enfants décidèrent de passer le nouvel an en Floride chez l'oncle Jules. Depuis la mort d'Edmond, le rituel du réveillon de Noël n'était plus vraiment respecté. Charles et Aline s'amenaient au manoir un peu avant minuit avec une montagne de cadeaux, prenaient un verre de champagne pendant que les enfants déballaient leurs présents, puis repartaient peu après, invoquant toutes sortes de prétextes pour ne pas s'asseoir autour de la table. Roland et Rita restaient à peine plus longtemps. Seuls Muriel et Paul passaient la nuit au manoir, ne retournant à Montréal qu'après le petit-déjeuner. La vieille demeure, avec ses fantômes d'Ariane et d'Edmond, ne réussissait plus à être le centre d'attraction de la famille.

Le jour de l'an était devenu un «chacun pour soi». Aurélie n'avait plus envie de le passer en faux-semblants, un verre à la main, attendant que les visages ennuyés et ennuyeux autour d'elle soient repartis. Chaque année au mois de janvier, elle allait avec sa famille au domaine de Jules en Floride, mais c'était la première fois qu'elle avançait leur arrivée pour y fêter le changement d'année. Jules avait un peu repris la place d'Edmond auprès de Richard qu'il jugeait promis à un bel avenir politique. Les affaires n'étant plus ce qu'elles étaient, beaucoup de biens étant passés aux mains des Américains, il trouvait important d'avoir un membre de la famille dans les sphères du pouvoir. Richard passait des heures avec Jules et Adrien qui suivait les traces de son père avec un conservatisme de bon aloi. Il était le seul enfant de Jules à vivre à Sorel. Il s'était fait construire une grosse maison à Sainte-Anne, pas très loin de celles de Charles et de Roland, et il avait repris *La Dauphine* qu'il utilisait souvent pour se promener sur le lac Saint-Pierre. Ses frères et sœurs vivaient tous à Montréal, dans l'anonymat de la grande ville.

Depuis la réélection de Jean Lesage comme premier ministre, le début de l'étatisation de l'électricité sous l'égide du ministre des Ressources naturelles René Lévesque, l'arrivée de la première femme, Claire Kirkland-Casgrain, à un poste de ministre et les réformes scolaires qu'avait recommandées la commission Parent, les changements se succédaient à un rythme étonnant. La province se réveillait d'un long sommeil comme la Belle au bois dormant, et le prince criait son slogan «Maîtres chez nous». Jules regardait tout cela avec un mélange de fierté et d'horreur. Qu'adviendrait-il de la fortune qu'il avait accumulée pour ses enfants et ses petits-enfants dans un monde si changeant, chargé d'émotivité, surtout depuis la création du Rassemblement pour l'indépendance nationale trois ans plus tôt? Richard le rassurait du mieux qu'il pouvait. Il était un fervent admirateur de Jean Lesage, et aussi de René Lévesque. Impliqué dans la grève des réalisateurs de Radio-Canada en 1959, ce journaliste et animateur de radio et de télévision était devenu député et ministre. Richard avait l'impression, avec lui, de travailler pour l'avancement des idées et le progrès du Québec.

Ce séjour en Floride fut une vraie période de repos, et personne n'avait envie de revenir dans la neige et le froid québécois. Mais Laurent et Gisèle devaient retourner à l'école, même s'ils préféraient de loin la plage et la baignade. Laurent allait sur ses douze ans et sentait son corps se transformer. Il examinait son visage tous les matins dans le miroir à la recherche de rougeurs et de boutons, ayant peur que l'acné ne le défigure. Il avait les yeux de son père, mais le visage et la stature plus carrés de son grand-père Edmond. Tout le contraire de sa sœur Gisèle qui, d'un an sa cadette, était déjà plus grande que lui. Elle était toute en longueur comme son père et avait aussi hérité de la grâce de sa grand-mère Ariane. Elle était plus fonceuse que son frère, plus décidée et beaucoup croyaient que c'était elle l'aînée. Très proche de sa mère, elle suivait facilement ses conseils alors que Laurent faisait souvent le contraire dans le seul but de s'affirmer.

Aurélie alla saluer son oncle avant de partir pour l'aéroport. Jules venait d'avoir soixante-quatorze ans, mais il en paraissait davantage. Il avait vieilli depuis la mort de ses deux frères; ses mains tachetées tremblaient souvent, il se levait avec une extrême lenteur de son fauteuil et il traînait les pieds. Il lui tapota la main longuement.

— Ma petite Aurélie. Quelle gamine turbulente tu étais! Mais tu vois, tu es beaucoup mieux loin de ce Français. Tu serais morte d'ennui, et pauvre en plus.

Elle fut surprise de cette allusion à Laurent. Tant d'années avaient passé! Elle n'osa pas lui dire que l'ennui existait aussi au manoir et que Richard ne possédait aucune fortune personnelle. Mais elle n'avait pas le cœur à répliquer. Voir l'oncle Jules aussi nostalgique la troubla. Laurent et Gisèle arrivèrent pour embrasser leur grand-oncle.

— Ah! Lolo et Gigi.

Jules serra les deux enfants dans ses bras. Aurélie comprit que le nom qu'elle avait donné à son fils l'avait toujours dérangé. Jamais il ne l'avait appelé autrement que Lolo. Heureusement, il avait aussi donné un diminutif à Gisèle qui serrait les dents chaque fois qu'elle l'entendait. Elle détestait ce Gigi, mais n'osait pas le dire au vieil oncle. Quand Laurent voulait la faire enrager, il n'avait qu'à crier Gigi à pleins poumons.

Jules les regarda embarquer dans la limousine qui les conduirait à l'aéroport. Au milieu du mois de janvier, le domaine retrouvait un peu de calme avant l'arrivée d'autres neveux et nièces. Jules aimait bien ce va-et-vient, tous ces descendants qui venaient le saluer, cette famille élargie dont il était l'heureux patriarche. Il se dirigea ensuite vers le transat où il avait l'habitude de s'allonger. Le majordome avait déjà déposé une pile de journaux sur la table; le téléphone était à portée de main. Même en vacances, Jules trouvait le moyen de s'informer de tout et d'appeler régulièrement son bureau de Montréal. Il était encore le patron, bien renseigné, et il tenait aussi à bien conseiller ses collaborateurs qui se devaient de l'écouter. Avec l'âge, il savourait davantage cette position. Le monde changeait autour de lui, et il aimait être le roc sur lequel on pouvait se tenir. Violette passa près de lui, revenant de la plage. Il lui sourit. Un bref instant, il l'avait revue dans sa robe de mariée, jeune et timide. Elle avait vieilli, elle aussi, mais ses yeux avaient gardé cette étincelle qui l'avait séduit.

Le ciel se couvrit et il se mit à pleuvoir. Les domestiques coururent mettre les meubles de bambou à l'abri. Le majordome aperçut son patron, toujours allongé sur sa chaise longue, immobile, les journaux trempés sur le ventre. Le doyen des Savard était parti discrètement, sous un chapeau de paille et des lunettes fumées, presque un an jour pour jour après son frère Albert. Son cœur s'était simplement arrêté, usé et fatigué. Jules fut ramené à Westmount où ses funérailles eurent lieu avec tout le faste voulu.

Lucien et Mathilde étaient les derniers survivants des enfants de Julien et de Marie-Jeanne Savard. Un an après avoir enterré Jules, Lucien apprenait qu'il était atteint d'un cancer. Il était temps de faire une excellente transaction, la dernière sans doute pour lui. Trop d'enfants et de petits-enfants émietteraient la fortune familiale après sa mort; il fallait s'en occuper de son vivant. Après le morcellement de Sorel Industries, la Maritime semblait vouée à la disparition, les subventions fédérales diminuant régulièrement et de gros investissements devenant nécessaires à sa modernisation.

Lucien siégeait à plusieurs conseils d'administration dont celui de la Société générale de financement. Toujours aussi sérieux, il décida pourtant d'employer un peu la méthode d'Edmond. Il courtisa le président de la société d'État, Gilbert Filliatrault, flattant ses qualités d'administrateur et lui montrant les avantages d'avoir dans ses actifs un chantier maritime qui possédait une division de dragage en plein essor. Gilbert Filliatrault ne venait pas du monde des affaires. Il avait été à la tête d'un journal pendant de nombreuses années. Il avait su le réorganiser et l'engager sur la voie de la stabilité financière. Fier de ce succès, il avait pris la tête de la société d'État depuis deux ans. Dans ses éditoriaux, il avait déjà vanté l'administration de Jean Lesage qui avait eu recours à l'emprunt pour ses investissements publics, stimulant ainsi le développement économique. Tout le contraire du régime de Duplessis qui encaissait sans rien dépenser, laissant la province avec peu d'infrastructures, aussi bien routières que sociales. Selon Filliatrault, la base de l'économie reposait sur les achats à crédit, et l'administrateur qui ne jouait pas le jeu se laissait dépasser. Il avait, par ailleurs, l'habitude d'acquérir des entreprises au complet, comme si elles étaient des biens meubles, au lieu de se contenter d'en prendre le contrôle.

Avec les entrées qu'il avait depuis toujours au Parti libéral, Lucien n'avait pas peur de montrer ses appuis, ni même d'offrir la présidence de la Maritime à Filliatrault. En 1965, Lucien et les héritiers Savard n'eurent aucun mal à faire une excellente affaire en vendant soixante pour cent de leurs parts à la société d'État. Beaucoup d'encre coula à la suite de cette transaction, les journalistes parlant de mauvais investissements, du manque de clairvoyance du conseil d'administration, d'initiatives parfaitement incohérentes, d'incompétence, jetant encore de l'huile sur le feu. Mais l'encre pour Lucien était comme de l'eau sur le dos d'un canard. Il pouvait mourir tranquille. Ce qu'il fit au mois d'avril de l'année suivante.

Au même moment, Gilbert Filliatrault était remplacé à la tête de la S.G.F. et devenait président de la Maritime. Une période de modernisation commençait pour les chantiers grâce à un programme d'aide gouvernementale, un investissement de plusieurs millions de dollars pour des installations ultramodernes destinées à produire du matériel hydroélectrique et industriel.

Le décès de Lucien, le dernier chef du clan, avait libéré Richard, d'une certaine façon. Il savait qu'il n'avait plus les mains liées par les affaires de la famille; il pouvait faire sa route seul, sans voir débarquer un Savard pour obtenir ses faveurs. Il se sentait enfin prêt à devenir candidat aux élections de juin 1966. René Lévesque lui conseilla de se présenter dans son comté natal et de laisser le comté de Richelieu au libéral en place. Richard retourna donc sur les traces de son enfance et de son adolescence. Il y prit même plaisir. Montréal était devenue une ville grouillante d'activités qui se préparait fébrilement à accueillir l'Exposition universelle l'année suivante. Richard se rendit compte que le manoir était un hôtel luxueux, et isolé, où il passait ses fins de semaine. Ses enfants étaient devenus des adolescents qui s'éloignaient de plus en plus. Ils préféraient passer une partie de la nuit à écouter de la musique dans les sous-sols sombres et enfumés de leurs amis, revenant au petit matin les yeux rougis, un sourire accroché aux lèvres. Ils passaient ensuite des heures au lit, ne se levant souvent que pour saluer leur père qui repartait pour Québec le dimanche soir.

Aurélie accueillit cette nouvelle avec soulagement. Depuis le temps que Richard lui parlait de politique sans vraiment passer à l'action! Elle sentit de nouveau qu'elle pouvait se battre pour une cause, n'importe laquelle, pourvu qu'elle la sorte de cet engourdissement feutré dans lequel elle s'était enlisée avec les années. Elle n'avait plus de bébés à cajoler depuis longtemps; elle n'avait même plus d'homme à séduire, Richard et elle vivant en bons compagnons, sans étincelle. Elle vit dans la politique un étendard qu'elle eut envie de porter. Depuis l'avènement de la télévision et le fameux débat Kennedy-Nixon qui avait fait pencher la balance vers le candidat le plus charismatique, Aurélie savait que l'image comptait autant que les idées. Elle avait confiance en Richard pour les idées, mais, pour l'image, elle décida d'intervenir. Elle consulta son coiffeur, et même son esthéticienne. Richard, qui aimait bronzer au soleil, vit son teint se dorer à l'année avec un peu de fond de teint. Réticent au début, ayant peur d'être vu comme un dandy à la tête vide, il se laissa finalement convaincre. Ne devait-il pas plaire aux électeurs? Il soigna sa coiffure, ses vestons, ses cravates et son sourire. Lui qui se méfiait de toutes les passions, les mauvaises comme les bonnes, qui ne se laissait pas approcher facilement, secret et soucieux de préserver sa vie privée, se laissait maintenant aller à donner poignée de main sur poignée de main, à sourire en prenant des bébés dans ses bras et à aider les vieilles dames à traverser la rue.

Laurent avait seize ans. Il n'avait pas grandi beaucoup, mais ses épaules s'étaient élargies, faisant de lui un solide gaillard. L'acné, sa grande préoccupation, n'avait pas trop fait de ravages. Il pouvait inviter les filles qu'il voulait le samedi soir quand il allait danser avec ses copains d'école. Il préférait les fêtes privées chez les amis où il pouvait boire de la bière et bécoter une fille pendant des heures, jusqu'à ce que le chauffeur sonne à la porte pour le ramener. Il dormait ensuite une bonne partie de la journée, voyant à peine son père.

Essayant de se rapprocher de son fils, Richard décida de l'amener le plus souvent possible durant la campagne électorale. Laurent détesta tout: les maisons en brique agglutinées les unes contre les autres; l'odeur d'essence qui se mêlait à celle de l'asphalte chaud; les grosses femmes qui alignaient sans gêne leurs vêtements sur les cordes à linge en discutant avec leur voisine; les hommes qui ouvraient leur porte, une bière à la main, pour la refermer aussitôt au visage de celui qui voulait devenir leur député. Cette tournée était pour lui un cauchemar; il avait l'impression d'être devenu un témoin de Jéhovah. À bout, le jeune garçon invoqua le retard qu'il prendrait dans ses cours s'il ne retournait pas quotidiennement au collège. Se réjouissant de voir son fils s'intéresser enfin à ses études, Richard termina sa campagne électorale sans lui. Ses efforts furent récompensés. Il fut élu député de Mercier pendant que le comté de Richelieu passait aux mains de l'Union nationale. L'équipe de «Maîtres chez nous» avait été doublée par celle d'«égalité ou indépendance», dirigée par celui qu'on surnommait Danny Boy. Le parti de l'Union nationale remplaça le Parti libéral au pouvoir avec quelques sièges de plus, malgré un pourcentage plus faible de votes. La lutte avait été serrée. Daniel Johnson devenait premier ministre.

Richard, nouveau député libéral et expert financier de l'opposition, décida d'acheter une maison à Montréal, pour être plus près de l'action. Il ne voulait plus s'isoler au manoir, préférant le faire à Outremont. Il choisit une maison moderne, de pierres grises, ressemblant à un blockhaus qu'on aurait voulu transformer en habitation. Aurélie la trouva particulièrement laide, petite et pas très fonctionnelle. Mais la maison avait l'avantage d'être près de la montagne, isolée sur sa butte. Personne ne pouvait savoir si la demeure était occupée ou non, la façade n'offrant que des murs sombres et impersonnels. L'arrière ouvrait sur une petite cour entourée d'une haute clôture dont on ne savait pas si elle protégeait des voisins, ou les voisins eux-mêmes. Richard aimait s'y asseoir avec les nombreux journaux et revues qu'il lisait quotidiennement. Il se sentait enfin chez lui. Désireux de préserver sa vie privée, il menait un train de vie modeste, presque monastique.

N'ayant pas envie de cette existence, Aurélie prit prétexte des études des enfants pour rester au manoir. Elle savait que le répit serait de courte durée: Laurent commencerait ses études collégiales à Montréal l'année suivante, et Gisèle suivrait de près. Aurélie devait reconnaître que la maison d'Outremont serait parfaite pour les enfants qui ne seraient pas obligés d'être pensionnaires. Même si les cégeps, créés à la suite du rapport Parent pour permettre à tous d'avoir accès à l'éducation, devaient ouvrir leurs portes à l'automne 1967, l'école privée demeurait la voie à suivre pour plusieurs. Le collège Jean-de-Brébeuf était tout près pour Laurent; celui de Marie de France, pas très loin pour Gisèle. Quant à Aurélie, elle refusait d'abandonner le manoir complètement. Son tour était venu de faire la navette entre Sorel et Montréal.

Mil neuf cent soixante-sept fut une année faste à bien des points de vue, et pas seulement pour Montréal. Sorel célébrait ses trois cent vingt-cinq ans avec les débuts d'une période de grande activité dans le développement d'équipements collectifs. Il y eut l'inauguration d'une bibliothèque à Sorel, d'un centre culturel à Tracy, la mise en service du pont Sorel-Tracy et de l'autoroute 30, l'ouverture de la polyvalente Fernand-Lefèbvre, de l'école d'infirmières Madeleine-T.-Cournoyer rattachée à l'Hôtel-Dieu, du campus Sorel-Tracy du cégep de Saint-Hyacinthe, du premier centre commercial et du nouvel hôtel de ville. On plaisantait du dicton «Quand la construction va, tout va».

Les Québécois avaient décidé de repartir à zéro, de faire le ménage de leur cour et d'y construire aussi des attractions pour inviter les étrangers à les connaître. C'était l'ouverture sur le monde. La confiance en l'avenir était à son apogée. Tout était possible; il suffisait de le désirer ardemment. Et les chantiers de la Maritime étaient de la fête, puisque sa division de dragage était, avec ses quinze dragues de différents types, ses remorqueurs, ses chalands, ses grues flottantes, ses appareils de scaphandre, ses pontons, ses pipelines flottants et une grande variété d'équipements auxiliaires, la plus importante du Canada. La Maritime était partout, pour le dragage de la voie maritime du Saint-Laurent, du canal de Beauharnois, des bassins des ports de Montréal, de Québec, de Sorel, de Trois-Rivières, de Chicoutimi et des Bermudes, le creusage du tunnel Louis-Hippolyte-Lafontaine, sans oublier la création des îles qui recevraient l'Exposition universelle de 1967.

L'idée de tenir une exposition universelle à Montréal pour souligner le centenaire de la Confédération canadienne avait commencé à faire son chemin dans les années cinquante. En mai 1960, la ville de Montréal était en compétition avec Moscou et Vienne au Bureau international des expositions à Paris. Après un vote serré, Moscou l'avait emporté au cinquième tour. Deux ans plus tard, Montréal avait eu une seconde chance lorsque la ville de Moscou s'était désistée, et on lui avait finalement donné le feu vert pour tenir l'exposition qui allait changer son visage. Avait alors commencé une course contre la montre.

On choisit le cadre exceptionnel du site des îles pour y construire les huit cent cinquante pavillons et bâtiments de l'exposition. Les critiques fusèrent: l'agrandissement du site était une entreprise trop coûteuse. Mais construire ces pavillons dans différents quartiers de la ville aurait exigé de nombreuses expropriations, onéreuses et compliquées sur le plan juridique. Et le temps manquait. À partir des îles déjà existantes, du roc extrait lors de l'excavation du métro, du remblai provenant des travaux d'aménagement de la voie maritime et du dragage du fleuve, l'ensemble du site de l'Expo fut donc créé de toutes pièces. Il fallut des millions de tonnes de roc pour compléter le remblayage. À six mois de l'ouverture, six mille travailleurs s'affairaient encore sur le site. Mais les îles étaient enfin sorties des eaux et pouvaient accueillir le monde. Celui-ci fut au rendez-vous avec cinquante millions de visiteurs en moins de six mois.

Lorraine monta lentement la bretelle menant au pont Jacques-Cartier. La circulation était encore dense même si l'heure de pointe était passée. Aurélie contempla la structure du pont en souriant.

— J'imagine Ariane et Edmond à l'ouverture de ce fameux pont du Havre, obligés de suivre une charrette. Ça ne va pas plus vite aujourd'hui, malgré les autos rapides.

Lorraine regarda les manèges de la Ronde qui se profilaient sur sa droite.

— C'était quand même tout un événement, l'Expo. J'y ai vécu des heures magnifiques. Avec mon passeport, j'y suis allée presque tous les jours. Je faisais du pouce avec mon chum et on passait nos journées à se balader d'un pavillon à l'autre. Le soir, on allait à la Ronde boire de la bière allemande en écoutant de la musique ou faire une balade en téléphérique au-dessus du lac des Dauphins.

— Et tes parents te laissaient faire du stop?

— J'avais dix-sept ans, je n'étais plus une gamine. La peur n'était pas un sentiment national à ce moment-là. La paranoïa, vache à lait des entreprises de sécurité, ne s'était pas encore installée. Après avoir vécu sous l'influence du clergé et de Duplessis, les Québécois réalisaient que le monde pouvait être à portée de la main. Le Québec était entré en effervescence avec la révolution tranquille. On avait confiance en l'avenir, on s'ouvrait aux autres. Terre des hommes, ça disait bien ce que c'était: l'homme et l'univers, l'espace, la planète, la vie. Partout, c'était l'homme à l'œuvre avec son audace architecturale. Chaque pavillon nous amenait dans un autre monde. La France, dans sa grande sculpture de six étages avec ses spectacles son et lumière, le Japon moderne tout de verre et de métal, la Chine traditionnelle rouge et blanche, la Thaïlande avec la réplique d'un sanctuaire bouddhiste du XIXe siècle aux admirables sculptures, le magnifique dôme américain de Buckminster Fuller avec son exploration lunaire. Ça m'a donné le goût des voyages, des rencontres avec d'autres coutumes, d'autres cultures.

— C'est drôle que tu te souviennes de tout ça. Moi, mes souvenirs sont ceux d'un immense théâtre à ciel ouvert. Un décor de carton-pâte. J'avais de la difficulté à voir la magie des lieux. J'y suis allée à quelques reprises avec Gisèle. C'était une belle adolescente de quinze ans, avec ses longs cheveux qui lui arrivaient aux fesses, ses robes courtes, ses lèvres peintes de rose pâle, ses yeux assombris de khôl. J'étais fière que ce soit ma fille. Nous avons visité quelques pavillons. Je m'en suis vite lassée et je n'ai plus eu envie d'y retourner. Mais Gisèle y est allée souvent. Pour les garçons, je crois. Ça la changeait des visages habituels.

— Il y a toutes sortes de dépaysements. J'y ai découvert les glaces à la mangue, les lytchees, les fromages coulants, les sushis, le foie gras.

— Tu n'avais jamais mangé de foie gras avant?

— Non. Jusque-là, je ne connaissais même pas l'existence du foie gras et des fromages fins. Et on ne buvait du vin rouge que dans les grandes occasions, et encore du mauvais vin. Les légumes se limitaient à ceux du potager. Les grandes tables françaises n'étaient pas encore venues nous visiter. Et la cuisine asiatique se limitait au restaurant chinois du coin avec ses egg rolls et son poulet à l'ananas enrobé de sauce rouge et gluante. N'oubliez pas que je vivais à Sorel à temps plein. Mais l'année 67 a été l'année des bouleversements. J'ai passé l'été à Montréal et j'y ai poursuivi mes études à l'automne. Je ne suis jamais vraiment revenue vivre à Sorel. J'avais découvert le Québec libre avant le général.

— Ah, celui-là! Pour célébrer le centenaire de la Confédération canadienne, il a lancé aux Québécois son fameux «Vive le Québec libre!» du balcon de l'hôtel de ville. Il savait s'y prendre avec les foules. Il était déjà comme ça quand il a fait son entrée à Paris au lendemain de la Libération, à pied, parmi la foule.

— Ça a dû déplaire à votre mari?

— Richard avait un faible pour René Lévesque. Il aimait ses idées. Il a même failli le suivre. Ça discutait ferme dans le salon d'Outremont. Et René était un charmeur. On avait tous l'impression d'être importants quand il nous regardait. Avec le recul, je me dis que toute ma vie en aurait été changée. Mais Richard était un homme prudent. Pour lui, la souveraineté était compliquée: problèmes de reconnaissance internationale, d'appui des marchés financiers. Il n'était pas prêt à assumer les risques, surtout sur le plan économique. Et il était aussi calculateur. Il n'y avait pas de place pour deux chefs dans le parti. Richard avait joué les seconds violons assez longtemps, il se sentait prêt à se lancer en solo. Durant le congrès libéral à l'automne 67, René a été expulsé avec sa thèse indépendantiste et il a fondé le Parti québécois peu après. La dynamique a changé au sein des libéraux. Richard, en tant que critique financier, voulait que l'unité du parti passe par le fédéralisme rentable. Il soignait son image de jeune économiste prudent, conciliant. Il a réussi à isoler le Parti libéral de la vague nationaliste qui montait alors au Québec.

— Et vous? Vous étiez la gentille femme de politicien, souriante, donnant la main, épaulant son mari, assistant aux réunions.

— Pas vraiment. Je me déplaçais seulement si c'était important pour l'image de Richard. Mais je lui parlais tous les jours, je commentais l'actualité, critiquais souvent ses hésitations, le poussais à donner plus de place aux femmes. En dehors des campagnes électorales, comme Richard n'aimait pas les assemblées mondaines et les grandes cérémonies, je travaillais dans l'ombre et j'aimais croire que j'étais une éminence grise. J'aurais aimé m'engager dans certains groupes de femmes, mais les conseillers de Richard s'y sont opposés. Trop de visibilité pour une femme de politicien. Je n'avais droit qu'aux œuvres humanitaires, la Croix-Rouge, les enfants malades. Tout ce qui pouvait faire pleurer dans les chaumières sans avoir de répercussions politiques. Ça m'a dégoûtée. Il m'arrivait parfois de prendre une journée de congé, de filer au manoir et de passer des heures assise devant le fleuve, à ne penser à rien, mais rien du tout. Et puis, il y avait les enfants. La jeunesse imposait son image, ses goûts, sa mode. Je regardais Laurent avec ses cheveux longs et son pantalon à pattes d'éléphant si serré qu'on ne pouvait douter qu'il était un garçon. Et Gisèle avec ses jupes de plus en plus courtes et ses blouses indiennes qu'elle portait sans soutien-gorge. Les hippies étaient à la mode. Il fallait avoir toutes les couleurs de l'arc-en-ciel sur le dos en plus des colifichets de toutes sortes. J'avais plus de quarante ans et je sentais que je n'étais plus dans le coup.

— C'est vrai qu'on se ressemblait un peu tous dans notre déguisement hippie. C'était un mode de vie qu'on voulait différent de celui de nos parents.

— C'est pour ça que vous retourniez à la campagne vivre d'élevage et de culture comme mes grands-parents. Ariane avait tout fait pour quitter le dur labeur de la terre et mes enfants voulaient y retourner. Ils n'y voyaient que le côté bucolique des petites fleurs des champs en été. Pendant que l'homme marchait sur la Lune, Laurent se promenait pieds nus dans l'herbe et Gisèle voulait aller à Woodstock.

— Elle y est allée?

— Quand elle a annoncé à son père qu'elle partait, c'est la première fois que j'ai vu le visage de Richard aussi défait. Lui qui avait toujours maîtrisé ses émotions de façon remarquable, son intelligence dominant constamment ses sentiments, il est devenu livide, muet, puis il s'est enfermé dans son bureau pendant une heure. Il a finalement décidé de piler sur son orgueil et de téléphoner à Muriel. Ça n'a pas été facile. Ma sœur n'aimait pas beaucoup Richard qu'elle trouvait terne et banal. Il le lui rendait bien en l'appelant «l'arbre de Noël

172

ambulant». En somme, ils étaient bien contents de ne pas trop se voir. Muriel parcourait le monde. Pendant que Paul achetait des pierres précieuses, elle cherchait des designs nouveaux, des parures différentes, souvent auprès des populations indigènes. Et avec la mode hippie, elle faisait fureur. Richard a montré de grands talents de diplomate pour convaincre Muriel d'emmener Gisèle avec elle afin de la détourner de son projet. Elles ont accompagné Paul en Colombie où il allait acheter des émeraudes. Gisèle en est revenue ébranlée. Elle me racontait, en tremblant encore, que des milices armées surveillaient les banques et les bijouteries. Il fallait montrer patte blanche avant d'entrer. Le vendeur d'émeraudes sortait une par une ses petites boîtes du coffre-fort. Il l'ouvrait, la main proche d'un revolver posé sur le comptoir. Deux de ses assistants surveillaient en permanence les mains des acheteurs. Gisèle était trop impressionnée par ce qui se passait autour d'elle pour admirer les pierres précieuses emballées dans du fin papier blanc plié comme un origami. Mais elle avait découvert en Muriel une tante qu'elle s'était mise à adorer. Celle-ci parlait à tout le monde, se promenait avec ses jeans et son vieux tee-shirt dans les marchés, s'accroupissait près des Indiennes vendant des couvertures, des pots de terre cuite, des broderies, admirant leurs colliers, leurs bracelets, leurs boucles d'oreilles. Son appartement d'Outremont était un musée baroque dédié au monde entier.

Lorraine gara l'auto et remplit le parcomètre de pièces de monnaie pendant qu'Aurélie regardait l'immeuble à bureaux tout en béton. Lorraine lui prit le bras et elles entrèrent dans le hall tout en marbre sombre.

— Pour un bureau de notaire, il donne le ton. On dirait un salon funéraire trop grand. Tu me laisses parler en premier?

— Oui, «maman».

Aurélie sourit. Elle aimait bien entendre ce mot même s'il était prononcé avec dérision par Lorraine. Les deux femmes montèrent dans l'ascenseur qui les laissa au dixième étage. La salle d'attente était tout en beige et chrome. Il n'y avait que quelques fauteuils et un bureau pour la réceptionniste qui leva la tête en souriant à la vue d'Aurélie et de Lorraine.

— Bonjour. Que puis-je faire pour vous?

Elle continuait de sourire, un stylo dans une main, un dossier dans l'autre.

— Je suis Jeanne Léveillée, j'ai un rendez-vous.

— Oui, oui, madame Léveillée, assoyez-vous.

Aurélie et Lorraine n'eurent pas le temps d'atteindre les fauteuils que le notaire était déjà sorti de son bureau. C'était un homme grand et osseux, au crâne dégarni et aux grands yeux doux. Il salua la fausse Jeanne en pliant son corps en deux. Aurélie se retint de rire; elle avait l'impression de revoir un douanier britannique au cours de son premier voyage avec Edmond. Il l'invita à le suivre. Lorraine leur emboîta le pas. Maître Dansereau s'arrêta.

— Je regrette, mais vous devrez attendre ici. Mon client avait bien spécifié que seule madame Léveillée serait mise au courant de sa lettre.

Lorraine resta bouche bée. Elle se figea sur place, regardant Aurélie lui sourire avant d'entrer dans le bureau du notaire. Elle se sentait trahie. Elle avait le droit de savoir; c'était la vie de sa mère après tout. La réceptionniste la fixa un moment puis se leva.

— Je peux vous apporter un café, un verre d'eau?

Les yeux de Lorraine papillonnèrent. Elle s'aperçut qu'elle était restée plantée dans l'entrée, immobile. Elle fit signe que non de la tête et alla se rasseoir.

Depuis plusieurs minutes, maître Dansereau examinait le permis de conduire périmé de Jeanne. Aurélie n'avait qu'une envie, sortir de là au plus vite avant qu'il ne découvre la supercherie.

— Nous sommes toujours moches sur ces photos.

Il sourit et posa le permis sur son bureau. Il plaça ses mains sur le dossier et se mit à croiser et décroiser constamment ses longs doigts fins. Il était visiblement mal à l'aise. Aurélie avait la gorge serrée. Elle n'osait pas poser de question, jouant avec la bandoulière de son sac à main. Le notaire sortit finalement une enveloppe bleu pâle du dossier et leva les yeux sur la fausse Jeanne.

— Bernard était non seulement mon client, mais aussi mon ami. Je connais le contenu de cette lettre et je peux vous assurer que j'ai conseillé à Bernard de la brûler. Mais il a insisté pour que vous en preniez connaissance. C'est mon devoir de vous la remettre.

Il fit une pause pendant qu'Aurélie se demandait qui était ce Bernard.

— Je dois faire mon devoir. Je vous conseille pourtant de ne l'ouvrir que chez vous, de la lire à tête reposée. Bernard était très malade quand il l'a écrite. Il est décédé peu de temps après.

Il jouait avec l'enveloppe ; ses doigts étaient devenus gracieux, tournant le papier bleu dans une sorte de ballet aérien. Aurélie fixait l'enveloppe. Elle n'avait qu'à la prendre et à la remettre à Lorraine sans la lire. Mais si le contenu était aussi explosif que le notaire semblait le dire, peut-être que la photographe le garderait pour elle. Et Aurélie serait laissée dans le noir après avoir fait tout le travail. Ou Lorraine lui inventerait une histoire banale d'amour impossible entre Jeanne et Bernard. Il devait pourtant y avoir plus que ça à en juger par l'hésitation de maître Dansereau. Aurélie avait un étrange pressentiment. Il fallait qu'elle lise cette lettre. Elle tendit la main. Le notaire se ressaisit et lui tendit d'abord un accusé de réception à signer. Aurélie prit le stylo et hésita. Elle avait oublié de s'entraîner à imiter la signature de Jeanne Léveillée. Elle lorgna le permis de conduire, tout près. Elle se plaignit d'un peu d'arthrite pour gribouiller une signature. Mais le notaire ne regardait même pas, fixant l'enveloppe bleue. Il reprit le papier et remit l'enveloppe à la fausse Jeanne.

Aurélie regarda longuement le nom de Jeanne écrit avec élégance à l'encre marine. Elle leva les yeux vers le notaire et lui emprunta un coupe-papier.

— Vous en êtes bien certaine ?

— Oui. Je veux la lire tout de suite.

Elle ouvrit délicatement l'enveloppe. Deux feuillets de papier bleu y étaient pliés. Elle les sortit et commença à lire. Quand elle arriva au deuxième feuillet, son cœur s'arrêta; le brouillard se leva devant ses yeux et ses mains se mirent à trembler. Maître Dansereau s'approcha d'elle et lui tendit un verre d'eau. Elle but lentement en respirant par à-coups. Il prit les feuillets et les remit dans l'enveloppe.

— Ça va mieux?

— Je l'ai toujours su... mais je pensais que j'étais folle d'avoir de telles idées.

Maître Dansereau prit place dans le fauteuil à ses côtés et lui tint la main un moment.

Lorraine ne tenait plus en place. Comment recevoir une simple lettre pouvait-il prendre autant de temps? Elle n'en pouvait plus et se leva pour aller demander si sa «mère» avait eu un malaise. Au même moment, la porte du bureau de maître Dansereau s'ouvrit. Il soutenait doucement Aurélie par le bras. Lorraine s'inquiéta encore davantage. Le visage de la vieille dame était livide, mais elle s'empressa de sourire à Lorraine et de la rassurer.

— Tout va bien, ma petite. Rentrons.

Lorraine salua à peine le notaire et s'engouffra dans l'ascenseur avec Aurélie.

— Qu'est-ce qui s'est passé? Et la lettre, vous l'avez?

Aurélie lui prit le bras pour la calmer un peu.

— J'ai la lettre. Et j'ai promis au notaire de ne te la montrer qu'à la maison.

— Comment ça, promis au notaire? Elle me concerne aussi, non? J'ai le droit de la voir.

— Plus tard. Il faut que tu lises cette lettre à tête reposée. J'ai peur que tu ne puisses conduire si tu le faisais maintenant. Et ça fait si longtemps que je n'ai pas pris le volant, je pourrais nous tuer toutes les deux.

— Vous savez ce qu'elle contient?

Aurélie fixait les portes de l'ascenseur et elle fut heureuse de les voir s'ouvrir. Elles se firent un peu bousculer par des gens pressés d'y entrer. Elles arrivèrent près de l'auto. Aurélie attendait que Lorraine ouvre la portière. Lorraine ne bougeait pas, les clés à la main.

— Tu vas me faire geler longtemps comme ça? Tu veux la lettre? Eh bien, c'est grâce à moi si tu as pu l'obtenir. Alors, je te la donnerai quand je serai de retour au manoir. Il n'est pas question que tu m'abandonnes ici comme une vieille chaussette.

Le ton d'Aurélie ne prêtait pas à discussion. C'était la première fois qu'elle parlait ainsi à Lorraine.

— C'est si terrible, ce qu'elle dit, cette lettre?

— Ce n'est pas si terrible. C'est même une bonne nouvelle… en un sens. Alors, on y va?

Lorraine finit par ouvrir la portière. Elle eut de la difficulté à démarrer l'auto. Aurélie tenait son sac à main serré sur ses genoux. La photographe zigzagua dans la circulation pour s'engager de nouveau sur le pont.

Le silence devenait oppressant. C'était la première fois que les deux femmes passaient un si long moment sans parler. Aurélie demanda un peu de musique. Lorraine alluma la radio. La vieille dame chercha un poste avec de la musique douce. Elle sentait que le voyage de retour serait long. Elle se rappelait quelques phrases seulement de la lettre, les phrases qui changeaient sa vie, et elle avait hâte de la relire plus attentivement. Elle regrettait de ne pas avoir demandé au notaire d'en faire une photocopie. Dès que Lorraine aurait la lettre, elle la garderait pour elle.

La petite auto filait rapidement sur l'autoroute 30. Lorraine avait pourtant l'impression d'être presque arrêtée. Elle sentait qu'Aurélie la regardait souvent, un petit sourire aux lèvres, et cela l'agaçait. Elle fixait la route en refusant de se retourner vers elle. Que pouvait bien contenir cette lettre pour l'avoir bouleversée autant, tout en la rendant souriante? C'était quoi, «une bonne nouvelle, en un sens»? Et bonne pour qui?

Le manoir apparut enfin. Elles eurent à peine le temps de sortir de la voiture que Simone leur ouvrait déjà la porte. Aurélie lui sourit, radieuse, puis elle se dirigea vers la salle de séjour après avoir enlevé son manteau. Lorraine suivait, le regard sombre. Simone les rejoignit.

— Vous avez mangé? Je peux vous préparer un plateau.

— Bonne idée, Simone. J'ai faim. Mais je pense que Lorraine est impatiente de lire la lettre. Nous prendrons une bouchée un peu plus tard.

Simone hésitait à les laisser seules. Elle voulait aussi connaître le contenu de la lettre, mais l'humeur de Lorraine la fit s'éloigner. Sachant qu'Aurélie lui raconterait tout plus tard, elle les laissa en tête-à-tête. Aurélie ouvrit son sac et en sortit l'enveloppe bleue. Lorraine tendit la main. Aurélie lui demanda d'abord de s'asseoir, puis elle lui donna la lettre. Lorraine la prit fébrilement et se mit à lire.

Ma Jeanne bien-aimée,

Je sais que tu n'as jamais voulu que je t'écrive, que je laisse sur papier des preuves de notre amour, de ce que tu appelleras sans doute «mon amour». Je n'y peux rien, je t'ai aimée dès le premier moment où je t'ai vue. Tu sortais de l'eau et tu te dirigeais vers un parasol à la plage de la pointe aux Pins. Tu secouais tes cheveux mouillés et tu souriais. J'étais assis entre le notaire et sa nièce Louise avec qui je venais de me fiancer officiellement. Une sainte femme un peu ennuyeuse. J'avais appris quelques semaines plus tôt que je travaillerais à l'Hôtel-Dieu, mon premier vrai poste. J'étais content de ce travail, de la vie qui se traçait devant moi, mais je ne comprenais pas pourquoi je n'étais pas heureux, vraiment heureux. Et puis, tu es apparue devant moi, un ange aux yeux de braise. Et je n'ai plus vu que toi dans cette foule du dimanche. Tu étais d'autant plus belle que tu ignorais le pouvoir de ta beauté, tu n'en usais pas, tu la vivais tout simplement, elle faisait partie de toi. Je crois que tu ne m'as pas vu cette journée-là, tu n'avais d'yeux que pour un jeune homme dont j'ai voulu ignorer l'existence. Et quand je t'ai vue, des mois plus tard, passer les portes de mon bureau, je savais que tu bouleverserais ma vie et, encore aujourd'hui, rendu à un âge vénérable, tu n'as pas quitté mes pensées.

Je vais mourir bientôt, il me reste quelques semaines à passer sur cette terre. Je sais, je sais, ce n'est pas une raison pour tout remuer et, pourtant, je ne peux m'empêcher de le faire. Je ne sais pas ce qu'il est advenu de toi, j'espère que tu te portes bien et que tes enfants te rendent la vie douce. Mes enfants l'ont fait pour moi et je suis toujours heureux de les voir même si ce n'est pas aussi souvent que je le désirerais.

Quand tu liras cette lettre, je serai mort puisque je la confie à mon notaire. Tu vois, je tiens ma promesse de ne pas te poursuivre de mes assiduités, de te laisser à ta vie calme et rangée pendant que mon cœur et mon âme étaient déchirés par ta présence lointaine. Mort, je deviens heureusement inatteignable. Alors, pourquoi est-ce que je t'écris après tout ce temps ? Pour soulager ma conscience, je la sens trop lourde pour mourir ainsi. J'ai commis une faute grave, surtout pour le médecin que j'étais. Je ne sais pas ce qui m'a pris cette nuit-là. La douleur trop forte, mon impuissance face à la mort, je ne sais pas. La petite fille que tu as finalement mise au monde, celle qui était de moi, j'en suis persuadé, est morte dans mes bras. Je ne pouvais pas te présenter son petit cadavre roidi, je ne pouvais pas te la confier et te voir pleurer comme tu l'avais fait lors de ta fausse couche. Tu étais toute ma vie, Jeanne, tout mon bonheur, et cet enfant était la preuve de cet amour. Je l'ai apportée à une autre patiente, une femme qui avait déjà tout et qui pourrait avoir sans problème d'autres enfants (ce qu'elle a fait) et je t'ai donné sa petite fille. Je savais qu'elle serait heureuse avec toi. Les jours suivants ont été horribles. Je me voyais chassé de l'hôpital et du métier que j'aimais. Je me voyais éloigné de toi à jamais. Mais il ne s'est rien passé. La famille a pleuré la petite morte, notre petite morte, et la vie a repris son cours normal. Je ne regrette pas ce cadeau car il t'a rendue si heureuse, je t'ai vue te transformer par le bonheur de la maternité et je ne voudrais pas aujourd'hui que tu renies cette fille qui doit encore faire ta joie. Je veux que tu la voies comme une autre preuve de mon amour, la plus grande et la plus belle, cet amour auquel tu croyais si peu, cet amour que j'emporte avec moi dans mes derniers jours.

Je t'aime, Jeanne, je n'ai jamais aimé quelqu'un autant que toi. Cet amour m'a fait mal, mais il m'a aussi accompagné tout au long de ma vie et il m'a permis de vivre harmonieusement avec ma femme et mes enfants, avec mes collègues et mes patients, de supporter les difficultés inhérentes à la vie, car en pensant à toi, les douleurs, les craintes, les incertitudes s'apaisaient, je n'avais qu'à fermer les yeux pour revoir ton sourire, tes yeux doux, sentir ta peau contre la mienne.

Adieu, Jeanne adorée.

Bernard

Lorraine relisait la lettre, encore et encore, se disant que les mots prendraient peut-être un autre sens à la relecture. Cette histoire était invraisemblable. Comment Jeanne aurait-elle pu prendre son médecin comme amant? Et comment ce Bernard aurait-il pu changer les bébés à la naissance sans que personne ne s'en rende compte? Les infirmières l'auraient remarqué, Jeanne aussi. Elle aurait été si aveuglée par son désir de maternité qu'elle aurait accepté de faire sien le bébé volé à une autre? Impossible!

Aurélie ne disait rien, la fixant, attendant une réaction. Pendant tout le trajet, elle avait ressassé cette histoire dans sa tête. Le médecin qui l'avait accouchée lui avait volé son bébé, comme un vulgaire bandit, un criminel de grand chemin. S'il n'était pas mort, elle l'aurait étranglé de ses mains, lentement, pour le voir souffrir comme elle avait souffert de la perte de sa petite Laurence. La douleur dont il parlait dans sa lettre n'était rien en comparaison de celle qu'il lui avait infligée. Mais à regarder Lorraine, elle se disait que, heureusement, tout rentrait dans l'ordre: sa petite fille était de retour. La photographe leva les yeux vers elle, puis se mit à rire nerveusement.

— Vous en avez du culot! Vous êtes d'une cruauté incroyable. Monter un tel coup pour faire de moi votre fille et me refiler votre château de pacotille. Le coup de téléphone du notaire, le rendez-vous, les lunettes teintées, l'attente qui n'en finissait plus, tout ça pour arriver à cette fausse lettre. Vous avez dû bien le payer, ce grand sec de Dansereau. Et moi qui suis tombée dans le panneau comme une imbécile. Je vous étais si reconnaissante de me proposer de prendre la place de Jeanne. Vous avez dû bien vous amuser.

Aurélie était si étonnée de sa réaction qu'elle faisait simplement non de la tête.

— Je n'y suis pour rien, je t'assure. Mais je m'en doutais, dès que je t'ai vue la première fois. Tu ressembles tellement à Laurent.

— Ça va faire, le coup des yeux verts !

— Il y a beaucoup de gens dans ta famille qui ont les yeux de la même couleur que toi?

Lorraine fixa la lettre qu'elle tenait encore à la main. Elle la chiffonna et la lança par terre, puis elle se leva, sans un mot, et se dirigea vers l'entrée. Aurélie la suivit.

— On peut passer un test d'ADN, comme ça tu verras bien que la lettre est authentique.

— Vous allez encore tout arranger et payer un médecin pour avoir les résultats que vous voulez. Tiens, pourquoi pas ce faux Bernard?

— Tu te trompes, je t'assure. Ne pars pas. Tu es tout ce qui me reste.

— Non, vous avez votre cher manoir.

Lorraine monta rapidement l'escalier, ramassa à la hâte ses affaires et sortit en courant du manoir. Aurélie la regarda s'éloigner, triste. Simone était à ses côtés.

— Ne vous en faites pas, elle reviendra.

— Je ne pense pas, elle me déteste maintenant. J'ai perdu mes enfants, bien avant leur mort. J'aurais tellement aimé garder celle-là à mes côtés.

Lorraine s'était arrêtée à un feu rouge. Elle ne savait pas où aller. Elle ne voulait pas se rendre à l'appartement de Martin. Elle ne pouvait pas voir son frère, pas maintenant, pas avant d'avoir éclairci les idées brumeuses qui se bousculaient dans sa tête. Cette histoire de Jeanne se faisant engrosser par un médecin était trop rocambolesque. Comment Aurélie avait-elle pu inventer une chose pareille? Il est vrai qu'elle en avait raconté tellement. Mais pourquoi se rendre jusque-là? Un coup de klaxon la fit sursauter. Le feu était passé au vert depuis un moment. Elle tourna et se dirigea vers l'autoroute. Tout ce qui lui restait était un atelier à Montréal rempli de boîtes de photographies.

Elle y arriva au milieu de l'après-midi, fatiguée, la faim lui donnant la nausée. Elle décida d'entrer dans le petit bistro qui se trouvait à deux pas de son atelier dans le Vieux-Montréal. Elle y venait régulièrement quand elle vivait à Montréal. Le bistro n'ouvrait qu'à dix heures. Elle y arrivait peu après, s'installait avec un journal à une petite table près de la fenêtre. Le patron la saluait d'un signe de tête, puis un des garçons lui apportait un grand bol de café au lait avec un croissant. Elle lisait, captait parfois un passant dans son appareil photo, une calèche vide à la recherche de clients, et elle retournait ensuite à son atelier après avoir échangé quelques mots avec le patron.

Elle poussa la porte. Le patron n'était pas là. Les garçons avaient changé depuis l'époque où elle fréquentait cet endroit. Elle prit place au fond, loin des quelques touristes qui s'attardaient aux tables donnant sur la rue, et commanda à manger avec un demi-litre de vin blanc. Elle engouffra la nourriture sans plaisir, simplement pour remplir son estomac vide. Le vin coulait facilement et elle en commanda encore. Elle avait envie de boire à se rouler par terre. Quand la banquette du bistro se mit à tanguer, prise au cœur d'un océan d'émotions, Lorraine se leva péniblement et mit le cap sur son atelier.

Le vieux monte-charge était encore en panne. Elle prit l'escalier recouvert de tellement de couches de peinture au fil des ans que les angles des murs s'étaient arrondis. Elle fouilla dans son sac à la recherche de ses clés, les épaules sciées par les courroies de son lourd bagage et de ses appareils. Même ivre, elle ne les quittait pas. Elle réussit finalement à entrer chez elle, du moins dans le seul endroit qu'elle pouvait encore appeler son chez-elle. Il y avait du désordre et de la poussière partout. Les malles et les boîtes qu'elle avait rapportées avec Martin attendaient le long du mur de brique de l'atelier, encadrées de deux trépieds. La petite chambre au matelas nu sentait le renfermé. Lorraine tenta d'ouvrir la fenêtre mais en fut incapable. Tout tournait. Elle s'assit au bord du lit. Pas pour longtemps. Elle courut à la salle de bains vomir une partie de son repas. Puis elle prit une douche qui la remit un peu d'aplomb.

Le réfrigérateur de la minuscule cuisinette était vide, mais il restait un peu de café au congélateur. Lorraine sortit une petite cafetière espresso et se prépara un allongé bien corsé. Elle le but assise sur un tabouret, à fixer les malles et les boîtes de photos. Sa vie se résumait donc à ça, une femme seule, sans amant, sans enfant, avec le seul métier de capter l'image des autres. Une femme témoin, gênante parfois, quand elle essayait de dénoncer les horreurs, une femme conciliante aussi, quand elle avait accepté de photographier une vieille dame folle de son manoir, folle de se trouver une descendance.

Et si la lettre était vraie? Si Bernard avait vraiment existé, s'il avait été assez dérangé pour remplacer son enfant mort par celui d'Aurélie? Elle avait beau ne pas vouloir y croire, un petit doute subsistait. Aurélie avait l'air si sincère. Une excellente comédienne aurait-elle pu en faire autant?

La photographe se leva et ouvrit une petite malle métallique avec des coins de bois brun, usé par le temps. Toutes les photos des événements marquants de la famille y étaient empilées. Le mariage de Jeanne et d'André, le baptême de Lorraine, celui de Martin, les premières communions des enfants, les photos de remises de diplômes, même les mariages des grands-parents. Elle se mit à regarder toutes les personnes photographiées. Aucune n'avait ses yeux clairs. Sauf peut-être l'arrière-grand-mère, mais comment savoir sur une vieille photo sépia? Elle avait les yeux assombris par le bord d'un chapeau; ils auraient pu être gris, bleus, noisette. Lorraine se leva et se mit à tourner dans la pièce. Pourquoi cherchait-elle donc à prouver les dires d'Aurélie? Elle n'avait qu'à oublier toutes ces bêtises.

Du revers de la main, elle laissa retomber le couvercle de la malle. Au même moment, une photo attira son attention. Lorraine ouvrit la malle de nouveau et en sortit la photo de son baptême. Elle se souvenait de l'histoire du pipi sur les souliers de sa marraine, mais elle avait oublié le visage de cette dernière. Un bébé fixant avec sérieux l'appareil photo, un bébé vêtu d'une longue robe blanche, un bébé avec une masse de cheveux sombres sur la tête, une épaisse chevelure foncée qui lui faisait une auréole. Elle chercha soudain à se rappeler ce qu'Aurélie avait raconté. Muriel avait vu sa nièce à la pouponnière et avait trouvé qu'elle avait l'air d'un petit singe. «Elle est belle, la petite Laurence. Elle a plein de cheveux, comme un petit singe. Elle a la tête entourée de cheveux bruns, ça lui fait comme une couronne. Une princesse. Les autres sont tous chauves comme des petits vieux.»

Ces paroles résonnaient dans sa tête. «Les autres sont tous chauves comme des petits vieux.» Lorraine respira un grand coup. Non, elle ne devait pas oublier que c'était Aurélie qui racontait; elle avait mis sciemment ces paroles dans la bouche de sa sœur pour amener Lorraine à croire qu'elle était Laurence. Un coup monté de main de maître.

Mais comment Aurélie aurait-elle pu savoir que Lorraine avait beaucoup de cheveux à sa naissance? Elle n'avait jamais vu cette photo et Lorraine n'en avait pas parlé. Par Martin se confiant à Simone? Ridicule. Pourquoi aurait-il parlé des cheveux de sa sœur à sa naissance? Et si les autres bébés étaient tous chauves comme des petits vieux, comment Jeanne aurait-elle pu ne pas voir que sa fille chauve s'était transformée en quelques heures? Mais Jeanne ne lui avait-elle pas raconté qu'elle avait été placée dans un incubateur et qu'elle n'avait pu la prendre dans ses bras que le lendemain?

Lorraine se sentait maintenant étourdie. Il fallait qu'elle se calme, qu'elle réfléchisse, qu'elle retrouve la tête froide qu'elle avait quand elle faisait des photos un peu partout dans le monde. Montrer sans juger, dénoncer sans parti pris, témoigner sans mensonge. Comment faire ça avec sa propre vie?

Aurélie avait passé l'après-midi dans la serre, silencieuse, s'enivrant du parfum des roses de Dijon à s'en étourdir, à s'en donner la nausée. Simone était venue lui dire que le repas du soir était prêt. Elle n'avait pas bougé, incapable de sentir ses jambes, ses bras. Elle était morte, oui, elle venait de mourir. Son cœur s'était arrêté de battre ; même ses paupières n'avaient plus à cligner ; son âme était partie au loin. Simone était revenue avec Jean-Paul. Le chauffeur avait pris le bras de sa patronne avec douceur et l'avait soulevée vers lui. Il lui avait souri, penché au-dessus d'elle comme un ange. Il l'avait toujours protégée. Elle savait qu'elle pouvait lui faire confiance. Elle s'était laissé emporter, pendue à son bras. Rendue à table, elle n'avait pu avaler qu'un peu de soupe. Elle fixait maintenant les flammes de la cheminée en jouant avec son collier de perles. Elle se sentait épuisée, impuissante à ramener Lorraine à ses côtés.

— Mon bébé.

Simone venait de mettre une autre bûche dans l'âtre. Elle se retourna vers Aurélie. Celle-ci la regarda un moment avant de se rendre compte qu'elle avait parlé à haute voix.

— Je vais me coucher, Simone. Bonne nuit.

— Bonne nuit, madame.

Simone la regarda s'éloigner. Elle aurait voulu lui dire qu'elle comprenait, qu'elle partageait sa douleur, qu'elle compatissait. Mais les mots ne venaient pas. Elle avait l'impression que le silence était le seul remède. Elle avait ramassé la lettre chiffonnée dès le départ de

Lorraine. Elle l'avait soigneusement lissée, sans oublier de la lire. Puis elle l'avait remise dans son enveloppe et, ne sachant quoi en faire, elle l'avait déposée sur la table de travail dans l'ancien bureau d'Edmond. Quand Aurélie avait refusé de sortir de la serre, Simone avait apporté la lettre à Jean-Paul. Elle s'était dit qu'il devait savoir. Il était au service d'Aurélie depuis si longtemps ; il avait vu tant de choses.

Jean-Paul avait lu la lettre avec attention, puis la lui avait rendue, sans un mot, avant d'aller dans la serre chercher sa patronne. Après le repas, il avait regagné sa chambre discrètement. Simone lui trouvait parfois des airs de fantôme : il se glissait hors des pièces sans qu'elle le voie ; il disparaissait en silence. Pourtant, elle savait en tout temps où le trouver, et il était toujours là pour l'aider, sans rechigner, serviable, aimable, tout en restant distant. Simone n'avait pu le percer à jour. Après toutes ces années, il restait pour elle une énigme. Simone se demandait maintenant ce qu'elle dirait à Martin s'il voulait des explications sur le départ précipité de sa sœur. Elle devait le revoir bientôt ; elle avait accepté une invitation à souper dans son nouvel appartement. Elle avait prévu une belle soirée de retrouvailles. Qu'en serait-il maintenant que ce Bernard avait foutu la pagaille ?

Aurélie avait quitté ses vêtements et revêtu une robe de nuit de satin bleu. Elle regarda un moment la vieille dame aux yeux tristes qui la fixait dans le miroir. Comme le temps avait passé vite ! La taille gracile s'était épaissie légèrement ; les petits seins avaient fondu ; les bras s'étaient décharnés ; les cuisses ne s'étaient plus ouvertes pour quelqu'un depuis bien longtemps. Elle se tourna vers le grand lit vide. Il était aussi invitant qu'un tombeau. Aurélie enfila une robe de chambre et descendit l'escalier sur la pointe des pieds. Elle entendit Simone ranger la vaisselle dans la cuisine, soulagée de ne pas l'avoir croisée. Elle ouvrit sans bruit la porte qui menait au sous-sol et descendit rapidement l'escalier pour gratter doucement à la porte de la grande chambre du fond. La porte s'ouvrit aussitôt.

— Tu m'attendais?

— Je savais que vous viendriez.

— Ici, on peut se tutoyer.

— Tu me l'avais interdit il y a bien longtemps. Tu te rappelles?

Elle fit signe que oui et s'appuya contre sa poitrine. Jean-Paul passa ses bras autour de ses épaules et la serra contre lui. Il ajusta sa respiration à la sienne et lui caressa le dos. Elle se mit à sangloter tout doucement.

La première fois qu'elle avait franchi la porte de cette chambre, c'était à l'automne de 1970, le 17 octobre, plus précisément. Elle se souvenait très bien de la date parce que c'était le jour où Pierre Laporte avait été assassiné.

Pierre Elliott Trudeau était devenu premier ministre du Canada deux ans plus tôt, à la suite de la démission de Lester B. Pearson. C'était le début de la trudeaumanie. Le jeune premier ministre soulevait les foules et semblait avoir les coudées franches pour faire ce qu'il voulait. Daniel Johnson était décédé en plein mandat et Jean-Jacques Bertrand l'avait remplacé comme premier ministre du Québec. René Lévesque était aux commandes du Parti québécois. Jean Lesage avait quitté la politique, laissant derrière lui un parti désorienté.

Les libéraux avaient dressé, en fonction de leurs sondages, le portrait-robot du candidat parfait: jeune, sérieux, tourné vers l'avenir. Richard était donc devenu l'inconnu propulsé au sommet et, au mois de janvier, le chef du parti. Il se préparait fébrilement pour les élections d'avril au Québec. Aurélie ne le voyait presque plus. Il passait tout son temps avec ses conseillers. Depuis son retour d'Oxford, Larry White s'était installé à Montréal pour travailler dans une grosse firme d'avocats. Après avoir souvent revu son ancien colocataire, il était devenu l'un de ses conseillers, puis son principal conseiller. Richard pouvait lui téléphoner en pleine nuit pour lui soumettre des idées.

Le slogan des cent mille emplois, solide comme une accroche publicitaire, et la défense du fédéralisme rentable avaient été ses chevaux de bataille. Lorsqu'on ajoute à cela la peur du séparatisme prôné par le Parti québécois et le déménagement hautement médiatisé de fonds bancaires vers Toronto à bord d'un cortège de camions blindés de la Brinks, on obtient un nouveau premier ministre libéral élu avec une forte majorité. Et la victoire n'était pas que pour Richard. Charles avait suivi les traces de son beau-frère: il s'était présenté dans le comté de Richelieu où il avait été élu député. Aurélie s'empressa de lui téléphoner pour le féliciter. Elle entendit Aline crier sa joie de façon hystérique. Les bouchons de champagne sautaient déjà dans la maison du nouveau député.

Le nouveau premier ministre du Québec, accompagné de sa famille, alla au bureau du parti remercier ses partisans et faire une conférence de presse. Il était si ému qu'il ne faisait que sourire, serrant mille fois les mains de ses conseillers, qui l'entouraient. Ce fut la fête ce soir-là dans la maison d'Outremont. Là aussi, on ouvrit des bouteilles de champagne.

Laurent et Gisèle étaient fiers de leur père et ils se demandaient si cette nouvelle situation changerait quelque chose dans leur vie. Aurélie ne se posait pas la question, ne voulant pas trop se mêler de la vie de son mari. Elle avait pris, avec les années, une distance qu'elle trouvait salutaire pour sa santé mentale. Moins elle en savait, mieux elle se portait. Et Richard avait la délicatesse de ne lui confier que le strict nécessaire. Il savait que s'il avait besoin d'elle, elle serait toujours à ses côtés pour le défendre, l'épauler, le soutenir, peu importe la cause. Aurélie avait toujours fui les journalistes et elle avait bien l'intention de continuer à le faire.

Menant toujours une vie presque monacale, Richard buvait peu. Le champagne, ce soir-là, lui fit tourner la tête. Ce fut du moins sur le compte de l'alcool qu'il mit ses débordements. Et Aurélie tenait vraiment à le croire, essayant elle-même de se convaincre qu'elle avait mal vu parce qu'elle avait trop bu. Ce geste furtif de la main, cette caresse sur la nuque. Mais était-ce seulement une caresse? Tout se passa plutôt dans le regard. La cuisine était à peine éclairée, mais Aurélie vit bien deux corps qui se rapprochèrent, s'effleurèrent. Elle recula un peu et toussota avant d'allumer le plafonnier. Larry leva une bouteille de champagne pour la saluer.

— Ma belle Aurélie, on boit toujours le meilleur champagne chez toi. Tu es une femme merveilleuse.

Elle ne dit mot, fixant son mari. Il lui sourit, un peu embarrassé, puis il s'approcha d'elle et lui caressa la joue.

— J'ai trop bu, mon amour. Je vais aller me coucher. Tu me rejoins ?

Aurélie le regarda, étonnée. Ces petits gestes d'affection étaient devenus si rares. Et ils faisaient chambre à part depuis si longtemps. Mais elle n'eut aucune difficulté à se persuader qu'elle avait mal vu. Il n'y avait eu aucune caresse. Seulement deux hommes un peu ivres qui s'étaient cognés au comptoir de la cuisine. Quand tout le monde fut parti, elle entrouvrit la porte de la chambre de Richard. Il dormait profondément. Elle alla dans sa propre chambre et essaya de dormir. Le sommeil ne vint que tard. Le film de sa vie se déroulait dans sa tête. Elle essayait de l'arrêter, d'effacer ces doutes, ces regrets. L'amour perdu de Laurent, la perte de Laurence, le départ d'Ariane et d'Edmond, son mariage solide et terne, ses enfants de plus en plus distants, la solitude qui l'attendait à chaque détour. Elle allait avoir quarante-huit ans en juillet et elle avait l'impression que les numéros s'inversaient ; elle sentait le poids de quatre-vingt-quatre années sur ses épaules. Le lendemain matin, tout était revenu à la normale, du moins à la routine. Les enfants étaient au collège ; Richard était parti préparer sa nouvelle vie politique ; la bonne philippine nettoyait le salon pendant que la cuisinière préparait le repas du midi.

Aurélie passa les vacances estivales au manoir avec les enfants, et Richard les passa à Québec. L'automne arriva avec la rentrée scolaire et le retour à Outremont. Aurélie trouvait que la vie d'épouse de premier ministre se déroulait dans le calme, quelques visites par-ci, quelques rencontres par-là, des sourires, et elle pouvait retourner à sa vie privée sans problème.

Le 5 octobre, le Front de libération du Québec kidnappa le diplomate britannique Richard Cross et tout bascula. Ottawa refusa les demandes du FLQ en échange de la libération de leur otage: la publication de leur manifeste, la libération des militants considérés comme prisonniers politiques et la réembauche des employés de la compagnie de transport de courrier Lapalme, une compagnie de sous-traitance dont le contrat avait été annulé par le ministère des Postes, laissant quatre cents personnes sans emploi. Le manifeste du FLQ fut lu trois jours plus tard à la télévision de Radio-Canada. Le 10 octobre, ce fut au tour du ministre du Travail du Québec, Pierre Laporte, d'être enlevé. Aurélie voyait très peu Richard, enfermé dans ses bureaux de premier ministre. Elle lui parlait au téléphone. Il n'essayait même plus de la ménager.

— Je vais leur laisser croire que j'accepte de négocier avec eux. Mais je sais que ça nous permettra seulement de gagner un peu de temps. Va au manoir avec les enfants.

— Tu penses qu'ils pourraient les enlever?

— Comment savoir ce qu'ils ont derrière la tête?

Quand Aurélie demanda à ses enfants de faire leurs bagages, elle se heurta à un refus de la part de Laurent.

— J'ai pas l'intention de me cacher comme un lâche. Qu'est-ce qu'ils vont dire à Brébeuf? Que je suis une poule mouillée? Il faut tenir tête à ces gens-là. Tu veux qu'ils prennent le contrôle du pays?

— Ce sont des terroristes, Laurent. Et tu es, avec ta sœur, une cible de choix.

— Je plierai pas, maman. Je peux aller dormir chez des copains différents tous les soirs, si ça peut te rassurer. Et il vaut mieux ne pas attirer l'attention avec des gardes du corps.

— Ton père n'acceptera jamais ça.

Aurélie eut plus de succès auprès de Gisèle qui accepta d'aller au manoir pour quelques jours seulement, question de ne pas manquer trop de cours.

— Après, je pourrai aller chez tante Muriel.

— Je ne pense pas que ce soit une bonne idée.

Muriel avait cessé de voyager depuis quelques mois. Elle s'était retrouvée enceinte pour la première fois à trente-quatre ans. Paul était fou de joie. Muriel ne savait pas encore si elle devait se réjouir. Elle allait accoucher en décembre. Tout la fatiguait; elle avait les nerfs à vif. Sa vie de globe-trotter semblait compromise. Comment partir avec un jeune bébé, ou même un petit enfant? Pour quelques jours, elle pouvait toujours s'arranger, mais il lui fallait faire une croix sur les voyages de plusieurs semaines. Paul tenait à la rassurer. Il ne partirait plus pour de longs voyages. Il en ferait plusieurs de plus courte durée. Muriel souriait, heureuse d'avoir finalement accepté d'épouser cet homme qui était encore si proche d'elle. Ils faisaient tout ensemble, comme un couple soudé par le bonheur.

Richard accepta finalement l'idée de Laurent d'aller dormir chaque soir chez un ami différent, mais le garde du corps continuerait à le surveiller, s'efforçant simplement d'être plus discret. Le jeudi 15 octobre, Aurélie partait à l'aube pour Sorel avec Gisèle. Le soir même, Richard lui annonçait que Pierre Elliott Trudeau était sur le point de décréter la Loi des mesures de guerre.

— Il peut faire ça, en temps de paix?

— Bien sûr qu'il peut faire ça. C'est le seul moyen de défense législatif qui soit à notre disposition. Les syndicats, la gauche, les souverainistes prennent trop de place. J'assume mes responsabilités, ma chérie. Il faut crever l'abcès au plus vite.

— Et qu'est-ce qu'il va se passer?

— Les militaires vont protéger les personnes et les bâtiments. La police pourra donc se concentrer sur la recherche des felquistes, en ayant le droit de perquisitionner chez les personnes soupçonnées d'en faire partie et éventuellement de les arrêter.

La Loi des mesures de guerre fut en effet décrétée dans la nuit. Le vendredi matin, l'armée canadienne prenait le contrôle du Québec et s'installait dans les quartiers riches et les édifices gouvernementaux. Aurélie prenait son petit-déjeuner dans la salle de séjour, admirant le fleuve, quand elle entendit des véhicules dans l'entrée. La bonne vint lui dire qu'un officier voulait la voir. Le capitaine Béliveau lui annonça qu'il plaçait quelques-uns de ses hommes autour du manoir.

— C'est vraiment nécessaire?

— Oui, madame. Ne vous inquiétez pas, mes hommes veilleront sur vous et votre famille.

Il la salua et sortit. Un hélicoptère survola le domaine un moment. Le temps était froid et pluvieux. Le vent s'était levé sur le fleuve, faisant moutonner l'eau grise. Les feuilles quittaient les arbres en tourbillonnant. Aurélie regarda le paysage. Elle avait le même état d'âme.

Gisèle se montra tout excitée par les uniformes kakis qui circulaient entre les arbres. Un planton faisait le guet devant la porte. La jeune fille trouvait mille occasions pour sortir afin de le voir se pousser sur le côté, la saluer, puis se remettre à surveiller les environs à la recherche d'un homme embusqué. Il avait une gueule de gamin sous son casque métallique, un visage rond et des yeux mobiles comme des billes. Aurélie mit fin à ce va-et-vient, suggérant à Gisèle d'apporter plutôt du café bien chaud à ceux qui patrouillaient dans le parc et le long du fleuve.

Aurélie était recluse au manoir; les actions felquistes l'inquiétaient, le mutisme de son mari aussi. Richard était maintenant à Québec. Face aux coups de force d'Ottawa, les journalistes l'accusaient d'avoir peu d'autorité sur le cabinet, de ne pas livrer la marchandise, de refuser d'aborder franchement la question, d'être le champion du zigzag. Cet être insaisissable donnait l'impression d'être un mou, un faible, une girouette. Il déviait pourtant rarement de son idée première. Sous le masque de l'ambiguïté, il était un modèle de détermination, mais seuls ses proches le connaissaient ainsi.

Aurélie savait que tout politicien était un peu comédien et que tout négociateur compétent maîtrisait l'art de la feinte. Richard n'était pas le seul à avoir lu Machiavel. Pierre Trudeau en était le parfait émule. Avec le décret de la Loi des mesures de guerre, des centaines de personnes étaient emprisonnées sans raison, des milliers de foyers étaient fouillés sans mandat. La police en profitait pour faire le ménage de tous ces barbus aux cheveux longs qui vivaient de slogans, distribuaient des tracts et lisaient le *Petit Livre rouge* de Mao.

La télévision était ouverte en permanence, la radio aussi. Le lendemain, le cadavre de Pierre Laporte était découvert dans le coffre arrière d'une auto stationnée à l'aéroport de Saint-Hubert. Le ministre du Travail était mort par strangulation. Aurélie eut un choc en apprenant cette nouvelle. Ces gens étaient donc prêts à tuer pour leur cause? Gisèle était à ses côtés. Elle trouva soudain moins drôle d'être entourée de militaires. Le téléphone sonna. Elles sursautèrent toutes les deux. Laurent les appelait pour les rassurer.

Cette nuit-là, Aurélie ne parvint pas à s'endormir. Elle n'avait pas peur d'être enlevée ou tuée; elle avait peur de ne pas avoir assez vécu avant de mourir. Sa jeunesse aventureuse et mouvementée avait cédé la place à une maturité terne et froide. Elle se leva et erra un peu dans la maison. Les soldats étaient à leur poste; le manoir était silencieux. Elle entendit soudain un craquement au sous-sol. Les battements de son cœur s'accélérèrent, puis elle vit Jean-Paul, le nouveau chauffeur embauché l'année précédente, qui montait l'escalier.

— Je m'excuse, madame, je ne pouvais pas dormir.

— Moi non plus. Vous voulez un peu de lait chaud?

— Volontiers.

Aurélie fit chauffer du lait tout en surveillant, par la fenêtre se trouvant à côté de la cuisinière, les militaires qui faisaient leur ronde. Elle tendit la tasse de lait à Jean-Paul. Sa main tremblait. Il déposa la tasse et lui prit les deux mains pour les masser.

— Ça va vous détendre.

Elle se laissa faire un moment, puis elle se rapprocha de lui. Elle glissa son bras sur ses épaules et caressa sa nuque. La même caresse furtive que celle qu'elle avait entrevue quelques mois plus tôt. Elle ne voulait plus se mentir: c'était bien la main de Larry sur la nuque de Richard. Jean-Paul avait trente-quatre ans; elle en avait quatorze de plus. Il pencha un peu son visage; elle attrapa ses lèvres avec sa bouche. Le temps, l'espace, la vie, la mort, tout cela n'existait plus. Il ne restait que son corps fébrile, son désir inassouvi, son besoin de chaleur humaine, de tendresse. Jean-Paul murmurait «non», tout en la serrant fortement entre ses bras. Elle descendit ses mains sur ses fesses.

— Je peux aller dans ta chambre?

— C'est de la folie, vous êtes la patronne.

— Je ne suis plus la patronne, je suis une femme qui a envie d'un homme, de toi, de ton corps élancé et solide. Je te prête mon corps si tu me prêtes le tien.

Pour toute réponse, Jean-Paul enfonça sa langue dans sa bouche. Il n'avait jamais pensé qu'une telle chose pourrait se produire un jour, même s'il avait toujours trouvé Aurélie jolie et charmante. Elle était aimable, mais distante comme une patronne se devait de l'être avec son employé. Il la conduisait où elle voulait, l'attendait, l'aidait à porter les paquets, comme le brave Léopold l'avait fait pratiquement jusqu'à sa mort. Depuis qu'il était premier ministre, Richard avait son propre chauffeur et Jean-Paul ne s'occupait plus que de madame et de ses enfants qu'il allait souvent conduire à l'école. Il aimait cette vie régulière et rangée. Il avait l'impression d'avoir trouvé une famille.

Il avait d'ailleurs pris cet emploi pour fuir une épouse, une vie dont il ne voulait plus. Sa femme buvait souvent, beaucoup, et finissait par tout lui lancer par la tête avant de fondre en larmes en lui demandant pardon. Il l'aimait et se montrait toujours indulgent. Mais quand il avait appris qu'elle s'était fait avorter parce qu'un bébé était «trop de troubles» et qu'elle voulait garder sa taille fine et ses gros seins appétissants, quelque chose s'était brisé en lui. Il n'avait plus envie d'elle, ni de la voir soûle toutes les fins de semaine.

Il conduisait un camion pour une grande brasserie et, contrairement à sa femme, il était sobre et responsable. Il connaissait bien le député de son comté. C'est lui qui l'avait recommandé à son collègue, le député de Mercier. Une semaine après qu'il fut devenu le chauffeur des Beaulieu, sa femme partait avec un camionneur américain sillonner les routes du sud des États-Unis. Jean-Paul avait rassemblé ses quelques affaires et s'était installé à demeure chez ses patrons. Il avait enfin la vie tranquille dont il avait rêvé.

Et voilà qu'il gâchait tout en dévorant Aurélie qui avait déjà la main dans son pantalon de pyjama. Il perdrait sans doute son emploi dès qu'elle reprendrait ses sens. Mais il ne pouvait lui faire l'affront d'un refus, d'autant plus que son propre désir était bien visible. Elle l'entraîna au sous-sol dans sa chambre. Ils avaient tous les deux un profond manque d'affection à combler. Ils s'aimèrent comme si c'était la dernière nuit de leur existence. Aurélie s'endormit dans ses bras. Il la secoua doucement quand il vit l'aube se pointer de la large fenêtre. Elle se leva et l'embrassa tendrement.

— Cette nuit n'a existé que dans notre imagination, Jean-Paul. Nous avons rêvé tout ça. Je te remercie.

Elle monta rapidement l'escalier, traversa la salle à manger avant que la bonne ne se lève et monta à sa chambre. Elle se jeta sur le lit en souriant. Quelle nuit magnifique! Presque l'intensité de l'après-midi parisien avec Laurent, les sentiments en moins. Elle avait découvert que son corps n'était pas mort. Comme c'était rassurant!

Les rapports entre la patronne et le chauffeur furent toujours cordiaux. Aurélie fit installer dans la chambre de Jean-Paul un téléviseur, un immense lit, bref, tout le confort. Les autres employés jalousaient un peu le chauffeur, mais tous ne firent que passer alors que lui demeura. Aurélie ne voulait pas d'un amant avec domicile fixe et elle n'oubliait pas qu'elle était l'épouse d'un homme politique. Il lui arrivait donc rarement de s'inviter dans la grande chambre du sous-sol. Mais il y avait des moments difficiles où elle avait besoin de se sentir réconfortée par un corps d'homme. Et Jean-Paul était toujours là pour elle. Comme en ce moment où il l'allongeait sur le lit.

— Ce n'est plus de notre âge, Jean-Paul. Je ne suis qu'une petite vieille ratatinée. Épargne-nous l'humiliation.

— L'humiliation? La tendresse n'a rien d'humiliant. Tu as peur que Simone t'entende jouir?

Aurélie se mit à rire.

— Parce que tu crois que ça risque de m'arriver?

Il commença à lui caresser un sein, tournant son doigt avec légèreté autour de l'aréole. Aurélie sentit que ça risquait effectivement de lui arriver.

— Au diable Simone, je n'ai plus de comptes à rendre à personne.

Lorraine tournait en rond dans son atelier comme un poisson rouge dans son bocal. Elle avait photographié sa photo de baptême, avait agrandi le visage du poupon entouré de cheveux foncés et elle en avait épinglé des copies sur le babillard de liège. Elle avait passé la soirée et une partie de la nuit dans la chambre noire, incapable de dormir. L'aube l'avait surprise avec une migraine qui l'avait forcée à s'étendre sur le lit. Elle avait réussi à s'endormir pour se réveiller vers midi. Elle ne savait plus quoi faire, quoi penser. Le visage flou du bébé la regardait, presque moqueur. Quelqu'un s'était servi d'elle. Qui? Ce Bernard inconnu pour ne pas voir pleurer son amante ou Aurélie pour se trouver une descendance? Peu importait le nom du responsable, le résultat était le même: son identité avait été attaquée; toute sa personne, bafouée. Elle connaissait Aurélie, du moins assez pour être tentée de croire en sa bonne foi. Mais qui était donc ce Bernard, mort et maintenant inaccessible? Il n'y avait qu'une seule façon de le savoir: chercher, fouiller. Cette pensée la fouetta et lui donna un peu d'énergie.

La photographe regarda l'heure. Elle avait le temps de se rendre à Sorel avant la fermeture des bureaux. Elle acheta un sandwich au dépanneur et monta dans la petite auto rouge. L'autoroute défila de nouveau. Lorraine se gara devant l'Hôtel-Dieu environ une heure plus tard. Le manoir était à deux pas. Sans même daigner regarder dans sa direction, elle entra dans l'hôpital. La réceptionniste l'envoya au bureau des archives. Lorraine était fébrile. Elle frappa à la porte entrouverte sans obtenir de réponse. Elle poussa le battant. Une jeune secrétaire était assise devant un ordinateur. Elle se tourna vers elle, surprise.

— Bonjour, j'aimerais consulter la liste des médecins qui ont travaillé ici.

— Vous voulez le nom de tous les médecins ?

— Oui, s'il vous plaît.

— Qui êtes-vous ? Vous êtes journaliste ?

Lorraine était tentée de dire oui. Elle n'avait pas de carte de presse, mais une carte de photographe qui lui avait servi au Liban. Mais comment justifier qu'une photographe vienne fouiller dans des archives ?

— Je suis documentaliste, je fais une recherche sur les débuts de l'hôpital pour un livre à paraître.

— Alors, vous êtes mieux de rencontrer sœur Cournoyer. Elle est au courant de tout et c'est pas les anecdotes qui lui manquent.

— Je vous remercie, mais je la verrai plus tard. La liste des employés me suffirait pour le moment.

— Nous n'avons ici que les cinq dernières années. Vous voulez les tout débuts ?

— Oui, le début des années cinquante.

— C'est loin tout ça.

La secrétaire se leva sans enthousiasme et quitta son bureau, suivie de Lorraine. Elles prirent l'ascenseur pour se rendre au sous-sol où étaient classés les plus vieux documents. Des montagnes de boîtes en carton étaient empilées sur de grandes étagères métalliques. La jeune femme se rendit tout au fond.

— Je peux avoir votre nom ?

Lorraine hésita un instant. Son nom, son identité ? Lorraine Laurence Léveillée Beaulieu Dumontel. La secrétaire s'était arrêtée pour la regarder d'un air interrogatif.

— Oui, bien sûr. Lorraine Léveillée.

Il n'y avait pas beaucoup de boîtes pour les années cinquante ; la paperasse devait être moins volumineuse à cette époque. Lorraine aida la secrétaire à descendre deux boîtes et à les déposer sur une table à l'entrée de la salle.

— Je ne peux pas vous laisser sans surveillance et j'ai du travail, alors faites vite, s'il vous plaît.

— Je peux faire des photocopies, ça ira plus vite que tout recopier. Je paierai les copies.

La jeune femme hésita. Pouvait-elle laisser quelqu'un fouiller dans cette paperasse? Devrait-elle en parler à son patron avant de lui en donner l'autorisation? Il lui reprochait déjà de manquer d'initiative. Elle terminait son travail dans moins d'une demi-heure, et cette documentaliste avait l'air bien sympathique. Et puis, ces registres dataient de presque cinquante ans. Il devait y avoir prescription.

— Bon, d'accord.

La fausse documentaliste sortit une série de dossiers dont elle photocopia toutes les feuilles sans prendre le temps de les regarder. Ce travail terminé, elle remit tout en place, et la secrétaire referma la salle. Lorraine la remercia chaleureusement et se hâta de sortir de là avant de trop éveiller la curiosité.

La photographe entra dans son auto en tremblant. Elle avait l'impression qu'elle venait de commettre un vol. Elle déposa la pile de feuilles sur le siège du passager, fit demi-tour pour ne pas voir le manoir et reprit l'autoroute. La nuit était tombée quand elle arriva à son atelier. L'hiver s'installait avec ses longues heures sombres. Lorraine acheta de la nourriture et du vin. Après avoir rempli le frigo, elle s'installa à sa table et lut les copies des archives.

Elle trouva rapidement la liste des bébés nés en 1950. Le médecin qui les avait presque tous mis au monde s'appelait Bernard Lamoureux. Et Lorraine Léveillée était bien là, l'heure de sa naissance rectifiée au stylo. Mais il y avait souvent de petites corrections de la sorte, un neuf changé en huit, un cinq remplaçant un trois. Des erreurs humaines qui ne faisaient crier personne à la fraude. Bernard avait enfin un nom de famille. Et il avait fait naître aussi une petite Laurence morte moins de trente-six heures plus tard.

Aurélie connaissait donc ce Bernard. Elle lui avait même fait assez confiance pour le laisser l'accoucher de

201

ses deux autres enfants. Lorraine regrettait maintenant d'avoir laissé la lettre au manoir. Elle aurait pu comparer les signatures. Elle était pourtant persuadée qu'elles étaient identiques. Il n'y avait que deux solutions. Soit la lettre était authentique et ce Bernard était un salaud; soit elle était fausse et Aurélie avait payé un excellent copiste pour imiter l'écriture de Bernard. Ou Bernard lui-même avait accepté ce petit jeu. Pour quelles raisons? L'argent, le chantage? Qui était donc ce Bernard Lamoureux?

Lorraine appela les renseignements pour demander s'il y avait un Bernard Lamoureux dans la région de Sorel. Ce n'était pas le cas. Puis elle consulta le bottin téléphonique de Montréal. Les Lamoureux étaient nombreux. Les B. Lamoureux, un peu moins. Lorraine prit le combiné du téléphone, le cœur serré, la gorge nouée et les paumes moites. Qui répondrait dans la maison d'un mort? Sa veuve, un de ses enfants, un répondeur laissé branché par les héritiers? Elle composa un premier numéro. Pas de Bernard, mais un Bertrand. Elle eut droit ensuite à un Benoît, un autre Bertrand, une Brigitte, un Bruno, un Bernard plombier et deux répondeurs dont le message ne spécifiait pas le prénom de leur propriétaire. Lorraine raccrocha aussitôt, se contentant de noter l'adresse qui correspondait à ces numéros. Puis elle se dit que le médecin avait sans doute un numéro confidentiel.

Lorraine pensa au notaire Dansereau. Elle perdrait sans doute son temps avec lui. Il ne l'aiderait jamais, se retranchant derrière le secret professionnel. Elle regarda les feuilles éparpillées sur la table. Un nom revenait souvent: garde Provencher. Elle avait lu ce nom récemment et elle cherchait à se rappeler où. Un journal, une photo de groupe d'infirmières retraitées. Lorraine ferma les yeux pour mieux les visualiser. Cinq, non, six vieilles dames autour d'une table, les cheveux blancs, un grand sourire aux lèvres. L'article parlait des préparatifs du cinquantième anniversaire de l'hôpital qui aurait lieu en juin. Lorraine soupira. Il lui faudrait retourner à Sorel, aller au journal *La Voix* demander des informations, essayer de trouver cette garde Provencher. Elle se leva et se prépara à manger. L'atelier n'était pas un appartement accueillant et chaleureux, plutôt un pied-à-terre délaissé trop souvent. Lorraine alluma la radio pour ne pas déprimer davantage.

La nuit fut agitée et entrecoupée de rêves douloureux. Lorraine ne pouvait plus se rappeler le visage de Jeanne, à peine celui d'André. Ils se querellaient, se faisaient des scènes de jalousie dont le burlesque rappelait les personnages d'un théâtre de marionnettes. Lorraine n'y comprenait rien ; elle était certaine de n'avoir jamais assisté à ces querelles. Son esprit s'était mis à vagabonder, à imaginer un grand brun qui tenait Jeanne continuellement par la taille et l'embrassait dans le cou pendant qu'André parlait à sa femme sans remarquer la présence de l'amant dans l'ombre. Lorraine se leva tôt pour mettre fin à ces rêves ridicules. Elle prit un café en regardant la première neige descendre sur Montréal. Les passants semblaient surpris de ce qui leur tombait dessus, comme s'ils n'arrivaient jamais à s'habituer à ce phénomène qui revenait pourtant chaque année. La photographe prit une douche, chargea ses appareils de pellicules et reprit la route.

Les bureaux du journal étaient situés à l'étage d'un édifice dont la porte se confondait avec celles des boutiques et des restaurants de la rue Augusta. Lorraine put consulter sans peine les parutions antérieures du journal et trouva rapidement la photo des infirmières. La jeune réceptionniste lui mentionna même le nom de la maison de retraite où logeait madame Provencher, la plus âgée du groupe. Lorraine était étonnée de la confiance que manifestaient les gens à son égard. Ils étaient toujours serviables, ouverts, prêts à aider. La peur ne les habitait pas comme ceux qu'elle avait si souvent vus dans son travail, les traumatisés de la guerre, de la répression, de la mort vue de près.

La maison de retraite était de construction récente et ressemblait à un anonyme immeuble à appartements. Lorraine n'eut aucun mal à trouver madame Provencher qui regardait la télévision dans sa chambre. Lui parler était plus difficile. La vieille dame semblait hypnotisée par l'écran, fascinée par une recette de gigot d'agneau qu'elle ne préparerait jamais. Lorraine, qui connaissait la patience, s'assit doucement, attendant une pause publicitaire pour se présenter. Elle dut répéter son nom à trois reprises avant de comprendre que madame Provencher ne s'en rappellerait jamais. La vieille dame commençait à être un peu confuse. Lorsqu'elle entendit le nom de Bernard Lamoureux, ses yeux s'allumèrent et elle se mit à rire toute seule un bon moment.

— Vous l'avez bien connu? Comment était-il?

Le regard de madame Provencher s'arrêta pour la première fois sur la photographe.

— Vous venez prendre des photos? C'est pour le journal? J'étais belle avec le groupe à table, hein? J'avais l'air aussi jeune que les autres. Mais vous pouvez pas me poser comme ça. Je suis pas peignée et il faut que je mette une autre robe.

La vieille dame commença à s'agiter. En déposant ses appareils photos par terre, Lorraine lui promit d'attendre qu'elle soit prête pour la photographier.

— Odile, c'est bien Odile, votre nom? J'aimerais que vous me parliez de votre travail en salle d'accouchement. Vous avez dû en voir, des naissances!

Odile se calma un peu, fixant parfois les appareils photos, parfois l'écran de télé.

— Les bébés, ça manquait pas. C'était pas comme aujourd'hui, personne faisait des traitements pour avoir des enfants. C'était le contraire, les petits arrivaient les uns derrière les autres. Y avait des fois où on fournissait pas.

— Le docteur Lamoureux accouchait beaucoup de femmes?

Encore une fois, Odile éclata de rire.

— Ah, lui, il portait bien son nom! Lamoureux, toutes les femmes l'aimaient. Je savais que ça le perdrait un jour.

Lorraine attendait la suite, mais Odile se passionnait maintenant pour une publicité de couches pour bébés.

— Et comment ça l'a perdu?

— Le sexe. Ça perd toujours, le sexe.

— Comment ça? Il a été surpris avec une de ses patientes?

Odile la regarda, étonnée.

— Qu'est-ce que vous voulez, au juste?

Lorraine expliqua de nouveau le but de sa visite. Odile fit signe qu'elle se rappelait et continua de parler de Bernard. Apparemment, les femmes faisaient la file pour le consulter. Il était doux, gentil, et il avait des mains qu'on voulait voir courir sur son corps. Les yeux d'Odile clignotèrent.

— Allez pas écrire ça dans votre journal.

— Et pourquoi est-il parti de Sorel? Il y a eu un scandale?

— Sa femme, elle en avait assez de le voir sourire à toutes les femmes. On disait qu'il faisait des enfants à droite pis à gauche.

— Et c'était vrai?

— On exagérait là-dessus. Mais dans une petite ville des années cinquante, ça jase toujours un peu dès qu'un homme regarde une autre femme. Le pire, c'était pour son épouse. Personne n'aurait osé lui faire des reproches à lui, mais, elle, elle sentait bien les regards du monde dans son dos. La messe du dimanche est pas facile à passer quand t'as toute l'église qui se retourne à ton arrivée. Elle avait besoin d'une plus grosse ville. Surtout qu'elle avait aussi de jeunes enfants. Deux beaux petits garçons. Elle voulait pas attendre qu'on rie d'eux autres à l'école.

Odile monta le volume du téléviseur. Une émission commençait, la version française d'un *soap* américain. Odile semblait captivée et balançait la tête au rythme de la musique du générique. Lorraine dut attendre une pause pour questionner de nouveau l'infirmière.

— Et les bébés, il y en avait beaucoup parfois dans la pouponnière. Il n'y a jamais eu d'erreur... je veux dire: vous ne vous êtes jamais trompés sur l'identité d'un enfant? Ça ne doit pas être facile de les différencier, ils se ressemblent presque tous à la naissance.

— Pourquoi on se serait trompés? Les petits recevaient tout de suite leur bracelet, dès qu'on les avait nettoyés un peu. Pis, c'est pas vrai qu'ils se ressemblent tous. Ils ont tous un petit quelque chose de différent. À moins d'être jumeaux, bien sûr. Ceux-là, on faisait plus attention pour pas mêler le premier avec le deuxième.

— Et vous n'avez jamais vu le docteur Lamoureux changer un petit bracelet?

— On pouvait pas les changer. Pour les enlever, il fallait les briser. Je me souviens pas qu'un bébé ait brisé son bracelet. Pourquoi vous posez de drôles de questions de même?

Lorraine n'eut pas à répondre; le *soap* recommençait. Elle savait qu'elle n'obtiendrait rien de plus de la vieille femme. Elle ramassa ses appareils et s'éclipsa sans qu'Odile le remarque. Pourquoi n'avait-elle pas pensé à ces bracelets plus tôt? Elle retourna à son atelier encore plus troublée qu'avant. Comment avait-elle pu douter de Jeanne? Comment avait-elle pu penser que sa mère avait choisi un tel coq pour devenir enceinte? La lettre était sans doute fausse; Aurélie avait fabriqué toute cette histoire.

Sa photo de baptême l'accueillit dans son atelier et la jeta de nouveau dans le doute. Lorraine fouilla dans la petite malle. Avec les vêtements du baptême se trouvait un petit bracelet fait de perles de plastique roses enfilées sur une corde. Trois grains blancs portaient chacun une lettre gravée: L-O-R. C'était donc comme ça qu'elle avait été identifiée à la naissance. Écrire Lorraine au complet aurait pris trop de place sur un petit poignet de bébé. Laurence avait dû recevoir un L-A-U. Lorraine examina le bracelet. Une simple ficelle retenait les perles. Il était facile de la couper et d'enfiler d'autres lettres à la place, surtout si on avait accès aux petits grains blancs avec l'alphabet au complet.

Un air de jazz jouait en sourdine, langoureux. Le canapé tout neuf sentait encore la teinture du manufacturier. L'appartement avait de bonnes vibrations. Martin avait tout peint en couleurs claires et chaudes, des nuances de paille, de coquille d'œuf, de beurre frais. Des chandelles éclairaient la petite table près de la fenêtre, faisant briller les assiettes qui ne contenaient plus qu'un reste de la sauce des tortellinis. Simone était assise sur le canapé, un verre de vin rouge à la main. Martin la rejoignit avec une bouteille de vin qu'il déposa sur la table basse. Il prit son verre et s'assit à ses côtés.

— À nous deux. Au plaisir d'être ensemble.

Simone leva son verre, le choqua contre celui de Martin en souriant et but une gorgée de vin. Le repas avait été agréable. Martin avait essayé de créer une ambiance romantique dans son appartement fraîchement repeint. Simone appréciait les efforts qu'il avait faits pour préparer un repas alors qu'il était si peu habitué à cuisiner. Elle avait remarqué les fleurs fraîches sur la table, la lumière tamisée, les serviettes pastel dans la salle de bains et, par la porte entrouverte, le lit qui semblait avoir des draps aussi neufs que le reste. Elle avait passé les premières minutes à regarder Martin avec attention, lui cherchant des ressemblances physiques avec sa sœur. Il n'avait pas ses yeux verts, mais ils avaient beaucoup de choses en commun : une façon de marcher, de plisser les yeux en souriant, de regarder les autres avec un sourire en coin. Frères ou non par le sang, ils l'étaient dans la manière de vivre, de garder farouchement leurs distances, de n'abaisser leurs barrières qu'avec des gens de confiance.

Pendant le repas, Simone et Martin s'en étaient tenus à des généralités, histoire de se connaître un peu mieux, de mesurer leurs affinités. Après toutes ces années où ils s'étaient perdus de vue, ils avaient l'impression tous les deux de repartir à zéro, oubliant qu'ils avaient été des amants dans une autre vie, une vie tourmentée et douloureuse pour Simone, une existence insouciante et légère pour Martin. Le sujet de Lorraine n'avait occupé que quelques minutes de ce tête-à-tête. La photographe était retournée travailler à son atelier et prendre aussi un peu de vacances. Le contrat au manoir semblait terminé.

Martin n'en demanda pas plus. Il se sentait dangereusement bien avec Simone. À une autre époque, il aurait fui ce sentiment de confort, de bien-être, de peur de s'engager avec de grands mots qui riment avec toujours. Il se sentait maintenant plus serein. Le mot «toujours» lui semblait plus court à l'approche de la cinquantaine.

Simone posa son verre sur la table basse. Martin mit le sien à côté. C'était comme le signal du départ. Il caressa sa joue, elle approcha son visage et ils s'embrassèrent. Elle essayait de faire taire la petite voix qui lui disait qu'elle était trop vieille pour lui, qu'il n'aimerait pas son corps trop mature. Il lui caressa les seins et entrouvrit sa blouse. La petite voix se tut, étouffée par la bouche de Martin.

Pendant ce temps, Aurélie arpentait la salle de séjour, allait au salon s'asseoir devant la cheminée, retournait dans la salle de séjour zapper sur le téléviseur. Elle s'ennuyait ferme. Jean-Paul, excédé de l'entendre se promener ainsi, monta la voir.

— Tu veux faire une partie de Scrabble?

Elle se retourna, surprise.

— Simone n'est pas là. On peut se tutoyer, ou je suis redevenu monsieur le chauffeur?

— On peut toujours se tutoyer, Jean-Paul. C'est terminé, cette histoire de chauffeur.

— Tu me congédies?

— Ce que les hommes sont idiots parfois! Tu veux absolument un titre? L'amant de madame, l'homme à tout faire, le majordome? Qu'est-ce que tu dirais de «compagnon», tout simplement?

— Tu es trop vieille pour moi.

Il éclata de rire et l'enlaça.

— On n'a pas besoin de titre entre nous. On est des compagnons depuis longtemps.

— Oui, on en a vu des choses ensemble. Le problème, à mon âge, c'est qu'il y a trop de morts derrière et pas assez de vie devant. Tu crois qu'elle va revenir?

— Si la lettre n'est pas une mauvaise blague, elle reviendra. Elle finira par comprendre que tu es, comme elle, une victime de ce fou. Il faut lui laisser du temps.

— Du temps, c'est ce que j'ai le moins. Je n'arrive pas à croire que le docteur Lamoureux m'ait fait ça, m'enlever mon bébé. Et il m'a fait enterrer son enfant, c'est elle qui repose au cimetière avec Ariane et Edmond. Il avait beau aimer Jeanne, il n'avait qu'à lui faire un autre enfant. Comment a-t-il pu?…

— Comment savoir? Nous ne sommes pas toujours rationnels.

— Il n'y avait que Richard pour être rationnel, pour tout calculer avec sang-froid et détermination.

Aurélie sortit le jeu de Scrabble. Elle n'avait pas envie de remettre la machine à souvenirs en marche. Mais sa mémoire semblait avoir parfois une vie autonome. Il lui revenait des images du réveillon de Noël de 1970, lugubre à souhait. Richard, fatigué et tendu, avait retrouvé sa famille au manoir. Il passait beaucoup de temps au téléphone, récoltant diverses opinions et semant ses idées par la même occasion. Pas une seule décision n'avait été prise depuis le mois d'octobre sans tous les membres de son cabinet, ce qui l'obligeait à parlementer, négocier, convaincre et répéter sans cesse: «Faites-moi confiance.» Ses ministres avaient tous serré les rangs derrière lui.

La tante Mathilde était morte en novembre, entourée des siens. Son mari, Louis, l'avait précédée de cinq ans et elle était heureuse d'aller le rejoindre au paradis, comme elle disait. Les bouleversements rapides de la société québécoise l'avaient très tôt étourdie et c'était avec sérénité qu'elle avait fait ses adieux à ses enfants. Aurélie lui avait envié cette tranquillité, elle qui vivait dans son manoir bien gardé, comme une princesse dans son donjon. Le 3 décembre, le diplomate britannique James Cross avait été libéré et ses quatre kidnappeurs s'étaient envolés pour Cuba avec leur famille. Aurélie s'était sentie soulagée: la crise prendrait bientôt fin. Mais la tension demeurait et l'armée aussi.

Le manoir avait peu de décorations lumineuses et il y avait plus de soldats à l'extérieur que de personnes à l'intérieur. La tradition instaurée par Ariane s'était brisée après la mort d'Edmond et ne serait plus jamais renouvelée; il manquerait toujours quelqu'un à l'appel. Charles et Roland étaient restés avec leur famille immédiate, bien gardés par l'armée. Muriel avait accouché d'un beau petit garçon dix jours plus tôt et elle préférait une fête tout intime avec son mari et son fils. Elle se découvrait une fibre maternelle avec étonnement. L'envie de partir avait cédé la place au repli vers un petit être totalement dépendant d'elle. Elle passait des heures à admirer un plissement de sourcils, un mouvement des lèvres, de petits doigts se refermant sur le sien.

Même si la police promettait l'arrestation des assassins de Pierre Laporte pour bientôt, la peur était toujours bien présente chez les Savard et les Beaulieu. Seul Laurent semblait y échapper. Au début des vacances de Noël, il était resté à Montréal quelques jours. Depuis plus de deux mois, il se promenait d'une maison à l'autre. Ce mode de vie lui plaisait beaucoup. Il habitait dans les maisons cossues de ses camarades d'étude et il n'était pas rare qu'il s'échappe par la porte arrière. Il avait laissé la Jaguar dans le garage familial et prenait le métro pour aller prendre une bière dans les bars du Quartier latin. Il y rencontrait des garçons de son âge, dont plusieurs portaient la barbe, habillés comme lui de jeans et de chemises à motifs colorées ou à carreaux, mais de milieu bien différent.

Il pouvait admirer plusieurs jolies filles aux longs cheveux, aux yeux soulignés de khôl, dont la blouse dévoilait parfois un sein en transparence. Il y en avait une qui avait des yeux verts fascinants, mais elle se tenait toujours à l'écart, observant les autres en évitant de se mêler à eux, un appareil photo souvent caché dans son sac. Laurent avait aussi rencontré une jolie brunette qui avait de longs cheveux lui arrivant presque aux fesses. Elle riait souvent et lui avait plu immédiatement. Elle s'appelait Hélène et étudiait en arts. Plus d'une fois, il l'avait suivie avec ses nouveaux compagnons dans un vieil appartement de la rue Saint-Denis ou de la rue Ontario pour boire de la bière, fumer un joint qui circulait démocratiquement et écouter les groupes à la mode : King Crimson, Pink Floyd, Gentle Giant, Genesis, Tangerine Dream, Emerson Lake and Palmer. Laurent se sentait bien, accepté sans condition par les autres, garçons et filles. Il aimait particulièrement écouter les opinions sur la crise que tous vivaient en direct. À mesure que la soirée avançait, l'alcool et la marijuana aidant, ses compagnons devenaient plus volubiles.

— Si on leur fait peur en tant que Québécois, c'est qu'on existe, non ? On n'est pas juste une minorité ethnique.

— Trudeau veut solidifier l'unité canadienne, il est prêt à nous passer dessus pour ça, à tout détruire pour un Canada indivisible.

— T'as vu comment ils les ont envoyés à Cuba ? Ils savaient qui ils étaient. La police a laissé pourrir la situation pour avoir le temps de ficher tout le Québec.

— Ils ont peur des séparatistes.

— C'est pas en supprimant quelques pantins politiques qu'on va changer l'ordre des choses. Il y a aussi les banquiers, les businessmen.

— Il va falloir tout faire sauter.

— Ta gueule ! Les murs ont des oreilles. Tiens, toé, le nouveau, t'es pas un agent de la police montée ?

Laurent avait souri. S'ils avaient su qui il était...
C'était bien pire qu'un agent de la GRC. Mais le jeune
homme avait mis la main sur un exemplaire du
manifeste du FLQ et en avait souligné certains passages.
Il ne se gênait pas pour pousser la conversation.

— C'est pas de ma faute si j'ai les ongles propres, pis
s'il y a toujours eu de l'eau chaude chez nous. Alors,
pourquoi vous m'insultez en disant que j'ai une gueule
de bœuf? Moi aussi, je veux que le Québec prenne son
destin en main.

— On est entourés d'une clique de requins voraces
pour qui on est juste du *cheap labor*. L'exploitation a
assez duré. On vit dans la démocratie des riches. Les
libéraux ont été élus par les faiseurs d'élections.
Beaulieu, c'est le serin des Savard.

Laurent avait entendu dire que le nom de sa famille
était accolé à celui du chef de la mafia montréalaise en
tant que piliers financiers du Parti libéral. La pauvreté,
le chômage, les grèves, les taudis, tout cela avait une
raison: la trop grande richesse de quelques-uns. Il était
facile de penser que Richard Beaulieu pliait devant les
Savard. Laurent était pourtant persuadé que son père ne
pliait pas, qu'il ne faisait qu'onduler au vent en ne
perdant jamais de vue ses idées. Et il ne pouvait pas
laisser passer de tels propos.

— Et toi, tu ferais une meilleure job? T'imprimerais
de l'argent pour le distribuer aux pauvres. Ils pourraient
jouer au Monopoly avec. Richard Beaulieu est le serin de
personne.

— Qu'est-ce que t'en sais? Es-tu un serin, toi aussi?

Laurent n'avait fait ni une ni deux et avait envoyé
son poing au visage de ce petit barbu qui était tombé à
la renverse sur la table basse pleine de bouteilles de
bière et de cendriers. Dans la bousculade qui avait suivi,
Hélène avait attrapé son bras et l'avait entraîné vers la
sortie. Ils s'étaient retrouvés sous la neige, avec leurs
manteaux dans les mains. Ils les avaient enfilés en
souriant. Elle s'était approchée et l'avait embrassé. Il
l'avait enlacée en fouillant sous sa blouse. Elle s'était
dégagée en riant.

— Je savais bien que t'étais pas un serin.

Quand Laurent était retourné au manoir, sa mère avait su tout de suite qu'il n'était plus le même. Il lui avait parlé souvent au téléphone, mais il ne pouvait plus cacher aussi facilement les doutes qui l'assaillaient. Aurélie avait trouvé l'exemplaire du manifeste dans ses affaires.

— Ne me dis pas que tu es de leur côté.

— C'est pas une question de côté, maman. Je ne suis pas d'accord avec les moyens qu'ils prennent, mais, sur certains points, ils n'ont pas toujours tort. T'as jamais vécu dans un logement infesté de coquerelles avec de l'eau rouillée qui sort des tuyaux.

— C'est pour ça qu'on t'a envoyé dans un collège privé, pour que tu fréquentes des gens comme ça?

— Des gens comme ça, maman, il y en a partout. Et sais-tu quoi? Ils sont plus nombreux que nous autres.

Aurélie avait l'impression d'entendre les mêmes commentaires que pendant les grèves de 1937. Mais ce n'était plus le curé qui accusait la clique de Sorel du haut de la chaire; c'était son fils qui faisait ce qu'elle avait fait, aller s'informer pour comprendre ce qui se passait. Elle ne pouvait pas lui en vouloir. Mais elle ne pouvait pas, non plus, le laisser semer la pagaille dans la famille.

— Ne parle pas de ça à ton père. C'est Noël, un temps de paix.

— Ne t'en fais pas, maman. Tout ira bien.

Le réveillon fut tellement silencieux qu'Aurélie mit de la musique en sourdine pour ne plus entendre les bruits de couverts. Deux jours plus tard, les membres de la cellule Chénier, responsables de l'enlèvement du ministre Laporte, étaient arrêtés, marquant la fin de la crise d'Octobre. Les soldats retournèrent dans leurs casernes au début de janvier. Tout le monde essayait de revenir à une vie normale, mais le Québec avait changé. Les Québécois n'appuyaient la révolution que lorsqu'elle était paisible et tranquille. Marqués par les événements d'octobre, refusant la violence, ils n'en commençaient pas moins à acquérir un sentiment d'appartenance à une nation différente.

Aurélie retourna à Outremont avec ses enfants qui reprirent leurs études. Laurent revit de plus en plus souvent Hélène. Il se décida à la présenter à ses parents. C'était une fille simple, discrète, souriante. Elle plut à Aurélie qui se sentit soulagée de voir son fils avec une petite amie. Elle fut davantage surprise quand il lui annonça un peu plus tard qu'il voulait vivre avec elle dès l'obtention de son bac, au printemps.

— Tu veux vivre en union libre avec elle?

— Maman, tu es vieux jeu. Le mariage, c'est démodé. On s'aime, on vit ensemble. Si on ne s'aime plus, on se quitte tout simplement.

— Et qu'est-ce que tu fais de l'engagement profond, à vie?

— Tu parles de quoi? Du mariage politique? Même les politiciens virent de bord. Regarde, papa a donné le ministère du Travail à un ancien bleu. La couleur, ça marche plus maintenant.

— Et les enfants? Ils ont besoin de leurs deux parents auprès d'eux.

— On n'en a pas eu deux et on se porte pas si mal.

— Comment peux-tu dire ça? Ton père était près de vous.

— Oui, les fins de semaine. Je ne lui fais pas de reproches. Quand il était avec nous, il était vraiment présent. Et c'est très bien. Tu vois qu'on peut être heureux avec une vie comme ça. Il a son gouvernement, tu as ton manoir. Vous êtes mariés en vivant séparément. Moi, je peux vivre avec une femme sans être marié. Et je serai toujours là, je vais travailler à la maison. Je cherche une maison de campagne où je pourrai avoir un atelier pour dessiner. Hélène fera de la poterie.

_ Tu n'iras pas à l'université?

— Peut-être plus tard. Je verrai.

Aurélie baissa les bras. Que faire face à ce jeune adulte plein de certitudes? Ce joli discours eut un tout autre effet sur Richard. Il exigea que son fils se marie formellement. Il y avait bien longtemps que le manoir n'avait pas été le lieu d'une grande réception. Le mariage du fils du premier ministre ne devait pas se faire à la sauvette.

— Et si je refuse de le faire, papa?

— Et si je te coupe les vivres?

— Tu crois que la méthode forte fonctionne avec moi?

— Non, tu es aussi têtu que ta mère. Mais tu es intelligent. Tu peux aller t'enfermer à la campagne et disparaître. Ou tu peux affirmer publiquement que tu aimes Hélène. Si tu n'es pas prêt à faire ça, c'est qu'elle n'est qu'une aventure. Alors, couche avec et qu'on n'en parle plus.

Richard lui tourna le dos et sortit de la pièce. Il avait fait mouche. Laurent aimait Hélène; il l'aimait assez pour le dire publiquement.

Aurélie eut un choc en le voyant avec son pantalon rayé rouge et marine, une large ceinture étoilée soulignant ses hanches étroites, une chemise écarlate en dentelle ouverte sur sa poitrine glabre.

— Alors, maman, qu'en penses-tu? C'est *groovy*. Surtout qu'Hélène s'est fait faire une robe du même rouge. On va être les mariés de l'année.

Aurélie le regardait, incrédule. Elle ne reconnaissait plus son fils. Le petit Laurent qui demandait à son père de bricoler, le petit Laurent qui nageait comme un poisson, battant Richard à la nage, le grand Laurent qui haïssait tout ce qui était politique, refusant même d'aller au Parlement pour l'assermentation de son père comme député. Richard avait essayé de le prendre par la douceur, sans succès. Il s'était alors résolu à le menacer de lui retirer le cadeau de ses seize ans, une Jaguar rouge. Laurent avait plié; il aimait trop sa Jaguar. Et il voulait maintenant se marier en rouge au début de l'été. Il venait d'avoir vingt ans, Hélène en avait dix-neuf et ils étaient certains tous les deux d'être faits l'un pour l'autre. Avec son baccalauréat du collège Brébeuf, Laurent était décidé à se lancer en marketing et publicité. Il décorait déjà les murs de sa chambre d'affiches psychédéliques de son cru.

— Tu ne peux pas te marier en rouge, Laurent.

215

— Et pourquoi donc? Une loi l'interdit? Ou mon père va en faire voter une, c'est ça?

— Tu veux absolument lui faire honte?

— Maman, je n'en ai rien à foutre de ses histoires à lui. Il est mon père, d'accord, mais ça s'arrête là. J'ai ma vie à moi, mes amis, mes idées et bientôt ma femme, mes enfants. Je vous remercie de m'avoir élevé, éduqué, mais je ne resterai pas plus longtemps dans cette maison, ni dans ton manoir guindé. La vie est ailleurs et je vais aller la chercher, que tu le veuilles ou non.

— Ton père n'acceptera jamais que tu te maries habillé comme ça. C'est maintenant un homme public. Les journaux vont se moquer de lui.

— Ah oui? Parce qu'il a un fils original et bien de son temps? Je ne me marierai jamais habillé en croque-mort, c'est clair?

Laurent tint parole. Comme son père avait refusé sa tenue de mariage, il avait pris l'avion avec Hélène et ils s'étaient mariés à Mexico. Une courte cérémonie civile dans un bureau bondé près de leur hôtel. Ils avaient ensuite envoyé des photos à leurs parents respectifs. Vêtus de leurs tenues écarlates, ils souriaient dans une barque au Jardin flottant de Xochimilco, entourés d'embarcations pleines de fleurs multicolores. C'était presque une toile psychédélique avec deux visages souriants au centre. À leur retour, ils s'installèrent dans une vieille maison de ferme des Cantons de l'Est, et Hélène se retrouva enceinte.

Ayant peu de nouvelles d'eux, Aurélie se décida à leur rendre visite à la fin de l'été. Elle ne voulait pas arriver avec une limousine et un chauffeur, encore moins avec un garde du corps. Quand elle essaya de donner congé à ce dernier, il refusa. Monsieur l'avait engagé pour assurer sa sécurité, et même si les événements d'Octobre 70 étaient derrière eux, l'air était encore chargé d'émotivité. Il n'était pas question qu'elle voyage seule. Aurélie alla voir Jean-Paul. Celui-ci accepta son plan à une condition: il la rejoindrait une heure plus tard et la ramènerait, laissant le garde du corps conduire la Chevrolet de location. Aurélie se fit donc conduire chez son coiffeur. Le chauffeur et le garde du corps restèrent dans la limousine climatisée pendant que leur patronne sortait par la porte du fond pour se mettre au volant d'une banale auto beige que Jean-Paul avait garée là. Aurélie n'avait pas conduit depuis longtemps. Elle se sentit un peu mal à l'aise de manœuvrer elle-même cette grosse auto. Elle prit l'autoroute et roula, roula. Elle avait l'impression qu'elle n'arriverait jamais à destination.

Après Plessisville, elle prit une route étroite, puis un rang. Au bout de celui-ci, elle vit une maison au toit pentu. Deux lucarnes en décoraient la façade au-dessus d'une longue galerie bancale. Les bardeaux de cèdre étaient décolorés par le soleil, la pluie et le froid. La peinture autour des fenêtres s'écaillait. Aurélie gara l'auto derrière la Jaguar. Laurent voulait vivre dans la nature, mais avait gardé son bolide luxueux. Elle descendit de la voiture. Il semblait n'y avoir personne. Un grand chien noir sortit de nulle part et vint la renifler avec insistance. La porte avant semblait être condamnée. Aurélie passa par derrière. Deux gros chats noir et blanc dormaient au soleil; ils ouvrirent à peine un œil à son arrivée.

Elle cogna, puis poussa la porte moustiquaire. Elle fut accueillie par le bruit des mouches prisonnières des fenêtres. Une montagne de vaisselle sale s'empilait sur le comptoir de la cuisine. Une nappe couverte de miettes de pain et de restes de repas décorait la moitié d'une longue table de réfectoire. Une guitare était couchée au bout de la table. Des fauteuils poches remplis de billes de mousse étaient placés en rond dans ce qui semblait être le salon. Une imposante chaîne stéréo ornait le mur de crépi, et des rideaux de macramé faits de ficelles colorées pendaient aux fenêtres. Aurélie n'osa pas monter l'escalier raide et étroit qui se rendait à l'étage. Elle appela Laurent, Hélène, mais n'obtint aucune réponse.

Elle sortit et se dirigea vers la grange. Des chèvres se promenaient un peu partout; des moutons broutaient plus loin dans un vaste enclos. Elle entendit un petit cri.

Puis un rire en cascade. Hélène sortit en courant de la grange, sa longue robe de cotonnade ouverte sur ses seins. Elle s'arrêta net devant sa belle-mère. Laurent arriva juste derrière elle, torse nu, une érection bien visible dans son pantalon serré, mais qui ne dura pas longtemps à la vue de sa mère. Hélène avait reboutonné sa robe rapidement. Tout le monde se fit civil et courtois. Hélène offrit de préparer de la tisane; Laurent fit visiter les lieux, nommant chaque chèvre par son nom.

Aurélie accepta finalement de boire de la verveine en attendant l'arrivée de Jean-Paul. Une petite heure qui lui sembla bien longue. Pas seulement à elle. Elle n'avait plus rien à faire dans la vie de Laurent. Ce constat la chagrinait et la soulageait en même temps. Les choses avaient au moins le mérite d'être claires.

En avril 1971, devant des milliers de partisans rassemblés au Colisée de Québec, Richard dévoila le vaste projet hydroélectrique de la baie James. Ce chantier faisait partie des projets du gouvernement unioniste, battu aux élections de l'année précédente. Richard s'était emparé de l'idée pour redorer le blason de son gouvernement, malmené par les retombées de la crise d'Octobre. Il en avait fait l'étendard de son parti. Mettre en œuvre un chantier de cette envergure avait l'avantage non seulement de créer des emplois, mais aussi de raffermir l'amour-propre de la population en lançant ce défi à la nature et à ceux qui doutaient de l'esprit d'entreprise du gouvernement. Ce levier de développement accélérait aussi l'industrialisation du territoire québécois. Mais, un an plus tard, le chômage persistait toujours, les grèves et les lock-out sévissaient partout. Les syndiqués étaient soit dans la rue soit en prison et n'attendaient plus rien du gouvernement.

Le nouveau propriétaire du quotidien *La Presse* affrontait ses employés depuis juillet. À la fin du mois d'octobre, il décréta un lock-out général pour contrer une manifestation massive de solidarité à l'égard de son personnel. Le maire de Montréal sortit un règlement antimanifestation. La police interdit d'accès un grand quadrilatère autour de l'édifice du journal.

Quinze mille personnes bravèrent l'interdiction. Les présidents des trois grandes centrales syndicales québécoises ouvrirent la marche, bras dessus, bras dessous. Au square Viger, l'escouade antiémeute bloquait le passage derrière une double rangée de barrières métalliques. La foule manifestait bruyamment son appui. L'affrontement était inévitable. Les chefs syndicaux demandèrent à la foule de s'arrêter et ils s'avancèrent seuls vers les barricades. L'accueil des policiers fut brutal. Les chefs syndicaux furent refoulés. Les manifestants s'impatientèrent et la confusion prit le dessus. L'escouade antiémeute chargea avec une violence inouïe. Le lendemain, le bilan était de deux cents arrestations, cent quatre-vingt-dix blessés et un mort. Quatre jours plus tard, dix-sept mille personnes se retrouvèrent au Forum pour exprimer leur indignation. C'était le régime qu'il fallait casser. En une soirée, le maire de Montréal avait réussi à faire ce qu'il avait été impossible d'obtenir en dix ans: l'unité des travailleurs de toutes les centrales syndicales. Le Front commun était né. Le 9 mai 1972, un juge condamna les trois chefs syndicaux à un an de prison, et des manifestations eurent lieu un peu partout.

Cette sentence sévère étonna Richard et le rendit encore plus soucieux. Aurélie s'éloignait davantage. Elle ne reconnaissait plus l'homme qu'elle avait épousé, l'économiste, l'avocat féru de bons droits, celui qui voyait dans la politique une façon d'arriver à une plus grande justice, qui voulait refaire le monde au lendemain de la Seconde Guerre mondiale. Le monde était refait, mais de quelle manière? Ce soir-là, Richard revint tard de son bureau, ce qui lui arrivait très souvent, et alla s'asseoir près de sa femme au salon pour regarder les informations. Ils ne dirent pas un mot de tout le bulletin de nouvelles, puis il ferma le téléviseur.

— Après la Loi des mesures de guerre et l'emprisonnement des chefs syndicaux, je suis allé à la limite du régime.

— Après ça, tu pourras te faire pousser une moustache carrée et acheter des chemises brunes.

— Tu me vois vraiment comme ça? C'est toi qui me dis ça? Tu sais bien qu'aucune décision n'a été prise par moi seul. C'est Trudeau qui a imposé les mesures de guerre.

— Tu le lui as demandé.

— Tu crois que j'avais le choix? Les renseignements qu'on avait faisaient état de milliers de militants, d'armes, d'explosifs. Je ne pouvais pas laisser dégénérer la situation.

— Et tu vas me dire que les chefs syndicaux ont été emprisonnés à cause du maire de Montréal?

— C'est le juge qui a exagéré. Je pensais qu'ils auraient une ou deux semaines de prison. Mais un an! De quoi on a l'air à l'étranger, maintenant? Tu crois qu'on ne se rappellera de moi que pour ça? Comme on ne se souvient d'Adélard Godbout que pour son appui à la conscription alors qu'il a donné le droit de vote aux femmes, rendu l'instruction obligatoire, entrepris la première nationalisation de l'électricité.

— Il faudra peut-être faire autre chose que de la répression. Les gens sont épris de liberté, c'est la drogue du siècle.

— La liberté... c'est bien beau, mais personne ne veut assumer les responsabilités qui viennent avec. Faire ce qu'on veut et accuser les autres si on échoue, c'est trop facile. Et, toi, Aurélie, ta liberté, qu'est-ce que tu en fais?

Richard avait passé son bras autour de ses épaules. Aurélie le regarda un long moment.

— Je ne sais pas. J'ai l'impression que j'en ai peu. Je fais attention à ce que je fais, à ce que je dis, à la manière dont je m'habille, parce que je suis la femme du premier ministre. J'ai souvent l'impression d'être une fleur qui se fane sous les projecteurs. Mais, d'un autre côté, je peux être un modèle, donner l'exemple. Il est temps qu'on donne leur juste place aux femmes. Aux côtés des hommes, pas en arrière. Après tout, nous formons la moitié de la population.

L'année suivante, le gouvernement québécois créait le Conseil du statut de la femme à la suite des demandes du mouvement des femmes. Richard déclencha en octobre des élections anticipées et son parti fit élire cent deux députés sur cent dix, un record. Richard était toujours premier ministre, et Charles, député du comté de Richelieu. La vie semblait suivre son cours tranquille, l'été au manoir, le reste de l'année à Outremont. Laurent s'était un peu réconcilié avec sa famille, assistant aux anniversaires, aux réveillons de Noël et du nouvel an, avec sa femme et sa petite fille. Mélanie était née à la maison, dans l'humidité d'avril. Aurélie avait passé des heures à admirer sa petite-fille. Un amour inconditionnel la tenait soudée à cette enfant. Elle était prête à tout lui donner, à tout lui permettre. Ce bébé était le plus beau cadeau que la vie lui apportait après ces années difficiles. Laurent passait tout son temps à la campagne à ne pas faire grand-chose d'autre que contempler le paysage, gratter un peu sa guitare, s'occuper des animaux et peindre quelques toiles qui le laissaient toujours insatisfait. Hélène avait délaissé la poterie pour faire des émaux sur cuivre qu'elle vendait dans des boutiques d'artisanat. Mélanie grandissait dans un monde de douceur, entourée de ses parents.

Contrairement à son frère qui s'était retiré à la campagne, Gisèle s'était inscrite à l'université d'Ottawa pour faire des études en économie. Aurélie en fut surprise.

— Tu veux suivre les traces de ton père?

— Je ne pense pas à la politique. Mais il n'y a pas assez de femmes en économie. Tu l'as dit toi-même, il est temps qu'on prenne notre place.

— Mais tu peux faire ça à Montréal.

Gisèle avait vu son frère s'épanouir loin de ses parents. Elle avait donc choisi Ottawa pour avoir elle aussi une vie autonome. Elle ne savait pas comment le dire à sa mère.

— Il vaut mieux que je m'éloigne un peu. Je ne veux pas de journalistes qui observent mes faits et gestes.

Aurélie comprenait bien le désir d'indépendance de sa fille, même si elle aurait aimé la garder plus longtemps près d'elle. Richard était très fier de Gisèle.

Elle était studieuse, concentrée sur son travail et refusait de s'attacher à un homme. Ce qui ne voulait pas dire qu'il n'y avait pas de garçons dans sa vie. Mais dès qu'un amant voulait devenir son petit ami attitré, elle le quittait.

À la fin de juillet 1974, fort de ses cent deux députés et défiant les anglophones de son parti, Richard fit adopter la loi 22. Cette loi qui faisait du français la seule langue officielle du Québec, tout en reconnaissant deux langues nationales, le français et l'anglais, lui tenait à cœur depuis longtemps. Il se souvenait qu'à son mariage, Edmond avait accueilli presque tous ses invités en anglais. Il se rappelait aussi son propre père qui saluait ses patrons en anglais et passait ses journées à s'exprimer dans cette langue, même entouré de confrères franco-phones. Les Québécois devaient parler anglais s'ils voulaient travailler et obtenir une promotion, mais presque aucun patron ne se donnait la peine d'apprendre même à leur dire un simple «bonjour». Et plus ils avaient des postes d'importance, plus le français devenait la langue de la maison, de la famille, disparaissant du travail.

Les anglophones criaient à la trahison et au fascisme, les francophones devenant pour eux des nazis les brimant de leur liberté en les obligeant à apprendre une autre langue. Beaucoup d'encre se mit à couler au sujet de cette loi. Aurélie fut surprise que Larry en soit le fervent défenseur. Il avait passé deux ans à la Sorbonne après son séjour à Oxford et il aimait se considérer comme un homme appartenant au monde entier. Il épousa d'ailleurs Olivia, une poétesse suisse, en août. Ils formaient un étrange couple d'âge mur, partageant un immense appartement à Westmount toujours rempli d'amis venant des quatre coins du monde. Aurélie trouvait Larry de plus en plus ambigu, mais il n'était pas question pour elle de fouiller plus loin la vie de cet homme affable, dynamique et convaincant.

Aurélie assista, avec Richard et leurs enfants, aux funérailles de sa tante Violette, décédée à Westmount à l'âge de quatre-vingt-deux ans. L'église était remplie des enfants, des petits-enfants, des arrière-petits-enfants, de financiers, d'hommes politiques et de grandes bourgeoises venus saluer une dernière fois la douairière Savard. Violette avait vécu dans le luxe et était morte de la même façon. À voir l'assistance, on aurait pu croire à un grand mariage si les robes avaient eu une autre couleur que le noir.

Sa mort coïncida avec de nombreux débats à l'Assemblée nationale sur les conflits d'intérêts. Si la Maritime avait constitué l'élément le plus rentable des actifs de la SGF, un certain nombre de malchances et de bourdes avaient plongé les chantiers dans le déficit. La compagnie, en difficulté financière et ayant besoin de liquidités, avait vendu à la SGF ses parts dans les compagnies Forano et Volcano.

Plusieurs parlaient de conflit d'intérêts parce que le gouvernement, relié à la famille Savard, passait des lois pour sortir le joyau familial de ses problèmes financiers. D'autres affirmaient que le gouvernement se tirait avec un minimum de dégâts de la situation délicate dans laquelle l'avait placé l'administration de la Maritime. De là à accuser la tribu Savard de faire passer ses intérêts avant ceux de la collectivité, il n'y avait qu'un pas facile à franchir.

Aurélie lisait maintenant les journaux aussi avidement que Richard. C'était leur façon de prendre leur petit-déjeuner ensemble.

— Tu crois que tu vas avoir de gros ennuis avec ça?

— C'est ça, la politique, gérer tous les jours les gros ennuis.

— Pourquoi Charles a laissé aller tout ça?

— Charles s'est très peu occupé de la Maritime, tu le sais. Il préfère le Parlement, le Salon bleu, les discussions d'affaires autour d'une bonne table. Ce sont les descendants de Jules qui ont plus de vingt pour cent des actions.

— Et les enfants d'Edmond, huit pour cent. Et c'est sur nous que s'acharnent les journalistes.

— Normal, tu es la femme du premier ministre. Ça nuit sans doute aux affaires.

— Et ça te nuit, à toi ?

— Si ce n'était pas ça, ce serait autre chose. Mais je peux te dire que je ne regrette pas d'être marié à une méchante Savard.

Elle abaissa son journal et le regarda. Il lui souriait comme un gamin. Il y avait des moments où elle retrouvait le jeune homme qui lui avait plu. Ces moments magiques l'aidaient à relativiser tout ce qu'elle lisait et entendait chaque jour.

La ville de Montréal, après avoir ouvert les bras au monde entier lors de l'Exposition universelle, accueillit les XXIe Olympiades en juillet 1976. On avait construit pour l'occasion un stade devenu célèbre autant pour son toit de toile rétractable, les coûts exorbitants de sa construction que pour les nombreuses controverses qu'il suscitait. Richard, soucieux de l'image internationale qu'il projetait, avait accepté le poids d'un lourd déficit pour préserver la réputation de sa province à l'étranger. Au milieu du mois de novembre suivant, les Québécois retournèrent aux urnes. Cette fois-ci, Richard ne but pas de champagne et il n'y eut pas de fête dans la maison d'Outremont. René Lévesque devint le premier ministre du Québec, réduisant le Parti libéral à une mince opposition. Charles fut battu dans son comté. Même Richard ne fut pas épargné, subissant la honte de se voir remplacé dans son comté par un poète indépendantiste.

Un raz de marée qui laissa Aurélie sans voix. Elle ne savait pas trop ce qui s'était passé, une suite de petites choses qui avaient tout grugé, comme les gouttes d'eau au fil des jours sur la pierre. L'usure du temps. La perte de mémoire aussi. Cinq ans après la crise d'Octobre, trois ans après l'emprisonnement des chefs syndicaux, les Américains vantaient la stabilité du Québec. Les travaux de la baie James avançaient rapidement, faisant appel non seulement à des entreprises européennes et américaines, mais aussi à des firmes québécoises d'ingénierie qui étaient en train de se tailler une réputation internationale. Pour l'extension du métro de Montréal, Richard avait persuadé une compagnie de mettre de côté les motoneiges pour se lancer dans le transport en commun, une première étape vers sa transformation en multinationale. Il avait aussi instauré d'ambitieux programmes de santé, de soins dentaires gratuits pour les enfants, de médicaments gratuits pour les personnes âgées, d'aide juridique, d'assurance pour les récoltes, d'expansion des cégeps d'un bout à l'autre de la province. Mais on avait retenu de lui son manque de fermeté face au gouvernement fédéral et la corruption de son régime. Aurélie n'était pas fâchée de ne plus être l'épouse du premier ministre. Elle était surtout malheureuse pour Richard. Il ne vivait que pour la politique, que ferait-il maintenant?

La partie de Scrabble s'était terminée avec le mot «poète». Aurélie sourit à Jean-Paul qui ramassait les pièces du jeu.

— Tu te rappelles Gérald Godin? Richard était furieux. Mettre la politique dans les mains d'un poète, c'était un crime de lèse-majesté, complètement loufoque. Il ne s'en est pourtant pas si mal tiré, Godin. Il n'y a pas que les économistes qui comprennent la politique. La seule chose que Richard n'avait pas calculée, c'était que René lui volerait son poste de premier ministre. Le monde s'est écroulé pour lui quand il a perdu le pouvoir.

— Mais ce n'étaient que des élections.

— Oui, ça peut paraître anodin, vu comme ça de l'extérieur. Mais c'était toute sa vie, la raison réelle de son existence.

— Et toi, les enfants, les petits-enfants, ça ne comptait pas?

— Nous, nous lui étions acquis. Nous n'avons jamais eu à voter pour lui.

Jean-Paul se demanda si, obligés de voter, ils l'auraient fait en sa faveur. Mais il ne posa pas la question. Aurélie leva les yeux vers lui.

— Pourquoi tu ne prends pas une chambre en haut? Tu pourrais avoir l'ancienne chambre de Laurent, près de la mienne.

— Pourquoi je le ferais?

— Simone l'a fait pour être plus près. Je crois que c'était surtout pour m'entendre si j'avais un malaise.

— Qu'est-ce que tu veux, Aurélie, transformer tes domestiques en amis parce que tu te sens seule?

— C'est comme ça que tu te sens, mon domestique?

— Je ne sais pas. Ça fait des années que les choses sont claires, que ma vie est régulière comme une horloge. Je sais ce que j'ai à faire, à ne pas faire.

— Tu es pourtant chez toi, ici.

— Ma chambre, c'est chez moi.

— Tu peux t'agrandir et prendre tout le sous-sol si tu veux. Et si tu as envie de dépaysement, tu sais où est ma chambre.

— Ça fait trop d'années que je dors seul. Je suis trop vieux pour m'habituer à partager un lit et j'ai le sommeil léger. Toi aussi d'ailleurs. Mais je peux te chanter une berceuse pour t'endormir.

Ils montèrent tous les deux à la chambre d'Aurélie. Et c'est là que Simone les découvrit au petit matin. Jean-Paul était allongé sur le lit, tout habillé, alors qu'Aurélie dormait paisiblement sous les couvertures, la tête appuyée sur l'épaule de son amant. Simone recula doucement, sans faire de bruit, et descendit leur préparer un petit-déjeuner. Elle se sentait merveilleusement bien même si elle n'avait pas assez dormi. Martin et elle avaient fait l'amour, puis ils étaient restés enlacés à écouter de la musique. Elle n'avait pas envie de rentrer. Martin n'avait pas envie de la laisser repartir. Ils avaient donc dormi ensemble jusqu'à ce que le réveil sonne à cinq heures du matin. Martin devait être à son travail à sept heures à Montréal. Il surveillait différents chantiers en tant que consultant en ingénierie industrielle, passant une semaine ici, une semaine là. Avant de prendre la route de Montréal, il était allé la reconduire au manoir. Elle l'avait embrassé longuement.

— Ne me dis pas que tu vas téléphoner, les hommes ne téléphonent jamais.

— Alors, je viendrai te chercher samedi midi. Ça te tente, une virée dans les Cantons de l'Est? On peut aussi rester au chaud et louer des vidéos. La seule chose que je supporte pas, c'est d'aller magasiner.

La nuit avait été pénible. Il y avait eu beaucoup de vent, et le froid avait pénétré les vieilles pierres de l'immeuble, rendant l'atelier humide et glacial. Il faudrait encore toute une journée pour que le vieux système de chauffage rende les pièces confortables. Lorraine avait sorti son sac de couchage en duvet pour pouvoir dormir un peu. Elle s'était réveillée en sueur au matin. Un café à la main, elle avait regardé les adresses des deux B. Lamoureux. Plutôt que de tourner en rond, elle décida d'aller voir où ces inconnus habitaient.

Elle prit le pont en direction de Longueuil. Étant donné qu'elle allait en sens contraire de l'intense circulation matinale, elle arriva assez tôt devant un cottage de brique semblable à ses voisins. Seul l'aménagement paysager différenciait toutes ces maisons construites en même temps. La photographe s'arrêta pour examiner la demeure des Lamoureux. Au même moment, une auto grise se garait dans l'allée asphaltée. Une jeune femme en sortit, ouvrit la portière arrière et prit dans ses bras une jeune enfant. Lorraine la rejoignit.

— Bonjour, vous êtes madame Lamoureux?

— Oui, enfin, c'est le nom de mon mari. Pourquoi?

— Je cherche un Bernard Lamoureux, mais c'est un homme âgé. Ça ne peut pas être lui.

— Mon mari s'appelle Benoît. Son père s'appelait Bernard, mais il est décédé.

— Vraiment? Quand?

— Il y a longtemps, Benoît avait dix ou onze ans… Oui, ma chouette, pleure pas. On rentre… Elle n'aime pas ça, aller reconduire sa sœur à l'école.

La jeune femme se dirigea vers sa maison. Lorraine la remercia et retourna à son auto. Quand elle avait entendu le nom de Bernard, son cœur avait bondi. Elle regarda de nouveau le bout de papier où elle avait griffonné les adresses. Une dernière chance, une seule. Si ce n'était pas le bon Bernard, Lorraine mettrait fin à cette quête stupide. C'est du moins ce qu'elle se promit. Mais, se regardant dans le rétroviseur, elle grimaça, sachant cette promesse impossible à tenir. Le mal était fait. Elle voudrait toujours connaître la vérité, même si la vérité risquait de se dérober à jamais.

L'autre B. vivait au cœur de Montréal, dans un immeuble cossu de la rue Sherbrooke ouest. Lorraine sourit en le voyant. Le repaire idéal pour un médecin à la retraite. Elle se coiffa un peu et mit du rouge sur ses lèvres. Elle devrait certainement affronter un portier ou un gardien. Elle camoufla ses appareils dans un grand fourre-tout et adopta un sourire de circonstance. Un gardien, engoncé dans un uniforme d'un brun douteux à bordures or, se tenait derrière une grande table. Trois écrans vidéo étaient placés sur le côté; la liste des occupants de l'immeuble, posée sur le bureau, tout près de lui. Impossible de la consulter sans lui parler. Les murs étaient lambrissés de bois sombre. Deux ascenseurs, encadrés d'appliques murales répandant une lumière jaunâtre, occupaient le mur du fond. Lorraine hésitait. Elle avait envie de se diriger vers les ascenseurs comme une habituée des lieux, mais elle n'avait aucune idée de l'étage où s'arrêter. Le gardien avait levé la tête vers elle et attendait. Il sourit.

— Bonjour, madame. Une autre visite ce matin?

Lorraine comprit qu'il parlait à une femme dans la quarantaine qui arrivait derrière elle.

— Oui, j'attends un couple vers dix heures trente. Vous les faites monter?

— Bien sûr. Je pense que vous n'aurez pas de mal à vendre l'appartement du docteur Lamoureux. Il est impeccable.

Le gardien se tourna alors vers Lorraine qui avait une boule dans la gorge, n'en revenant pas d'avoir un tel coup de chance.

— Je peux vous aider?

Elle chercha un peu d'air puis sourit.

— Je cherche justement un appartement. Quelle coïncidence! C'est possible de visiter tout de suite?

Elle s'était tournée vers la vendeuse.

— Pourquoi pas? Venez. Mais je vous avertis, le couple a priorité à cause du rendez-vous.

Lorraine s'engouffra dans l'ascenseur avec l'agent immobilier. La femme commença à lui parler de l'ensoleillement des pièces, des boiseries d'origine, de la salle de bains rénovée. Lorraine n'écoutait pas vraiment, suivant les numéros qui s'allumaient un bref instant pour signaler l'étage où l'ascenseur passait. Le chiffre 10 resta allumé et les portes s'ouvrirent. La photographe suivie la vendeuse le long d'un corridor tout en gris perle avec un éclairage diffus qui rendait les murs un peu flous. Les portes étaient peintes en blanc, essayant de donner une impression de paradis à l'étage.

La femme ouvrit la porte 1005. La lumière parvenant des fenêtres du salon accueillit les visiteuses dès le vestibule. Lorraine y pénétra lentement, comme dans une église. C'était donc là qu'avait vécu Bernard; c'était peut-être sur cette table qu'il avait écrit la lettre. Il avait regardé le fleuve au loin, ou la montagne, et il avait décidé de ruiner la vie tranquille de Jeanne et de ses descendants. La vendeuse parlait tout le temps, répétant ce qu'elle avait sans doute déjà dit des dizaines de fois.

Lorraine sentit ses jambes se dérober sous elle quand elle vit, dans le bureau, coincé entre deux bibliothèques, une toile représentant une jeune femme habillée à la mode des années trente, de longs colliers de perle descendant entre ses seins, de courts cheveux bruns encadrant son visage souriant. Elle était assise sur une chaise à haut dossier ouvragé. Un petit garçon était debout à ses côtés. Elle avait posé sa main sur son épaule. Une bague brillait à son doigt, ornée de saphirs. Lorraine ne pouvait pas le croire. C'était la même bague.

La vendeuse se tut un moment, attendant un commentaire qui ne venait pas.

— Vous vous intéressez à la peinture? Les meubles et les tableaux ne font pas partie de la vente. Ils appartiennent à la famille.

— Vous savez qui était cette femme?

— Ma grand-mère. Et c'est mon père à ses côtés.

— Vous êtes la fille du docteur Lamoureux?

— Oui. Comme je travaille dans une agence immobilière, mes frères et ma sœur m'ont chargée de vendre l'appartement.

Lorraine n'en revenait pas. Elle fouilla dans son sac et sortit la bague. Elle l'approcha du tableau. C'était exactement la même.

— Comment avez-vous eu cette bague? Nous l'avons cherchée partout. Elle a disparu depuis longtemps.

— Depuis près de cinquante ans. Je crois que nous avons des choses à nous dire...

La sonnette de l'appartement mit fin à leur conversation. Un couple chic dans la quarantaine entra. Lorraine resta dans le bureau à regarder le petit garçon aux cheveux dorés et au regard sombre. Il souriait à peine, ses grands yeux bruns brillant d'espièglerie. La photographe se demandait si Bernard Lamoureux avait été un monstre toute sa vie. Elle entendait la voix étouffée de sa fille qui parlait rapidement, comme si elle voulait se débarrasser des acheteurs potentiels pour savoir qui était cette femme possédant la bague de sa grand-mère. Lorraine ne savait plus ce qu'elle devait dévoiler. Dire tout ce qu'elle savait et détruire les illusions des enfants Lamoureux ou broder sur un simple amour défendu dans une société où le divorce était inconcevable. Ménager ou non les innocents. Bernard n'avait pas ménagé Jeanne pour se libérer la conscience. Mais il avait voulu ménager les descendants en leur interdisant le bureau du notaire. Est-ce que cela en faisait un demi-monstre pour autant?

— Qui êtes-vous?

Lorraine sursauta. La voix était soudain devenue glaciale. Finie la courtoisie de la vente, c'était la voix de l'inspecteur principal, du flic chargé de l'interrogatoire, de l'avocat général prêt à coincer l'accusé.

— Vous voulez vraiment tout savoir? D'accord, je vais tout vous dire, mais à une condition. En fait, deux conditions. Vous me parlez d'abord de votre père et vous changez de ton. Je peux vous rassurer tout de suite. Je ne cours pas après votre héritage, je ne vous coûterai pas un sou. Mais ce que je vais vous dire n'est pas sans risque pour votre moral. Je m'appelle Lorraine, mais il semble que je me sois aussi appelée Laurence pendant quelques heures. Et, vous, vous vous appelez comment?

— Sophie. Je ne comprends rien à ce que vous me racontez. Qu'est-ce que le fait de porter deux prénoms a à voir avec mon père?

— Tout. Parlez-moi de lui.

Sophie se radoucit un peu. Elle invita Lorraine à passer au salon. Elles prirent place dans des fauteuils confortables baignés dans une froide lumière hivernale. Sophie essaya de se rappeler l'homélie que son frère aîné avait écrite pour les funérailles. Bernard y était dépeint comme un être extraordinaire. Elle récita donc une suite de qualités. Aimable, courtois, il était un passionné qui allait droit au but. Persévérant, il était toujours prêt à assister un confrère, à secourir un patient. C'était aussi un solitaire. Après le décès de sa femme, il avait tenu à rester maître de ses attachements et il avait refusé de se remarier.

— Il n'avait pas de femme dans sa vie?

— Ma mère est morte il y a dix ans. Il était déjà âgé. Il a peut-être eu des petites amies de passage, mais rien de sérieux. Il n'en parlait jamais.

— C'était un séducteur?

Sophie hésitait. Comment parler de son père sans salir son image devant cette inconnue? Bernard aimait les femmes, il ne s'en était jamais caché, mais il avait toujours refusé de divorcer, même devant les crises de jalousie de sa femme. Il aimait plaire, il en avait besoin.

Un séducteur? Peut-être, et alors? Beaucoup d'hommes ne l'étaient-ils pas?

— Il aimait les femmes, si c'est ce que vous voulez savoir. Et les femmes le lui rendaient bien. C'était un homme grand, élancé, avec des cheveux blancs abondants qu'il aimait garder un peu longs. Il avait une gueule à la Belmondo, mais ses traits étaient plus délicats, même si son visage s'était sculpté avec les années. Il avait un sourire ravageur.

Les yeux de Sophie s'étaient mis à briller à l'évocation de ces souvenirs. Son père avait été un homme merveilleux; il lui manquait soudainement. Le silence s'installa un moment. Lorraine essayait d'imaginer Jeanne dans les bras d'un Belmondo jeune la basculant sur la table d'examen de son bureau, écartant les étriers et froissant les draps javellisés. Ce lieu glacial la ramena à la réalité: un salon étouffant de velours, de dorures, de bon goût calculé par un décorateur professionnel.

Sophie la fixait maintenant, attendant le retour de l'ascenseur. Lorraine soupira et commença à raconter son histoire. La découverte de la bague dans les affaires de sa mère, la lettre du notaire. Elle ne parla pas d'Aurélie, voulant rester sur un terrain neutre. Elle en vint rapidement à la lettre de Bernard expliquant qu'il avait échangé les bébés peu après leur naissance. Sophie ne la quittait pas des yeux. Toutes les émotions passaient sur son visage: l'étonnement, l'incrédulité, la négation, l'indignation.

— Comment pouvez-vous accuser mon père d'une chose pareille? Si cette lettre existe, elle est fausse, c'est certain.

— J'aimerais aussi qu'elle soit fausse. Et cette bague offerte pour ma naissance, en fait la naissance de celle qu'on a enterrée sous le nom de Laurence. Je pense qu'à l'époque, il avait un ou deux garçons. J'étais… ou plutôt Laurence était sa première fille. C'est peut-être pour ça, la bague de la grand-mère.

— Qu'est-ce que vous voulez de moi?

— Je ne sais pas. Je voulais savoir si ce Bernard avait vraiment existé. J'aurais voulu découvrir qu'il était une invention d'Aurélie, une manigance du notaire Dansereau.

— Qui est Aurélie?

— Selon votre père, la femme à qui il a pris le bébé. Ma...

Lorraine n'arrivait pas à dire «ma mère biologique». Les mots butaient au fond de sa gorge. Elle se leva lentement et se dirigea vers l'entrée. Elle n'avait plus rien à faire ici. Elle n'aurait même pas dû entrer dans cet appartement. Sophie resta assise un moment, sonnée par ses déclarations explosives faites d'une voix douce, presque éteinte. Comme Lorraine atteignait la porte d'entrée, Sophie se précipita vers elle.

— Attendez. Laissez-moi votre nom, votre téléphone, une adresse où vous joindre. Mes frères voudront sans doute vous parler.

— Je pense qu'il est préférable de tout oublier, si vous le pouvez. Je m'excuse de vous avoir impliquée dans cette histoire. J'avais envie de me venger de votre père, de ce qu'il m'a fait, à moi, à Aurélie, à Jeanne. Je voulais vous punir de cette lettre qu'il n'aurait jamais dû écrire.

— Vous n'êtes pas la première.

— Comment ça?

— Nous avons appris, il y a trois ou quatre ans, qu'il avait un autre enfant. En fait, un garçon un peu plus jeune que moi. Les tests d'ADN l'ont confirmé. Ce qui m'a choquée dans votre récit, c'est l'échange de bébés, pas le fait qu'il ait eu une maîtresse. Il devait beaucoup aimer Jeanne pour prendre le risque d'être radié à vie du métier qu'il adorait. C'était un bon médecin, vous savez, un très bon médecin.

— Je n'en doute pas.

Lorraine lui tendit la main. Sophie lui sourit.

Ils étaient tous les trois assis à la table du petit-déjeuner, comme ils le faisaient quotidiennement depuis tant d'années. Les choses étaient pourtant différentes ce matin-là. Il régnait une atmosphère inhabituelle. Ce n'était pas dû à l'euphorie ni à la tristesse, mais une émotion difficile à définir. Une sorte de bien-être que diluaient quelques gouttes d'inquiétude. Une petite pelote d'épingles en velours, douce, mais non sans danger de se piquer. Simone était rayonnante. Elle hésitait pourtant à partager sa joie, sachant la douleur qu'éprouvait Aurélie depuis le départ précipité de Lorraine. Elle se disait que Jean-Paul avait même dû la consoler et la bercer la nuit précédente, s'endormant à la tâche. Mais il y avait une complicité entre eux qui ne devait pas dater d'hier. Jean-Paul aussi la regardait d'une autre manière. Il l'avait vue refermer la porte de la chambre doucement; il savait qu'elle savait. Aurélie examinait le visage de Simone.

— Qu'est-ce qui te rend si jeune et pétillante? Un nouvel amoureux?

Simone acquiesça simplement d'un sourire et demanda son samedi de congé.

— Martin veut faire une promenade dans les Cantons de l'Est.

— Martin? Le…

Jean-Paul l'interrompit.

— … le frère de Lorraine.

Simone poursuivit, disant que c'était un homme très bien, attentif, délicat sous des dehors un peu rudes. C'était aussi un homme secret, presque autant que sa sœur. Elle le sentait vulnérable, cachant sous une indifférence feinte une grande timidité, une tendresse mal vue des hommes qui l'entouraient dans son travail. Aurélie sourit.

— Un ours au cœur tendre. Je suis heureuse pour toi, Simone. J'aimerais le connaître. Il a eu des nouvelles de Lorraine ?

— Non. Il croit qu'elle est retournée à son atelier parce que son travail ici était terminé. Je peux avoir son numéro par Martin, si vous voulez.

— Non, elle va croire que je la harcèle.

Aurélie posa sa main sur celle de Jean-Paul.

— Tu m'aides dans la serre ce matin ? Je n'ai pas envie de m'y retrouver toute seule et je l'ai négligée depuis un bon moment.

Jean-Paul lui sourit et serra doucement ses doigts. Simone les regarda sans poser de questions et commença à desservir la table. Elle cherchait, depuis qu'elle les avait vus ensemble, le moment où tout avait commencé. Elle n'avait rien remarqué de différent depuis des années. Peut-être que la routine lui avait fermé les yeux. La relation patronne-chauffeur était un cliché en soi. Mais ne trouvait-on pas amants et maîtresses dans son entourage immédiat, parmi les gens côtoyés chaque jour, les visages qui nous devenaient familiers, rassurants et intrigants à la fois, alimentant les petits fantasmes ordinaires ? Patron-secrétaire, médecin-infirmière, papa-gardienne d'enfant, maman-prof de yoga.

Les heures passèrent rapidement parmi les gloires de Dijon. Aurélie avait l'habitude d'y noyer ses chagrins. Cette serre avait été pour elle le meilleur remède à l'ennui, à la tristesse, à l'isolement. C'était aussi un endroit où elle avait connu des bonheurs, des joies, comme cette visite de Gisèle.

Dès ses études terminées, la jeune femme était revenue à Montréal où on lui avait offert un poste intéressant dans une grosse maison de courtage. Il n'était pas question pour elle de retourner vivre chez ses parents. Elle avait pris un appartement dans le centre-ville avec l'intention de vivre une joyeuse vie de célibataire, le jour en tailleur, le soir en jupe courte et moulante. Cette sorte d'existence fut de courte durée. Elle qui chassait tous ceux qui s'attachaient à elle succomba facilement au charme d'André Petitclerc, un jeune avocat qui travaillait dans une grosse firme se trouvant dans le même édifice que la maison de courtage. Un déjeuner en tête-à-tête, une invitation à prendre un verre, un dîner suivi d'une sortie dans une discothèque et une nuit torride à laquelle en succédèrent bien d'autres ne réussirent pas à lui faire envisager un déménagement. Il se montrait aussi indépendant qu'elle, lui laissant beaucoup de latitude dans son emploi du temps.

André avait le don d'apparaître et de disparaître comme un prestidigitateur. Gisèle s'en amusa un moment, puis elle dut admettre que ses absences l'ennuyaient. Ils se mirent à passer de plus en plus de temps ensemble. Elle lui proposa finalement de vivre avec elle. Pourquoi payer deux appartements alors qu'ils en utilisaient un seul? Cette question économique fit sourire André. Vivre en concubinage n'offrait aucune protection légale, surtout lors de la venue d'un bébé, même si la notion d'enfant illégitime allait disparaître bientôt en vertu d'une nouvelle loi. Pourquoi ne pas se marier? Gisèle sourit à cette proposition d'avocat. Elle fut claire avec lui: elle ne voulait pas d'enfants, pas maintenant, sa carrière ne faisait que commencer. Mais elle voulait bien l'épouser; elle aimait bien vivre avec lui et un mari était mieux vu socialement qu'un amant.

Ils décidèrent de se marier à l'automne de 1977. Gisèle n'eut pas à faire comme son frère et à partir pour le Mexique. Son père n'étant plus en politique, elle put avoir le mariage dont elle rêvait, intime et raffiné. Seuls les membres de la famille immédiate furent invités: Laurent, Hélène et la petite Mélanie, âgée de cinq ans, qui passèrent quelques jours au manoir, au grand plaisir d'Aurélie, laquelle se plaignait de ne pas voir assez souvent sa petite-fille; Charles et Aline, toujours aussi élégante, avec leurs enfants devenus de jeunes adultes de vingt-trois et vingt-cinq ans, accompagnés de leurs conjoints; Roland et Rita avec leur fils de vingt-quatre ans; Muriel et Paul qui restèrent, eux aussi, quelques jours au manoir avec leurs jeunes fils de cinq et sept ans.

Le manoir avait pris un air de jeunesse, fraîchement repeint, décoré avec délicatesse pour une belle réception, rempli de bruits, de va-et-vient, de voix étouffées, de rires. Aurélie était heureuse de cette vie soudaine remplissant les pièces de ce qui avait été trop longtemps une retraite, une résidence secondaire. Elle regardait sa fille aller et venir, planifiant tout, décidant de ceci ou de cela avec une fermeté qui l'étonnait. L'éloignement et les études avaient fait de sa petite Gigi une adulte. Aurélie mesurait le temps qui fuyait si vite. La réception fut chaleureuse et se prolongea tard dans la nuit, personne ne semblant vouloir quitter les lieux. Même la famille d'André resta un long moment, captivée par le charme du manoir et de ses occupants. Puis le jeune couple partit quelques jours seulement en voyage de noces, leur plan de carrière ne leur permettant pas de longues absences.

Un an plus tard, Gisèle arriva, en pleine tristesse de novembre, et rejoignit sa mère dans la serre. Elle avait deux nouvelles à lui annoncer et ne savait par laquelle commencer. Aurélie l'embrassa avec joie, heureuse de cette visite-surprise. Gisèle admira les fleurs, parla de jardinage, elle qui n'y connaissait rien, de la pluie et du beau temps; elle s'aventura même sur le terrain de la politique. Aurélie commença à s'inquiéter.

— Qu'est-ce qui t'arrive, ma Gigi?

— Maman, tu sais que je n'aime pas ce nom.

— Excuse-moi, Gisèle. André et toi, vous avez des problèmes? Ça fait seulement un an que vous êtes mariés, vous n'allez pas divorcer?

— Non, maman, c'est pas ça. Je ne sais pas comment c'est arrivé. J'ai dû oublier de la prendre. C'est pas le moment, tu comprends?

Aurélie essayait bien de comprendre.

— Prendre quoi?

— Ben, voyons, la pilule.

Tout devenait clair pour Aurélie. La fameuse pilule. Cette invention qu'Ariane aurait bien aimé connaître avait bouleversé la vie des femmes. Choisir le moment où on voulait un enfant, en faire un acte délibéré et non accidentel. Toutes les jeunes femmes avaient maintenant cette liberté. Mais les imprévus existaient toujours. Et la solution pouvait être l'avortement. Aurélie prit sa fille dans ses bras un moment, puis elle l'invita à s'asseoir avec elle dans les fauteuils en osier au milieu de la serre.

— Et tu peux me dire quand ce sera le moment, ma chérie? Quand tu seras associée de la firme?

— Dans ta bouche, ça sonne méprisant. Je ne sais pas quand ça se sera le moment. Peut-être jamais. Je ne pourrais pas me contenter de ta vie de recluse, de femme effacée d'ex-politicien. Je ne veux dépendre de personne, tu comprends?

— Mais on dépend toujours de quelqu'un. Pas nécessairement financièrement, mais on a besoin des autres pour vivre. Le travail, c'est bien beau, mais il y a aussi les émotions, l'amour.

— Oui, l'amour, ça aussi, ça change. André a reçu une proposition très intéressante. Il deviendrait associé d'une firme importante d'avocats de Québec. Il y retrouverait aussi sa famille qui vit dans les environs.

— Mais ce sont de bonnes nouvelles. Pourquoi prends-tu ça de façon si dramatique?

— Et qu'est-ce que je deviens, moi, là-dedans? Une madame d'avocat poussant son carrosse?

— Tu veux vraiment passer ta vie dans une maison de courtage à analyser des courbes statistiques et à consulter une boule de cristal pour enrichir tes clients? Tu ne vois rien d'autre?

— Je n'envisage pas de faire ça toute ma vie. Un jour, j'aurai ma propre compagnie.

— Et pourquoi pas maintenant?

Gisèle regarda sa mère avec étonnement. Elle n'avait jamais osé se poser elle-même cette question toute simple qui lui donna le vertige. À moins que ce ne soient les nausées matinales qui revenaient, ou cette odeur persistante de fleurs, d'humus et d'humidité. La jeune femme n'avait jamais réfléchi bien longtemps à la compagnie qu'elle voulait fonder et puis, soudain, elle se mit à penser au spa, aux massages, aux bains de boue. C'était peut-être la serre, ou la fatigue, ou encore sa mère qui avait des pouvoirs magiques.

— Je pensais à une compagnie spécialisée dans les soins corporels. Une sorte d'institut de relaxation où les femmes pourraient prendre un moment pour elles, pour récupérer du travail stressant.

— C'est une merveilleuse idée. Et tu auras tout le temps de ta grossesse pour la mettre au point. Ne t'inquiète pas pour le financement. J'aimerais bien être ta première cliente. Je t'achète un abonnement à vie.

Gisèle sourit. Elle venait de résoudre tous ses problèmes en un tournemain. Les questions existentielles s'étaient envolées.

Aurélie fut de nouveau grand-mère, cette fois-ci d'un magnifique garçon qui s'appelait Benjamin. Elle allait maintenant rarement à sa maison d'Outremont, préférant rester au manoir. Elle savait qu'aucun de ses enfants ne voulait de cette demeure bourgeoise démodée. Gisèle apprivoisait la ville de Québec avec son jeune fils, né au début de l'été. Laurent avait quitté la fermette des Cantons de l'Est pour s'installer dans une maison ancestrale au bord du Richelieu, près de Saint-Jean. Ayant un certain succès avec ses émaux sur cuivre, Hélène avait aménagé l'ancienne cuisine d'été en boutique. Laurent jouait un peu de guitare avec un groupe d'amis et tenait le magasin pendant que sa femme créait des bijoux et des petits objets décoratifs.

Richard, pensant toujours à un éventuel retour en politique, donnait des cours et des conférences aussi bien en Amérique du Nord qu'en Europe. Il restait souvent absent pendant des mois, et Aurélie se retrouvait, à l'approche de la soixantaine, à noyer sa solitude dans un jardin de roses. Il lui restait Jean-Paul, toujours fidèle au poste, et une nouvelle venue, Simone, qui se montrait d'une discrétion et d'une efficacité remarquables. Celle-ci approchait la quarantaine et elle était heureuse de pouvoir enfin avoir une vie tranquille, loin d'un mari violent et alcoolique. Son travail lui permettait aussi de s'occuper de ses enfants, tous les deux de jeunes adultes qui faisaient des études et qui habitaient au manoir pendant les vacances.

Richard devait partir bientôt pour une série de conférences en Belgique et en France. En attendant, il promenait son âme en peine entre Outremont et Sorel. Dès qu'il en avait l'occasion, il se rendait à Québec. Il donnait comme raison son désir de voir Gisèle et le petit Benjamin, mais il en profitait surtout pour se promener devant le Parlement, nostalgique. Le gouvernement de René Lévesque avait poussé sa loi 22 plus loin avec la loi 101, faisant du français la seule langue officielle et la seule permise dans l'affichage commercial. Le gouvernement péquiste avait aussi adopté la Loi sur le financement des partis politiques, qui interdisait les caisses occultes et limitait les montants des contributions des particuliers. Le décor politique changeait; les finances publiques voulaient s'assainir. Mais ce n'était pas ce qui préoccupait Richard. Le 27 octobre, le premier ministre du Québec devait inaugurer à la baie James la première centrale construite sur la rivière La Grande, celle de LG-2. Le projet que Richard avait mis de l'avant voyait son aboutissement dans les mains d'un autre, pire: dans les mains de celui qui s'y était opposé en Chambre à l'époque où il était dans l'opposition.

Richard avait retardé son départ pour la Belgique. Il voulait être sur les chantiers pour l'inauguration, mais il attendait encore une invitation. Il dut insister pour en avoir une et elle ne lui parvint que quelques jours avant. Pendant que René Lévesque, en présence d'une foule de journalistes et devant les caméras de la télévision, pressait un simple bouton, Richard s'amenait seul, à pas feutrés, dans la cafétéria du chantier. À peine avait-il franchi le seuil de cette immense salle que déjà les premières mains se tendaient vers lui. Le mot se répandit comme une traînée de poudre: «Richard est là.» L'ancien premier ministre se vit bientôt entouré de travailleurs venus le saluer. Lui qui s'était senti oublié de tous retrouvait l'ivresse des bains de foule, des poignées de mains. Et ce n'était même pas pour se faire élire; c'étaient des remerciements spontanés. Richard était ému, touché par cet accueil. Plus que ne l'était le premier ministre qui se sentait un peu ridicule avec son casque de chantier, entouré de gaillards qui le dépassaient de quelques têtes, face à des travaux gigantesques qu'il n'avait pas souhaités.

L'année 1979 ne faisait pas que des travailleurs heureux. Les chantiers de la Maritime congédièrent, par vagues successives, mille cinq cents puis mille deux cents employés. Le taux de chômage atteignit quarante pour cent dans la région de Sorel. C'était devenu une ville ravagée. Des commerçants fermaient leurs portes; d'autres survivaient à peine. Les plus jeunes quittaient la région à la recherche d'un emploi; les plus vieux se désolaient en découpant les coupons rabais des circulaires d'épicerie. C'était bien fini, la prospérité, les années glorieuses des canons et des navires de guerre. Pour couronner le tout, les ouvriers des chantiers navals de la Maritime se mirent en grève en août 1980. Une suite d'arrêts de travail et d'affrontements entre patrons et ouvriers qui dura cinq ans.

Les chantiers avaient pourtant déjà visité l'enfer. En février 1976, la Maritime s'était fait décapiter de sa haute direction. Quatre cadres de la compagnie avaient quitté l'entreprise pour acheter le principal concurrent des chantiers de Sorel. Remaniements, démissions, mutations, la compagnie s'était transformée en boîte à surprises pendant des années. L'affaire des bateaux grecs avait été un autre coup dur, presque fatal. À la suite de problèmes techniques dans la construction de trois bateaux dus à des erreurs humaines et à des défauts de structure, l'armateur grec avait refusé de prendre possession des navires. Il avait profité de lacunes contractuelles pour se défiler des engagements d'achat de dix-huit navires. La Maritime s'était retrouvée avec six cargos sur les bras, d'une valeur de cent trente-cinq millions de dollars.

L'heure était aux dénonciations entre patrons et ouvriers. On cherchait des coupables; on s'en lavait les mains; on essayait de réparer les pots cassés en parlant de fusion, de vente, de plan de redressement, de nouveaux investissements pour reconvertir les chantiers. Le gouvernement était aussi dans l'embarras, accusé de subventionner les bévues de la Maritime. Richard, ravi de ne pas être dans l'eau chaude, aurait souri si l'histoire n'avait pas été aussi désolante. Les Savard n'avaient plus rien à voir avec les chantiers de la Maritime qui se contentaient maintenant de ramasser les miettes tombant des carnets de commandes trop remplis des chantiers étrangers.

La Maritime finit par vendre les six cargos grecs et abandonna temporairement la division navale, devenant un complexe industriel diversifié qui possédait plusieurs usines. Mais le beau temps fut de courte durée. Refusant la flexibilité d'emploi, les travailleurs firent une grève sur le tas, rentrant à l'usine sans travailler et sans avoir reçu l'ordre de grève de leur syndicat. Les relations de travail devenaient très difficiles. L'économie de toute la région était touchée. Sorel vivait le drame d'une petite ville née d'une grosse industrie. Beaucoup se plaignaient que le combat syndical mené à Sorel risquait de tuer non seulement une industrie, mais aussi la région. Les grévistes devenaient violents; le climat social se dégradait. Les travailleurs menaient une lutte sociale, convaincus que leur grève serait utile à d'autres ouvriers. Mais, vu la particularité de l'industrie, le moment était mal choisi. Même un comité de médiation avoua son impuissance à trouver des solutions.

Aurélie vivait ces bouleversements en lisant les journaux locaux. Elle se désolait, ne comprenant pas toute cette haine enfouie si profondément que personne ne se rappelait les débuts de cette vendetta, les deux parties s'accusant mutuellement des pires crimes. Elle était heureuse que son mari ne soit plus au pouvoir; il n'en aurait pas dormi. Richard préférait rencontrer des étudiants, parler d'économie de façon globale, mondiale même. Il appréciait de plus en plus les Européens qui travaillaient à s'unir après une histoire remplie de conquêtes, de guerres et de destructions. Ils semblaient avoir compris quelque chose que les Québécois cherchaient encore. Et les Québécois cherchaient beaucoup en ce printemps de 1980.

Fidèle aux promesses faites par René Lévesque, le gouvernement avait décidé de tenir un référendum en mai sur l'indépendance du Québec face au Canada. Le livre blanc sur la souveraineté-association, intitulé *D'égal à égal. Nouvelle entente Québec-Canada*, avait été déposé par les péquistes alors que le livre beige du Parti libéral faisait état des revendications constitutionnelles allant vers un fédéralisme décentralisé. Celui ou celle qui ne voulait pas entendre parler de constitution n'avait pas d'autre choix que s'exiler pour quelques mois. Les discussions sortaient souvent de la politique pour toucher des fibres émotives très sensibles. Le point culminant fut atteint avec les femmes. Aurélie en riait, mais Richard ne la trouvait pas drôle.

— Tu dois y aller, Aurélie. En tant que femme d'un ancien premier ministre, tu donnerais un poids supplémentaire à toute cette affaire.

— Ah, je t'en prie, Richard. Lise Payette a commis une bévue et elle s'en est excusée. Ça me suffit. Ils parlent de réunir quinze mille personnes au Forum, alors les libéraux n'ont pas besoin de moi. Il semble qu'ils n'ont pas besoin de toi non plus, puisque c'est Claude Ryan qui dirige la campagne du «non».

— Ne tourne pas le couteau dans la plaie. Et ne me dis pas que tu ne t'es pas sentie insultée en te faisant traiter d'Yvette.

— Je te rappelle que Lise Payette a fait la lecture d'un manuel scolaire dépassé. Elle a eu le malheur d'ajouter que Ryan aimerait que la province soit remplie d'Yvette, étant lui-même marié à une Yvette. Et elle avait raison. Madeleine est une gentille Yvette. Comme dans les livres scolaires, elle aide à servir les repas et à essuyer la vaisselle pendant que son mari s'entraîne pour devenir champion. Tu le sais aussi bien que moi, les femmes ont droit à une carrière. Regarde Gisèle, Hélène, Muriel. Elles apportent de l'eau au moulin et c'est très bien. Je suis persuadée qu'Aline et même Rita seront contentes de se rendre à ce rassemblement, avec leurs manteaux de fourrure, leurs robes signées et leurs bijoux de bon goût. Le grand ralliement d'une race en voie d'extinction.

— C'est un portrait de toi-même que tu donnes.

— Oui, je le sais, je suis aussi une Yvette, puisque je n'ai jamais eu à travailler de ma vie. Et les Yvette sont appelées à disparaître dans quelques décennies. Ce sera aussi une perte, bien sûr. Les femmes devront se battre avec des horaires de fou, multipliant leur travail et leurs responsabilités, s'épuisant à la tâche. Et il restera toujours quelques privilégiées nées avec une cuillère d'argent dans la bouche qui auront tout leur temps pour s'occuper des œuvres de charité. Je trouve dommage que ce référendum divise autant les gens, les femmes entre elles, les parents et les enfants, les frères et les sœurs.

— Et les couples.

— Que veux-tu dire?

— J'aurais aimé que tu m'appuies et que tu ailles à ce rassemblement.

— Mais je t'appuie. C'est plutôt Ryan qui ne t'appuie pas. Il a peur de quoi?

— Il paraît que je n'ai plus la cote dans les sondages. Je ne suis qu'un petit intellectuel à lunettes. Je ne sais pas si c'est aussi une race en voie d'extinction, mais il semblerait que les Québécois n'en veuillent pas: trop tatillons, trop cérébraux. On veut de la ceinture fléchée et de la danse carrée.

Le rassemblement des Yvette eut lieu le 7 avril, sans Aurélie. Aline vint le lendemain lui raconter par le menu détail sa soirée au Forum, excitée comme une puce. Rita n'y était pas allée, tenant à rester auprès de Roland. Aline était passée par toutes les émotions, la foule, le bruit, les discours, les cris et les applaudissements. Aurélie trouvait que ça ressemblait à un concert rock, mais elle ne dit rien, se contentant de servir du thé et des sablés au beurre, en bonne Yvette.

La querelle entre Québécois dura jusqu'au soir du 20 mai. Ils dirent non à la souveraineté-association avec une faible majorité. René Lévesque déclara, ému, face à une foule immense venue fêter une victoire qui n'avait pas eu lieu: «Si je vous comprends bien, ce que vous êtes en train de me dire, c'est: à la prochaine fois.»

Aurélie ferma le téléviseur. Ce n'était donc que partie remise. Elle n'avait pas envie de faire la fête; cette victoire n'en était pas une. Trop de gens devaient remballer leur rêve et se plier au verdict de la majorité.

Le téléphone sonna. Rita pleurait au bout du fil. Roland avait été transporté à l'hôpital; son état s'était aggravé. Il mourut quelques jours plus tard des suites d'une tumeur aux poumons. Il avait cinquante-quatre ans. Aurélie perdait son frère. Même si elle le savait malade depuis longtemps, elle avait toujours espéré qu'il s'en sorte. Il était passé par les montagnes russes de la rémission et de la rechute tellement souvent qu'elle avait fini par croire qu'une autre rémission viendrait le remettre sur pied. Mais il était épuisé, amaigri au point de ne plus être reconnaissable. Roland en avait assez de se battre et il avait accueilli la mort avec soulagement. Rita voyait son monde s'effondrer, elle qui l'avait tenu à bout de bras si longtemps. Leur fils François était à ses côtés, silencieux. Il n'avait pas quitté ses parents depuis des mois, toujours là pour les soutenir, les encourager. Sous un calme apparent, la douleur le grugeait de l'intérieur. Il trouvait injuste que la tante de son père, Antonine, la femme de Lucien, meure quelques jours plus tard à l'âge de quatre-vingt-trois ans. Il aurait aimé voir Roland vivre aussi vieux.

Rita avait cinquante-deux ans. Lorsqu'elle se réveilla le lendemain de l'enterrement, elle arpenta toutes les pièces de la grande maison que son beau-père avait fait construire. Les grandes fenêtres, la vue sur le fleuve, sur la verdure bourgeonnante du printemps, la longue haie de cèdres la cachant de la maison de Charles et d'Aline, tout cela devenait vide, sans importance. Elle s'assit sur le divan où Roland avait passé les derniers mois de sa vie, allongé, affaibli, à fixer le téléviseur sans le voir vraiment. Rita s'était habituée à cette présence absente. Elle savait qu'un jour elle deviendrait pure absence mais, parce que c'était un fait connu et anticipé, elle n'avait pas pensé que ce serait si douloureux. Elle avait cru qu'il ne pouvait y avoir plus grande douleur que celle de voir mourir son conjoint lentement et sûrement jour après jour. Mais en découvrant maintenant que c'était encore pire après, elle éclata en sanglots. Rita pleura longtemps, surtout sur elle-même. Comment survivre à une telle tristesse? Machinalement, elle ouvrit le téléviseur. Prenant subitement conscience de son geste, elle allait l'éteindre quand le sourire d'une petite fille la retint. C'était une émission sur le parrainage d'enfants du tiers-monde.

Rita regarda sa riche maison vide et décida sur le coup de tout vendre et d'aller aider les autres. Cela avait toujours été dans son caractère, mais son fils François en fut tout de même très surpris.

— Fais attention aux coups de tête, maman, aux impulsions. Tu as un deuil à faire, prends le temps d'y penser.

— Je ne peux plus vivre ici, François. Si je rencontre Aline et qu'elle m'invite à une de ces stupides soirées pour me changer les idées, je pense que je vais l'étrangler.

François ne put s'empêcher de sourire. Cela ne risquait pas de se produire. Aline considérait sa belle-sœur comme un éteignoir et l'idée de lui changer les idées ou de l'aider de quelque façon que ce soit ne lui serait jamais venue à l'esprit.

La maison fut vendue dans les mois suivants et Rita prit un appartement à Sorel, non loin de la maison de François et de sa nouvelle compagne, Amélie. Ce logement devint rapidement un simple pied-à-terre. Rita était entrée en contact avec une cousine, religieuse à Sherbrooke, qui lui présenta des missionnaires œuvrant en Amérique centrale, particulièrement au Honduras. Elle y partit aussitôt. Affligée par la malnutrition et l'analphabétisme qui régnaient dès qu'on s'éloignait des grands centres, elle se mit à faire régulièrement la navette entre le Québec et le Honduras, passant tout de même plus de temps dans ce pays d'Amérique latine où il y avait tant à faire.

François et Amélie allaient souvent la voir. Au début de leur séjour, Rita les accompagnait pour leur faire visiter le pays, admirant avec eux les ruines mayas de Copán, se promenant dans les villages à l'architecture typiquement espagnole, avec leurs maisons de stuc blanc au toit de tuiles rouges, qu'on trouvait dans les vallées verdoyantes entourant la capitale et sur les plages de la Costa del Norte ou des îles de la Bahia. Mais, très vite, le travail reprenait le dessus. Rita partait en expédition dans les petits villages reculés, difficilement accessibles par la route, apportant nourriture et médicaments de première nécessité aux paysans démunis. Elle faisait aussi, à l'aube, la tournée des routes secondaires à la recherche de bébés abandonnés sur le bas-côté. C'étaient souvent des nouveau-nés malades ou difformes que les mères, trop pauvres, souvent des adolescentes, ne pouvaient prendre en charge. Aidée des religieuses, Rita recueillait ces enfants. Elle dépensa une bonne partie de l'argent de la vente de la maison pour ouvrir des dispensaires et des orphelinats qui s'occuperaient de ces gamins dont personne ne voulait.

Six ans plus tard, Rita était reconnue et souvent attendue un peu partout. Elle avait acquis la notoriété de la *gringa* dévouée qui ne portait jamais de jugement. Ayant décidé de passer la période des fêtes avec elle à Tegucigalpa, François et Amélie arrivèrent quelques jours avant Noël qu'ils fêtèrent à l'hôtel Honduras Maya. Le lendemain, Rita leur annonça qu'elle ne les accompagnerait pas sur les plages de la côte.

— Un de mes bons amis a accepté de me prendre à bord d'un avion militaire pour me conduire à la *Mosquitia* avec un chargement de médicaments.

— Mais, maman, on t'a vue seulement quelques jours.

— Je vous rejoindrai dans deux jours à San Pedro. La Mosquitia est un coin difficile d'accès, je n'aurai pas cette chance deux fois.

Sans gaieté de cœur, François amena sa mère à l'aéroport le lendemain. Quand il la vit embarquer dans un petit avion à hélices rempli de caisses et de sacs, il ne fut pas rassuré.

— Mais il n'y a même pas de sièges !

— Ne t'en fais donc pas. Ce n'est pas la première fois que j'embarque là-dedans. On s'assoit sur les caisses et on se tient avec les sangles qui descendent du plafond s'il y a des turbulences.

Et il y eut des turbulences. François attendit longtemps sa mère à San Pedro. Il apprit finalement que l'avion militaire avait disparu corps et biens à la suite d'un violent orage. De longues recherches permirent de retrouver l'appareil dans une jungle dense et difficile d'accès. Il n'y eut aucun survivant. Des semaines plus tard, les cadavres furent ramenés dans des sacs de plastique. Rita était parmi eux.

Aurélie sortit de la serre et prit une grande bouffée d'air frais, étourdie par tous ces souvenirs. Le sol était recouvert d'une mince couche de neige qui laissait encore paraître des touffes de gazon brunâtre par endroits. Jean-Paul ferma la porte de la serre et la rejoignit. Elle prit son bras et s'y appuya avec soulagement. Il se pencha vers elle et déposa un tendre baiser sur son front. Ils entrèrent au manoir comme un vieux couple satisfait des heures passées ensemble. Simone les regarda avec un plaisir non dissimulé. Si on pouvait encore aimer à cet âge-là, la vie n'était peut-être pas si bête, après tout.

Lorraine avait posé la bague ornée de saphirs sur le comptoir de la cuisinette. Elle l'avait remise dans son sac après l'avoir comparée à celle du portrait. Sophie ne l'avait pas réclamée. Lorraine aurait refusé de la lui donner, de toute façon. Il ne restait que cette bague et la broche en or pour témoigner du passé de Jeanne, un passé qui s'avérait trouble. Elle essayait d'imaginer la jeune fille timide sortant du couvent, celle qui avait trouvé un travail de préceptrice auprès des enfants d'un riche commerçant, qui allait à la messe tous les dimanches, qui avait fréquenté chastement ce beau jeune homme qu'était André.

Cette même femme avait un jour consulté un médecin. Elle était entrée dans son cabinet comme on entre dans une église, avec ce respect dû à la connaissance, à la science, à ceux qui savent quand on est persuadé de tout ignorer. Elle s'était plainte. De quoi? Elle n'était pas du genre à se plaindre d'un mal de tête ou d'une mauvaise digestion. De ne pas avoir conçu d'enfant après trois ans de mariage et de devoirs conjugaux? Où était-elle déjà enceinte à ce moment-là? Bernard Lamoureux avait écrit qu'il était tombé amoureux de Jeanne la première fois qu'il l'avait vue, à la plage. Il n'était pas difficile d'imaginer ce qu'il avait ressenti en la voyant entrer dans son bureau. Il avait examiné sa patiente avec douceur, la caressant des yeux pour ne pas l'effaroucher avec ses mains, elle qui était déjà rouge de gêne lorsqu'elle devait enlever sa petite culotte. Et Jeanne, qu'avait-elle ressenti pour cet homme aux mains si invitantes? Avait-elle couché avec lui dans un moment d'égarement ou avait-elle rêvé de lui jour après jour ? L'impossibilité du divorce à cette époque, les conventions sociales rigides, les familles respectives, les vies brisées qui en résulteraient, les enfants montrés du doigt comme des bâtards, tout cela l'aurait-elle forcée à vivre un mariage convenu dans une petite ville où tout le monde se connaissait, où chaque geste pouvait être commenté, interprété ? Elle avait ensuite porté ce lourd secret, ce désir défendu, l'enterrant au plus profond d'elle-même. Elle avait sans doute eu peur qu'il ne ressorte un jour et elle était devenue une femme secrète, qui parlait peu, qui n'exprimait pas ses émotions, ne se dévoilait jamais.

Qu'était-il arrivé ensuite ? Jeanne avait-elle rompu après la naissance de sa fille ou après celle de Martin ? Le docteur Lamoureux avait-il quitté la ville à la demande insistante de sa femme ou pour chercher à oublier cet amour impossible, à sens unique ? Lorraine refusait de croire que sa mère, celle qui l'avait élevée, éduquée, consolée, soignée pendant toutes ces années, avait pu être amoureuse de Bernard Lamoureux. Cet homme, malgré le portrait flatteur qu'en avait fait sa fille Sophie, lui déplaisait de plus en plus. Il avait eu la prétention de saluer la naissance de sa progéniture en offrant à la mère un bijou coûteux. Une première fille méritait la bague de l'aïeule. Et la broche en or d'un grand joaillier ? Pour empêcher sa maîtresse de rompre ? Pour saluer la naissance de Martin ? Mais ces bijoux n'étaient rien pour Jeanne. Elle ne les avait jamais portés. Elle les avait pourtant gardés, cachés même, oubliés dans leur boîte, peut-être. Et après toutes ces années, était-ce si important ? Mais le médecin, en échangeant les bébés, devait savoir que Jeanne prendrait soin de la fille d'un autre. Alors pourquoi lui donner cette bague qui sortait ainsi de la lignée des Lamoureux ? Une promesse faite à Jeanne et à laquelle il n'aurait pu se dérober sans être obligé d'admettre son crime ? Peut-être. Et Aurélie qui s'était fait voler son bébé ? Si elle comprenait sa douleur, Lorraine était pourtant incapable de la voir comme sa mère. Elle était surtout stupéfaite d'avoir grandi auprès d'une

252

inconnue. Jeanne occupait toutes ses pensées avec sa vie remplie de trous sombres, d'intentions mal comprises, de secrets enterrés.

Lorraine aurait aimé oublier toute cette histoire, la chasser de son esprit, mais elle tournait sans cesse dans sa tête, prenant des proportions ridicules. Elle devait s'occuper, trouver du travail. C'était la seule façon de se libérer de ce passé obsédant auquel elle ne pouvait rien changer. La photographe sortit son carnet d'adresses et appela les agences pour lesquelles elle avait déjà travaillé. Elle n'avait pas envie de faire partie d'une mission d'Amnistie internationale et de faire le tour des prisons, d'attendre des jours et des jours la permission de visiter des prisonniers politiques, le temps que se cicatrisent un peu leurs blessures et qu'ils soient plus présentables face à l'objectif. Elle avait besoin d'action.

Les agences de presse avaient leurs correspondants réguliers pour couvrir les points chauds de la planète. Elles n'acceptaient que les photos déjà prises des pigistes, sans vouloir les envoyer à leurs frais en mission. Keystone se montra intéressé par son portfolio, le service photo de la Presse canadienne aussi, mais il semblait n'y avoir aucun engagement pour une photographe de quarante-huit ans qui avait pris une grosse année sabbatique. Lorraine se rappela une amie photographe avec qui elle avait travaillé quelques années auparavant. Après plusieurs appels, elle apprit qu'elle était devenue la rédactrice photo de l'agence Images Presse, à Paris. Elle finit par joindre son amie au moment où celle-ci s'apprêtait à quitter son bureau. Véronique se mit à rire quand elle apprit que Lorraine voulait travailler et avait besoin d'action.

— On peut dire que tu tombes pile. Deux de mes gars viennent d'être blessés et on les rapatrie. Alors, si tu veux te changer les idées, tu vas être servie. Tu es certaine que tu veux retourner sur le terrain? Ce n'est plus de ton âge.

— Qu'est-ce que tu crois, que je ne cours plus assez vite? Quelques jours de remise en forme et tout ira bien.

Lorraine se fit proposer deux destinations : la Tchétchénie ou le Kosovo. Elle choisit de faire partie d'un petit groupe de reporters en partance pour les Balkans, qu'elle avait déjà visités. Le Kosovo était frappé depuis mars dernier par les Serbes avec une violence encore jamais atteinte dans cette guerre qui se prolongeait. Les massacres tant serbes que kosovars se multipliaient. Mais la photographe devait partir pour la France tout de suite de façon à se trouver à Paris au moment du départ des autres reporters. Elle décida qu'elle y serait.

Après avoir pris ses dispositions pour le billet d'avion, elle téléphona à Martin et lui laissa un message sur son cellulaire : elle prenait l'avion le lendemain soir et aimerait le voir à la sortie de son travail. Lorsque son frère la rappela une heure plus tard, elle lui donna rendez-vous en fin de journée dans le café qui se trouvait près de son atelier. Elle n'avait pas envie qu'il voie son atelier, les photos de baptême agrandies, le désordre, la tristesse des lieux.

Lorraine passa les heures la séparant de cette rencontre à se demander si elle devait parler à son frère du contenu de la lettre. Martin était désormais sa seule famille, son seul lien avec son enfance, sa région natale. Orphelins, seuls au monde, ils étaient un noyau fragile. Se retrouver seule, sans famille, lui sembla d'abord accablant et lui donna un vertige angoissant, comme si elle se réveillait sur une île déserte. Puis elle se dit qu'elle avait désormais la légèreté nécessaire pour partir, pour se découvrir une nouvelle vie, sans attache. Une femme libre n'avait-elle pas la faculté de choisir sa vie ? L'éducation reçue, la classe sociale et le lieu de la naissance limitaient la marge de manœuvre, bien sûr. Mais cette marge existait, si petite soit-elle. Et c'était dans cette marge qu'elle pouvait choisir librement sa vie avec le droit, aussi, d'en changer et même de se tromper.

Martin la retrouva souriante et détendue. Il fut encore plus surpris d'apprendre qu'elle partait pour le Kosovo.

— Visiter des prisonniers pour un organisme international est tout de même moins risqué. Pourquoi aller au front, surtout quand on ne sait même pas où est le front dans une guerre civile ?

— Un nettoyage ethnique. C'est ce qui se passe là-bas. Les Serbes du Kosovo se sentent menacés par les millions de musulmans qui vivent là. Milosevic se sert de cette peur pour nettoyer la région. Il a fait ça avec la Slovénie, la Croatie et puis ç'a été le tour de la Bosnie-Herzégovine.

— Mais maintenant c'est réglé, tout ça, non? Les Serbes ont perdu partout.

— Ils ont perdu, mais ils ont réélu Milosevic. Rassuré par son pouvoir, il s'est tourné vers le Kosovo.

— Et toi, qu'est-ce que tu vas faire là-bas?

Elle le regarda un moment et lui sourit. Elle ne pouvait pas lui parler d'Aurélie, de sa peur de la revoir, de succomber à son ascendance sur elle, de voir dans ses yeux son propre regard, les liens du sang. Lorraine faisait ce qu'elle avait toujours fait en période trouble: elle fuyait, elle allait voir ailleurs si elle y était.

— La photographie est peut-être un antidote à la bêtise humaine. La guerre tente de nier l'humanité. La force des photos est justement d'exprimer ce sentiment d'humanité, d'appartenance. Je suis là pour montrer ce que vivent les autres, leurs malheurs, leurs souffrances comme leurs joies.

— Encore faut-il que les gens regardent.

— Tout le monde aime les images, mais c'est vrai qu'en général les gens préfèrent les belles images non dérangeantes, comme celles des stars hollywoodiennes, des mannequins et des maisons bien décorées.

— Comme le manoir. Qu'est-ce que tu vas faire de ces photos?

— Elles ne m'appartiennent pas. Il me reste des clichés. Je vais les mettre dans une boîte. Si Aurélie les réclame, tu pourras les lui donner. Tu as toujours un double des clés de l'atelier?

Martin fit signe que oui, mais le discours de sa sœur ne l'avait pas convaincu. Il la regardait, cherchant à comprendre ce qui s'était passé depuis quelques jours pour que les yeux de Lorraine soient si fuyants, pour qu'elle soit si pressée de partir au loin, de témoigner de la vie des autres pour ne pas parler de la sienne.

— Et le notaire, la lettre, ça a quelque chose à voir avec ton départ?

— Il me semblait que tu ne voulais rien savoir.

— Qu'est-ce que tu fuis?

— La lettre était sans importance, un coup monté par Aurélie. La pauvre femme se cherche désespérément une descendance.

— Je ne comprends pas. Un coup monté? Tu es sûre?

— La lettre dit que je suis la fille d'Aurélie, qu'on m'a volée à la naissance, un échange de bébés. Tu vois le genre? Une histoire de fou, quoi!

— Je ne pensais pas qu'elle était si dérangée. Ça m'étonne. Simone ne m'en a jamais parlé comme ça.

— Tu vois Simone? C'est sérieux?

— C'est tout récent. Il faut se laisser une chance. Il paraît que les hommes, après quarante ans, doivent s'assagir.

— Il me semblait que les hommes faisaient le contraire à cet âge-là.

— Je n'ai pas été sage pendant plus de quarante-cinq ans, alors je pense essayer ça pour voir. On ne sait jamais, je pourrais y prendre goût.

La conversation devint plus légère. Les plaisanteries sur les relations homme-femme, sur les gens mûrs, prêts à tomber de l'arbre. Ils s'amusèrent de quelques souvenirs d'enfance: la cueillette de grenouilles du grand-père, la première chasse au canard de Martin, le premier poisson pris par Lorraine. Toutes ces petites histoires leur firent du bien, les soudant de nouveau avant une longue séparation. À la sortie du restaurant, Martin prit sa sœur dans ses bras.

— Prends soin de toi, ma Lolo, pas d'imprudence. Et donne de tes nouvelles de temps en temps.

Lorraine passa ses bras autour de son cou et l'embrassa sur les joues.

— Ne t'en fais pas, mon petit frère. Je ferai attention.

Martin monta dans son auto et rentra à Sorel. Lorraine avait trouvé la compagnie de son frère très agréable. Elle savait qu'il lui manquerait.

Martin arriva tard dans la soirée. Il avait passé tout le trajet à se demander ce qui s'était vraiment passé avec cette lettre soi-disant arrangée par Aurélie. Lorraine avait été trop vague pour avoir tout dit. Rendu à son appartement, il hésita à téléphoner à Simone qui devait être couchée à cette heure-là. Mais il devait repartir tôt le lendemain pour un chantier près de Trois-Rivières. Il décrocha et composa le numéro du manoir, puis raccrocha aussitôt. Il s'en faisait sans doute pour rien. Mieux valait aller dormir et appeler Simone dans la journée.

La routine reprenait au manoir. Aurélie dormait peu, mais elle restait allongée dans son lit longuement, feignant de se reposer alors que ses pensées étaient occupées par Lorraine. Elle se montrait câline avec Jean-Paul qui n'était pas dupe. La connaissant depuis longtemps, il savait qu'elle était profondément malheureuse, surtout quand elle s'extasiait sur le paysage ou la confiture dont elle tartinait ses toasts. Simone se faisait plus discrète, au point d'être invisible. L'atmosphère du manoir s'alourdissait.

Quand le téléphone sonna un peu avant midi, Simone répondit au premier coup. Sa voix se fit toute douce, si bien qu'Aurélie, qui s'était avancée dans l'espoir que ce soit un appel de Lorraine, avait du mal à entendre ce qu'elle disait, roucoulant comme une tourterelle. Quand elle comprit que c'était Martin, la vieille dame regagna la salle de séjour et fixa de nouveau le fleuve. Simone la rejoignit plusieurs minutes plus tard. Martin ne lui avait pas parlé de la lettre, préférant attendre de le faire en tête-à-tête, mais il ne pouvait lui cacher sa rencontre avec Lorraine. Elle s'assit et regarda sa patronne un moment avant de lui annoncer que la photographe prenait aujourd'hui même un avion pour Paris. Aurélie sourit.

— Elle va se distraire en France, ça lui fera du bien.

— Elle va photographier les victimes de la guerre au Kosovo.

Les mots étaient tombés comme un couperet. Seul le silence pouvait répondre à ce coup de tonnerre. Aurélie entendit bourdonner autour d'elle, des bombes, des tirs d'obus, des mitraillettes, des fusils, des pistolets. La guerre, toujours la guerre. Pour le pouvoir, pour l'argent, pour les territoires, au nom d'un dieu, de la race, de l'histoire.

Et Lorraine qui ne pouvait s'empêcher de partir à l'aventure. Qu'y avait-il de si extraordinaire à aller risquer sa vie ailleurs ? Comme Muriel, elle semblait aimer vivre dans ses valises, toujours en mouvement.

Pauvre Muriel, la petite sœur tant aimée. Aurélie se rappelait encore son visage défait, sa pâleur, ses lèvres qui tremblaient sans pouvoir laisser sortir un son. Elle était allée la chercher à l'aéroport pour la ramener, tremblante, au manoir avec Vincent et Matthieu. Ne pouvant supporter le lourd silence qui régnait dans la limousine, Vincent s'était mis à raconter à sa tante ce qui leur était arrivé.

Paul et Muriel aimaient explorer des régions peu connues avec leurs fils. Ils visitaient déserts, montagnes ou forêts accompagnés des garçons qui trouvaient normal de dormir sous une tente, de se laver à une source et de manger dans des gamelles. Le retour à l'appartement de Montréal, avec un lit, des fauteuils et la télévision, se faisait sans heurt. On faisait coexister ces deux mondes en tenant compte du calendrier scolaire. Les deux garçons attendaient toujours avec impatience la prochaine découverte, le prochain dépaysement. Ils firent des safaris photographiques en Afrique, en Australie, en Amérique du Sud, épatant leurs amis au retour.

Le commerce de Paul florissait ; il était devenu un expert en pierres précieuses et semi-précieuses. Muriel créait toujours des bijoux, les adaptant au goût du jour. Mieux: elle devançait les modes et était devenue une designer reconnue. Ils avaient de nombreux amis partout dans le monde, qu'ils visitaient régulièrement au cours de leurs périples. Les émeraudes, qui restaient leur spécialité, les obligeaient à se rendre presque tous les ans en Colombie. Cette fois-là encore, Vincent, quatorze ans, et Matthieu, douze ans, les accompagnèrent à Bogota. Plutôt que d'aller à l'hôtel, toute la famille logea chez des amis, parents, eux aussi, de deux adolescents. Tous firent la fête jusque tard dans la soirée, autour de la piscine qui se trouvait derrière la maison, située dans un quartier cossu de la capitale. Paul avait un rendez-vous tôt le lendemain matin. La maisonnée était encore endormie quand il se leva. Muriel voulut l'accompagner, comme elle le faisait toujours pour visiter les joailliers et les marchés publics qui étaient pour elle une formidable source d'inspiration. Mais elle avait trop bu de rhum la veille et Paul n'eut aucun mal à la persuader de le rejoindre plus tard pour le déjeuner. Il sortit de la maison, monta dans l'auto qu'il avait louée à l'aéroport et se dirigea vers le centre-ville.

À midi, Muriel se rendit au restaurant où son mari lui avait donné rendez-vous. Elle l'attendit plus d'une heure. Il régnait une grande confusion au centre-ville. On voyait des policiers et des soldats partout. Les gens se déplaçaient rapidement, cherchant à longer les murs. Muriel se demandait ce qui s'était passé: une manifestation ou une attaque des guérilleros? En fait, une fusillade avait éclaté entre l'armée et les narcotrafiquants. Il y avait eu des blessés d'un côté comme de l'autre. La rumeur voulait que deux étrangers aient reçu des balles perdues. Après bien des recherches à la police, dans les hôpitaux, Muriel apprit qu'un journaliste britannique et un touriste avaient été transportés à l'hôpital américain. Elle y trouva Paul reposant entre la vie et la mort. Les heures d'angoisse s'égrenèrent lentement. Muriel cherchait un peu d'espoir auprès des médecins qui refusaient de se prononcer. Paul n'avait que quarante-neuf ans et il était en parfaite santé. Mais il succomba à ses blessures sans reprendre conscience, entouré de sa femme et de ses deux fils.

Muriel se mit à sangloter et Aurélie l'entoura de ses bras. Vincent s'était tu et regardait par la fenêtre de l'auto. Matthieu n'avait pas ouvert la bouche, fixant le dossier du siège avant. Leur vie avait basculé et ils ne savaient pas encore quoi en faire. Aurélie se sentait impuissante devant le désespoir de sa sœur.

La vieille dame frissonna. Il ne lui restait que Lorraine. Elle ne voulait pas la perdre. Simone lui toucha doucement le bras. Elle lui avait préparé une tisane calmante qu'Aurélie refusa.

— Tu n'as pas de tisane amnésique? C'est ça, qu'il me faudrait. J'ai juste envie que tout s'arrête.

Il se mit à tomber de gros flocons épars qui s'accrochaient aux vitres des fenêtres. Simone proposa à Aurélie de passer à table pour prendre un potage. Celle-ci se leva lentement et se dirigea vers la cuisine en traînant les pieds. Simone remarqua que c'était la première fois qu'elle la voyait marcher comme une petite vieille et elle s'en inquiéta.

Aurélie passa l'après-midi à regarder le fleuve et surtout le ciel. La neige avait été de courte durée, et le ciel était redevenu d'un bleu pur. Des traces blanches s'y dessinaient parfois, preuve qu'un avion fendait le ciel à haute altitude. Simone passait beaucoup de temps avec Aurélie, essayant de la distraire. Cette dernière ne cessait de scruter le ciel.

— À quelle heure, son avion?

— Je ne sais pas. Les vols vers l'Europe se font souvent en fin d'après-midi.

— Le ciel est clair, espérons qu'elle ne rencontrera pas de turbulences comme la pauvre Rita.

Aurélie se mit à pleurer à chaudes larmes. Simone en fut étonnée; elle ne la savait pas si proche de sa belle-sœur. Puis elle comprit qu'Aurélie pleurait la perte de Lorraine.

— Elle reviendra. Elle n'est pas morte.

— Elle aussi, elle tente trop le destin. On ne part pas à son âge dans un pays dévasté par une guerre où il n'y a pas de front, mais des bandes d'assassins armés et assoiffés de sang.

Lorraine avait peu dormi. Dès l'aube, elle rangea l'atelier, décrocha les photos du baptême, mit dans une boîte les clichés et les négatifs du manoir. Elle vérifia ensuite son équipement puis fit ses bagages, fourrant d'abord dans un grand sac des vêtements confortables et chauds pour affronter le froid, la pluie, la neige, la boue, puis remplissant un sac étanche de médicaments et d'une trousse de premiers soins. Tout ce travail lui donna un regain de vigueur. Occupée à faire autre chose que d'écouter de jolies histoires, elle se sentait enfin dans l'action.

La photographe prit ensuite une douche. En se brossant les dents, elle vit dans le miroir une femme aux yeux bouffis, au corps épaissi par le confort dans lequel elle vivait depuis quelque temps, la nourriture riche, le bon vin, le manque d'exercice. Avec une gueule pareille, se dit-elle, Véronique retirerait sa proposition pour la confiner dans un bureau. Lorraine ne pouvait pas retrouver sa forme en quelques heures, mais elle pouvait changer un peu son apparence trop sage et tranquille.

Elle se rendit chez un coiffeur dont le salon se trouvait non loin de l'atelier. Il se faisait payer très cher pour faire des têtes à succès à des cadres d'entreprise qui travaillaient dans les environs. Et il ne prenait personne sans rendez-vous. Lorraine se présenta en tenue de combat, pantalon cargo, gros chandail, anorak et bottines lacées. La réceptionniste en resta bouche bée. Et Carlo, curieux comme une belette, alla voir l'espèce de Rambo qui venait d'entrer dans son antre.

— Je prends l'avion dans quelques heures et j'ai sérieusement besoin d'une coupe de cheveux.

— Ça, je n'en doute pas. Et vous allez où comme ça ?

— En enfer… le Kosovo.

Carlo leva les bras, impuissant.

— Et qu'est-ce que vous voulez ? Que je vous rase la tête ?

Lorraine lui sourit. Le coiffeur se tourna vers ses clientes et ses assistants qui regardaient tous en direction de l'entrée. Il appela une jeune fille aux cheveux rouges crantés pour qu'elle s'occupe de la photographe. Lorraine la suivit au bac à shampooing, puis Carlo vint rapidement lui couper les cheveux très courts, ne laissant que quelques mèches un peu plus longues autour du visage pour l'adoucir.

— Vous faites plutôt garçon comme ça.

— C'est parfait, c'est le camouflage dont j'ai besoin.

— Ravi de vous avoir aidée. J'adore faire des têtes pour l'emploi. Vous êtes ma première guerrière.

Lorraine sortit du salon remplie d'énergie. Elle se sentait enfin prête pour la guerre. Le vol fut parfait. Pour une rare fois, Lorraine réussit à dormir une bonne partie du trajet, arrivant reposée à Paris. Elle retrouva la ville avec bonheur. Elle n'était pas venue en France depuis quelques années. La Ville lumière n'avait pas changé. Ou plutôt si. Les choses s'étaient encore accélérées, la circulation, les gens qui se pressaient pour faire leurs courses en prévision de Noël. Lorraine se rendit directement à l'agence Images Presse. Personne ne fit attention à elle, avec ses sacs et ses appareils photos. Elle n'était pas la seule à arriver avec ses bagages. Ici, on voyait souvent des gens qui partaient sur le terrain ou en revenaient. Lorraine demanda à voir Véronique. On lui indiqua d'un signe de main la porte de son bureau. Il régnait en ces lieux une grande fébrilité. Tout le monde semblait courir dans tous les sens. Ça devait être un jour de tombée pour beaucoup de magazines qui s'approvisionnaient là. Véronique, la rédactrice photo, n'était pas dans son bureau mais dans celui de son patron. Elle en sortait comme Lorraine arrivait. Elle regarda sa vieille amie de la tête au pied.

— C'est toi ? Je ne t'aurais pas reconnue. Tu es prête pour le front, dis donc !

Elles se firent la bise puis entrèrent dans le bureau de Véronique. La rédactrice avait quelques années de plus que la photographe, mais ne les paraissait pas. Elle était élégante et sobre avec un chemisier blanc de qualité et une jupe gris anthracite. Sa seule extravagance était un collier fait de plusieurs rangées de pierres colorées et une grosse montre au poignet.

— Tu sais, je ne pensais pas vraiment que tu viendrais. Je me suis dit : à son âge, elle va changer d'idée. Il n'y a que des hommes sur le terrain et de très jeunes femmes qui ressemblent parfois tellement à des garçons, c'est inouï. Et je vois que tu as pris leur look, c'est très bien. Alors, comme ça, c'est terminé, la retraite ? Tu sais, la plupart d'entre nous se trouvent un autre travail, un jardin, un chat ou un mari pour changer de vie. C'est fou, ce métier. Et les horreurs à photographier chaque jour...

— Je n'étais pas à la retraite, je me suis occupée de ma mère jusqu'à son décès. Le cancer.

— Oh, je suis désolée. Je comprends un peu mieux que tu veuilles reprendre du service. Tu vas voir, nous sommes une belle famille.

Avoir de nouveau une famille, ce n'était pas vraiment ce que Lorraine recherchait. Mais elle ne voulait surtout pas expliquer le manoir, Aurélie, la lettre de Bernard, le désespoir de Jeanne. Elle voulait décrocher, canaliser ses émotions ailleurs, renoncer à une vie dite normale pour faire ce métier qu'elle aimait tant. Et il fallait être solitaire pour donner autant de soi-même comme photographe de guerre.

— Je ne te cacherai pas qu'il me manque des photographes d'expérience. Viens, je vais te présenter Thierry, vous travaillerez ensemble. Lui, il pond les textes ; toi, tu fournis les images. Mais ne te gêne pas pour commenter tes photos.

Lorraine suivit Véronique dans la salle de conférence. La longue table était couverte de photographies, de feuilles de route, de cartes géographiques. Le directeur de l'agence, un homme dans la cinquantaine, les cheveux argentés, les ongles manucurés, la mise soignée, tout habillé de noir, montrait des endroits chauds sur une carte à deux hommes dans la jeune trentaine. Un petit brun à lunettes écoutait attentivement pendant que l'autre, les courts cheveux jaunes et enduits de gel, les regardait d'un air désabusé, les bras croisés, les fesses appuyées contre la table. Le directeur serra la main de Lorraine, lui souhaita la bienvenue, puis il continua ses explications.

Depuis le mois de mars 1998, les autorités de Belgrade avaient aboli l'autonomie dont jouissait le Kosovo et entrepris la «reconquête» de cette province avec une vaste offensive militaire et policière destinée à éliminer les terroristes de l'UCK (Ushtria Çlirimtae e Kosovës — armée de libération du Kosovo). Des dizaines de milliers de policiers serbes ratissaient la province, attaquant certains villages avec une rare violence. Le bilan était très lourd : massacres de femmes et d'enfants, tueries de paysans, mutilations, villages détruits, maisons et récoltes brûlées, exode de milliers de civils. La guerre se prolongeait, les massacres se multipliaient de part et d'autre, et la situation se détériorait chaque jour. Il y avait déjà beaucoup de réfugiés à la frontière albanaise, et leur nombre continuait d'augmenter. L'aide humanitaire était acheminée via Tirana ; les photographes et les journalistes devaient prendre le même chemin.

— Je veux des photos, pas des héros. Alors, vous me faites des topos des camps de réfugiés, de la situation à la frontière, mais vous restez en Albanie pour le moment.

Le jeune homme aux cheveux jaunes qui jouait les indifférents quitta la table.

— Les photos sont déjà difficiles à publier, les éditeurs préfèrent vendre le rêve, les stars, la mode que des victimes de la guerre. Alors, si on n'a que des camps de réfugiés à leur montrer... C'est toujours la même chose, des femmes, des enfants, des vieillards. C'est à qui va réussir à capter le regard le plus pathétique.

— Que veux-tu, Thierry, les charniers, une balle dans la nuque ou les lentes tortures des interrogatoires ?

Que tu rencontres un Serbe ou un Kosovar, ce sera la même chose, ils ne veulent pas laisser de témoins, surtout des journalistes. Les seuls sur place sont ceux qui accompagnent les observateurs internationaux sur le cessez-le-feu. À moins que tu n'aies envie de te faire inviter par Milosevic à assister à des nettoyages de réseaux terroristes? Moi, en ce moment, je vends les camps de réfugiés et l'aide humanitaire. Si la situation change, tu en seras avisé.

Lorraine regarda Thierry qui grommela un peu et s'appuya de nouveau sur le rebord de la table. Le directeur termina son exposé, leur souhaita bonne chance à tous les trois et se retira dans son bureau. Lorraine regarda Véronique avec étonnement. Pourquoi lui avait-elle adjoint ce jeune excité? Pour qu'elle le calme comme une maman? Véronique lui présenta d'abord Olivier, le petit brun à lunettes, puis Thierry qui lui offrit une main sèche et osseuse sans vraiment la regarder dans les yeux. De toute évidence, il n'était pas très heureux de la nounou qu'on lui imposait. Véronique leur souriait avec malice.

— Vous allez faire une très bonne équipe. L'expérience et la fougue. Votre avion ne part que dans deux jours, alors vous avez le temps de faire connaissance...

Sur ces mots, Véronique quitta la salle de conférence et les laissa seuls tous les trois. Olivier ramassa son sac à dos en leur disant qu'il rentrait chez lui, voulant passer le peu de temps qui lui restait avec sa femme et sa petite fille de six mois. Restée seule avec Thierry, Lorraine se mit à regarder la pièce autour d'elle. Elle ne savait pas quoi lui dire, sentant un froid glacial entre eux. Thierry la regarda pour la première fois, de la tête aux pieds.

— Vous êtes Québécoise, c'est ça? On se tutoie chez vous, non? Alors, qu'est-ce qui t'amène, une peine d'amour, un divorce, la mort de ton chat?

Lorraine décida d'être aussi directe que lui.

— Non, la découverte d'une nouvelle mère.

— C'est pas si grave. Des mères, on en a parfois de trop, parfois pas assez. Il faut faire avec ou sans. Mais à ton âge, on peut faire sans.

— Écoute, mettons les choses au clair. Je ne te demande pas de m'aimer. Mais comme on va travailler à montrer la guerre, ce serait un peu idiot de se la faire en plus. Tu as ta vie, j'ai la mienne. Tu aimes prendre des risques. Normal. Je suppose que tu rêves de gloire. L'expérience me rend moins casse-cou. Il y a toujours un danger de se croire blindé et de tenter sa chance une fois de trop. Mais je pense qu'on peut s'épauler dans ce travail et bien se compléter. Je te demande seulement de laisser tomber tes préjugés sur les femmes plus âgées. Je n'ai pas l'intention de jouer à la mère avec toi.

— Ça tombe bien, je ne joue jamais au fils avec personne.

Lorraine ramassa ses sacs, le salua et quitta la salle. Thierry la rattrapa à l'entrée.

— On peut casser la croûte, histoire de mieux se connaître. On va quand même se côtoyer quelques mois, non?

— Tu n'as pas d'adieux à faire à personne?

— Je ne fais jamais d'adieux, je reviens tout le temps.

Il lui sourit et elle fit de même. Elle trouva une chambre dans un petit hôtel tout près, y déposa ses bagages et suivit Thierry dans un restaurant de quartier. Lorraine ne tenait pas tant que ça à parler de sa vie personnelle, Thierry non plus. Sous ses dehors frondeurs, il était curieux et passionné de découvertes. Il était aussi bien documenté sur la région où ils allaient travailler tous les deux. Plus que Lorraine qui avait suivi d'un œil distrait les guerres de Bosnie et de Croatie, se contentant des grandes lignes offertes par les journaux.

— Tu connais la Dardanie?

— La Dardanie? Ça a quelque chose à voir avec la Grèce et la Turquie?

— Non, ça, c'est le détroit des Dardanelles. La Dardanie antique est une région des Balkans qui correspond à peu près à l'actuel Kosovo.

Entre deux bouchées et quelques gorgées de vin, Thierry lui raconta l'histoire des Dardaniens:

— C'était un peuple illyrien qui vivait dans les Balkans avant la fin du second millénaire avant

Jésus-Christ, cela a été attesté. L'Illyrie, colonisée par les Grecs, devint ensuite une province romaine et donna à Rome des empereurs tels Aurélien, Dioclétien et Constantin. Puis ce fut, comme dans le reste des Balkans, l'invasion des peuples barbares. Les Slaves s'établirent sur ce territoire, où la présence des Serbes est attestée depuis le XIe siècle. La présence continue des Albanais fut également attestée, mais la question de leur origine resta obscure, la première mention ne remontant qu'au Xe siècle, sous la plume des chroniqueurs byzantins. Les historiens albanais ont soutenu la thèse illyrienne selon laquelle les Albanais actuels seraient les descendants des Dardaniens, les premiers arrivés au Kosovo. Et cela leur donnerait des droits historiques. Les historiens slaves ont affirmé de leur côté que l'installation des Albanais était postérieure au VIe siècle et que ce seraient donc les Slaves qui devraient contrôler la région. Ces versions nationales, diffusées par chaque système éducatif, ont inlassablement alimenté les discours nationalistes serbes et albanais.

Lorraine le regarda un moment. Il avait raconté tout ça avec calme, comme on récite un livre d'histoire.

— Et ils vont se tuer comme ça tant qu'ils n'auront pas de preuves historiques?

— Peu importe les preuves qu'ils pourraient découvrir, il y aura toujours un parti insatisfait qui les réfutera. Et ce n'est pas seulement une question de savoir qui est arrivé le premier. Il faut aussi savoir qui a le plus souffert.

— On revient au fameux culte des martyrs. Et ça marche toujours, les religions en savent quelque chose. Chrétiens, juifs, musulmans, ils ont tous leur période de martyrs et de kamikazes.

— Sans oublier que l'histoire se transforme toujours dans l'imaginaire des peuples. Comme la fameuse bataille du Champ des Merles, qui se dit Kosovo en serbe.

— Tu parles serbe?

— Je me débrouille à peine. Mon albanais n'est pas meilleur. Le problème, c'est de savoir s'il vaut mieux parler français ou anglais avec les gens qu'on rencontre. Je ne sais pas pour la Serbie, mais je sais qu'en Albanie, le français est mieux perçu que la langue des Américains. C'est d'ailleurs la deuxième langue du pays. Après tout, le dictateur Hodja était un ancien prof de français. La France a gardé un peu de son aura de culture, d'art et de bonnes manières. Qu'on le veuille ou non, on traîne aussi le passé de son pays avec soi. Toi, tu as la chance de ne pas traîner grand-chose au point de vue international. Tu ne viens pas d'un pays colonialiste et guerrier. C'est toujours ça de pris. Tu prends un café? On a le temps, après tout.

— On a le temps et il pleut. Alors, raconte-moi cette fameuse bataille.

— J'aimerais te parler de la force de l'imaginaire historique.

Lorraine sourit. «L'imaginaire historique», comme cette expression allait bien à Aurélie. Mais elle chassa aussitôt cette pensée pour écouter Thierry. Elle le voyait en vaillant chevalier aux côtés du prince Lazare, au cœur de l'empire serbe, affrontant les armées du sultan. Puis le beau jeune homme tombait de cheval, et sa tête roulait sur la terre ensanglantée. La bataille du Champ des Merles fut remportée par les Turcs. Les Balkans furent ensuite sous domination ottomane pendant plus de quatre siècles.

— Où est l'imaginaire, là-dedans?

— J'y arrive. L'imaginaire s'est développé au fil du temps. La tradition orale serbe n'a cessé d'exalter cette bataille, faisant des Serbes, pour toute l'Europe, le rempart chrétien contre la poussée ottomane. On oublia rapidement les Croates, les Albanais et les Valaques qui combattirent à leurs côtés. Comme on oublia les vassaux chrétiens bulgares et serbes qui luttèrent aux côtés du sultan. Le Kosovo devint le paradis perdu de la vieille Serbie, le cœur de l'empire serbe à reconquérir.

— Ce mythe fondateur avait été réactivé en 1986 par un groupe d'académiciens de Belgrade. Les Serbes devaient retrouver l'hégémonie à laquelle ils avaient droit en vertu de leur rôle historique contre l'occupant turc ou allemand. Face à la présence musulmane, les Serbes étaient restés farouchement chrétiens, alors que les Albanais, pour un meilleur statut social et économique, s'étaient convertis et avaient même fourni plusieurs vizirs et grands vizirs à l'Empire ottoman. Les Serbes les voyaient donc comme vendus à l'occupant. Milosevic avait brandi ces thèses pour conquérir le cœur des foules, accéder au pouvoir absolu et réunifier l'ensemble de la Serbie médiévale et toutes les régions peuplées par des Serbes. L'Albanais non slave devenait le bouc émissaire idéal, le responsable des difficultés que connaissait le pays.

— L'Europe cultive la mémoire. Nous avons le sens de l'histoire, au point de mourir pour elle. L'histoire a pourtant besoin des réflexions éclairées du présent. Là, on s'en sert pour faire de la propagande, comme on se sert d'un dieu pour obtenir et garder le pouvoir, cette fabuleuse drogue dont se nourrissent les hommes.

— Tu me surprends, Thierry. Tu as une maturité étonnante pour ton âge.

— Tu devras te débarrasser des préjugés sur les hommes plus jeunes. C'est pas parce qu'on n'aime pas la même musique qu'on est tous des demeurés. Et j'avoue que je suis tombé dedans étant petit. Ma mère était prof d'histoire. Et toi, pourquoi vas-tu au bout du monde photographier les horreurs?

Lorraine regarda un instant ses ongles. Elle ne pouvait pas lui dire qu'elle fuyait une vieille dame et un manoir. Alors, elle chercha les raisons de ses premiers voyages.

— Par impuissance. Devant toutes ces situations intolérables dans le monde, je me suis toujours sentie impuissante. Puis j'ai découvert la force de l'image. Il me reste assez de naïveté pour croire qu'avec ces images, je peux tirer le public de son indifférence pour l'amener à protester, à dénoncer les tragédies humaines, à mettre un frein à la barbarie.

— De nobles idéaux.

— Ne te moque pas de moi. Je ne suis pas la Jeanne d'Arc du Kodak.

— La Jeanne d'Arc du Kodak?

— Oui, c'est comme ça que mon frère m'appelait quand je partais en croisade contre des injustices.

— Ce qu'on fait, même de bonne foi, peut être récupéré par la propagande, peu importe le camp où l'on se trouve. Les rouages de la machine de propagande serbe sont connus: le régime de Belgrade est fondamentalement opposé à la liberté de presse et n'hésite pas à éliminer les voix discordantes. Mais est-ce que nous sommes si blancs que ça nous-mêmes? Les grands patrons de presse n'hésitent pas à utiliser des titres ronflants pour vendre leurs journaux et magazines, quitte à apporter des correctifs plus tard, dans un petit paragraphe au coin d'une page que peu de gens liront. C'est la une qui frappe et qui parfois dérape.

— La une qui annonce la naissance d'un bébé extraterrestre avec trois yeux fait plutôt sourire. Les gens savent que ce sont des conneries.

— Tu serais surprise de la quantité de gens qui y croient. Surtout quand ça vient de journaux dits sérieux. Et c'est la même chose avec les photos. Les victimes que tu photographies donnent raison à leurs défenseurs qui deviennent agresseurs à leur tour et font de nouveaux martyrs dans le camp adverse. Regarde les Juifs et les Palestiniens, tour à tour martyrs et agresseurs.

— Tu me déprimes, Thierry. Alors, pourquoi allons-nous risquer notre peau?

— Parce qu'il nous reste encore une petite lueur d'espoir de sauver la race humaine. Ou parce qu'on ne veut pas mourir bêtement devant notre téléviseur.

Simone avait sorti les décorations de Noël du sous-sol. Aurélie la regardait installer les guirlandes électriques en haut des larges fenêtres du salon dans une indifférence totale. Jean-Paul amenait, aidé de Martin, un énorme sapin qu'ils traînaient sur la neige. Ils passèrent à l'arrière du manoir et entrèrent dans le salon. L'odeur du sapin envahit la pièce. Simone sourit à Martin. Jean-Paul regarda Aurélie qui ne leur prêta aucune attention. Elle était comme ça depuis qu'elle avait appris le départ de Lorraine. Martin s'approcha de Simone et lui murmura quelque chose à l'oreille. Simone fit signe que oui. Martin s'approcha alors d'Aurélie et lui tendit une lettre. La vieille dame leva les yeux vers lui sans comprendre.

— C'est de ma sœur. Elle l'a écrite avant de prendre l'avion pour Tirana. Vous pouvez la lire. Il n'y a pas de secret de famille dans celle-là. Elle souhaite à tous un bon Noël. Elle a rencontré de jeunes reporters sympathiques.

Aurélie prit l'enveloppe et l'examina attentivement. Puis elle sortit le feuillet bleu ciel et commença à lire.

Martin retourna aider Jean-Paul à installer l'arbre dans un coin du salon. Il regrettait son commentaire sur le secret de famille. Toute allusion à la lettre de Bernard Lamoureux avait été bannie du manoir. Il avait promis de ne pas en parler et voilà que ça sortait tout seul. Il se souvenait encore du malaise de Simone durant leur première excursion dans les Cantons de l'Est. Il tombait une neige fine et ils avaient marché un bon moment, admirant les montagnes saupoudrées de blanc. Puis ils avaient déniché une petite auberge où ils avaient pris un délicieux repas. Rendue au digestif, Simone s'était risquée à expliquer le froid qui avait causé le départ de Lorraine, cette fameuse visite chez le notaire.

Martin l'avait écoutée sans broncher. Il n'avait même pas demandé à lire la lettre. Il avait décidé d'oublier cette vieille histoire qui ne le concernait pas de toute façon. Mais il était porté à croire Simone qui n'avait rien à gagner, ni à cacher, en lui confiant ce secret. Lorraine lui avait dit que cette histoire de bébés échangés était sans importance, un coup monté par Aurélie qui cherchait désespérément une descendance. Il n'avait pas cru à cette version. L'attitude, la voix, le regard de Lorraine étaient trop troubles pour qu'elle soit crédible. Elle n'avait pas eu le temps de faire vraiment son deuil d'une mère qu'elle s'en faisait imposer une autre. Cette lettre lui avait fait mal ; elle avait ébranlé toutes ses certitudes. Martin comprenait mieux sa décision de partir, de s'étourdir à regarder les autres vivre et souffrir.

Il avait simplement haussé les épaules quand Simone lui avait demandé comment il se sentait. Il ne le savait pas. Il ne comprenait pas qu'un homme puisse écrire une telle confession à la femme qu'il disait aimer, tout en sachant, à moins d'être devenu complètement sénile, le grand bouleversement que sa confession causerait. Il avait voulu lui faire un cadeau en lui donnant ce bébé et il le lui retirait soudainement d'un coup de baguette magique. Voilà, c'était ta fille, ça ne l'est plus, mais je t'aime profondément. Martin ne s'expliquait pas comment on pouvait affirmer aimer de cette façon. Il n'avait jamais bien compris ce fameux processus de l'amour. Il comprenait le désir, l'attirance, l'envie de rester auprès de quelqu'un, mais l'amour dont on parlait partout, sur lequel on écrivait tant de choses, il ne savait pas trop ce que c'était. C'était peut-être l'union de ses parents faite de hauts et de bas, de petites querelles et de réconciliations, soudée autour des enfants. C'était peut-être aussi le bien-être qu'il ressentait auprès de Simone, cette sensation de tranquillité intérieure, d'apaisement, même quand il désirait son corps ardemment, qu'il se perdait en elle.

Aurélie avait lu et relu la lettre gentille et banale de Lorraine, à la recherche d'un code secret quelconque. Rien. Aucune allusion à ce qu'elle venait de vivre. Aurélie vit du coin de l'œil Simone sortir d'une boîte le grand ange blanc qui irait orner le sommet de l'arbre. La dame de compagnie lissa les plumes blanches de ses ailes, puis elle étendit l'organdi blanc qui donnait à sa robe l'aspect vaporeux d'un nuage. Aurélie revit les doigts de Mélanie qui faisaient le même geste. Elle avait les doigts aussi blancs que l'ange. Elle portait un turban rose pâle qui donnait un peu de couleur à sa peau devenue transparente. Aurélie était toujours étonnée de voir une fine veine bleue battre sur sa tempe. Étonnée et heureuse que le sang circule encore dans le corps de sa petite-fille si fragile. Le diagnostic avait frappé un an plus tôt. Une malédiction semblait peser sur les Savard. Mélanie n'avait pas encore quinze ans. Le choc passé, elle s'était vaillamment mise à combattre la leucémie. Des longs et douloureux séjours à l'hôpital où Mélanie gardait toujours sa bonne humeur, son espoir de survie invaincu.

Laurent semblait plus touché que sa fille par cette mort lente. Il ne dormait plus, buvait de plus en plus, et ne pouvait plus voir Hélène afficher sans cesse cette artificielle bonne humeur. Il avait l'impression de vivre avec un clown en éternelle représentation. Hélène souffrait tellement qu'elle avait mis un masque en permanence sur son visage. Elle s'était mise à confectionner des anges sous toutes leurs formes, en céramique, en émaux sur cuivre, en soie, en dentelle, en perles de verre. Des mobiles, des pinces à rideaux, des chandeliers, des bols à fruits, des pendentifs ornaient non seulement sa boutique mais aussi toute la maison. Laurent étouffait au paradis. Quand il apprit que Mélanie n'en avait plus que pour quelques mois, il décida de fuir les angelots et d'amener sa fille avec lui.

Il avait depuis longtemps coupé les ponts avec ses parents. Il ne savait trop pourquoi ni comment cela s'était produit. Les visites s'étaient espacées, tout comme les coups de téléphone. Peu à peu, il n'était resté que les fêtes de Noël et du nouvel an. Il avait même réussi à oublier les dates d'anniversaire. Il téléphona à sa mère pour lui demander l'hospitalité pour quelques semaines, le temps que le boom des fêtes soit passé à la boutique. Il avait besoin de changer d'air, Mélanie aussi. Cet appel fut pour Aurélie une grande joie, un plaisir immense. Elle avait si peu vu sa petite-fille ces derniers temps, couvée par Hélène, presque cachée en fait. À la grande surprise de Laurent, Hélène n'essaya même pas de le retenir. Elle promit simplement d'être là pour le réveillon.

Quand la voiture de Laurent démarra dans l'allée, Hélène s'assit au bout de la table de la cuisine, sortit la bouteille de schnaps aux pêches, le seul alcool qu'elle pouvait prendre à l'occasion, et prit régulièrement une gorgée de cette liqueur sucrée jusqu'à ce que la tête lui tourne et que la nausée la prenne. Puis elle pleura enfin et sans fin. Elle ne savait pas que son corps pouvait contenir autant de larmes. Elle s'endormit le visage contre la table et se réveilla au milieu de la nuit, complètement perdue, ayant peine à savoir où elle se trouvait. Elle passa trois jours comme un fantôme, refusant de répondre au téléphone, d'ouvrir la boutique même devant les coups répétés à la porte, de se laver, mangeant à même les boîtes de conserve. Le matin du quatrième jour, elle prit un bain, mit de l'ordre dans la maison et rouvrit la boutique, prête à faire face à l'achalandage précédant Noël. Elle n'avait pas remis le masque de la bonne humeur, essayant simplement de s'accrocher à celui d'une femme polie, désormais seule pour toujours. Elle était devenue veuve et «orpheline de fille». Pourquoi n'y avait-il pas un mot pour nommer une mère qui perdait son enfant? Hélène retrouva sa fille quelques jours plus tard, la serra dans ses bras un long moment et pleura un peu. Mélanie lui sourit et essaya de la consoler. Elles ne se quittèrent plus pour les jours à venir.

Aurélie était heureuse d'avoir Laurent et Mélanie avec elle. Elle était contente que le manoir ne soit plus ce château abandonné de tous, mais qu'il serve aussi de refuge. Richard était plus présent au manoir. Gisèle et André seraient là pour le réveillon avec Benjamin qui avait maintenant neuf ans. L'arrivée d'Hélène complétait le tableau familial. Les fêtes de Noël furent particulièrement joyeuses cette année-là. Mélanie, malgré sa fatigue, s'amusa beaucoup avec tout le monde et surtout avec Benjamin. Elle savait aussi bien que les autres que c'était son dernier séjour parmi eux et elle ne voulait rien manquer. Elle but un verre de champagne qui la soûla tout de suite à cause des médicaments qu'elle prenait encore. Elle se mit à danser avec Benjamin. Il était grand pour son âge et elle était si menue, si mince qu'il pouvait la faire valser comme une plume. Mélanie s'écroula, épuisée et souriante, sur le grand sofa du salon. Laurent la prit dans ses bras et la monta à sa chambre. Il s'étonna de sa légèreté; elle avait encore maigri. Il avait l'impression qu'un jour elle s'envolerait, comme les anges d'Hélène, et qu'il ne pourrait jamais la faire tenir dans un cercueil. Elle n'était pas faite pour rejoindre la terre, mais plutôt les nuages.

Le manoir fut animé pendant quelques jours. Aurélie en profita pour se rapprocher d'Hélène qu'elle connaissait si peu. Elle ressentait sa douleur avec acuité. Elle avait perdu sa fille après quelques heures à peine; Hélène la perdait chaque jour depuis des mois, la voyait dépérir, impuissante, inconsolable. Leur rapprochement fut davantage fait de silences, de regards, de petits gestes que de paroles. La serre servit de lieu de méditation pour les deux femmes. Mélanie les rejoignait parfois. Elles restaient toutes les trois silencieuses, à respirer le parfum subtil des roses de Dijon, à regarder les flocons s'attarder sur le toit de verre puis dégringoler la pente pour aller s'écraser sur le sol.

La fin du mois de janvier marqua le départ de tout le monde. Richard allait donner des conférences dans différentes universités américaines, Hélène retournait à sa boutique accompagnée de Laurent et de Mélanie. Aurélie se retrouva seule de nouveau au manoir. Février fut froid, sombre et déprimant comme d'habitude. Mars, qui devait apporter le printemps, annonça la mort. Mélanie mourut quelques jours après avoir fêté ses seize ans.

Hélène essaya de retrouver un semblant de normalité dans sa vie. Ses doigts étaient devenus engourdis par le chagrin. Elle ratait toutes les céramiques et abandonna ce travail pour se consacrer à la couture. Elle se piquait régulièrement, mais ces travaux avaient l'avantage de pouvoir être repris, contrairement à la céramique ou aux émaux sur cuivre. Elle fabriquait toujours des anges avec des robes vaporeuses parsemées de broderies et de perles. Puis elle se mit à leur faire de petites têtes finement ciselées en céramique qu'elle coloriait. Les visages étaient le portrait de Mélanie avec son teint laiteux, ses yeux noisette, ses fines arcades sourcilières, son nez légèrement retroussé, sa bouche ronde et rose. Hélène ne comprenait pas comment elle pouvait fabriquer un aussi beau visage en céramique alors qu'elle ne pouvait plus faire un simple bol sur son tour. Se disant que sa fille guidait ses doigts, elle passa ses journées à faire son portrait. Ses anges volants, comme elle les appelait, se vendaient très bien, trop même car elle avait peine à suffire à la demande.

Laurent, de son côté, était inconsolable. Contrairement à Hélène, il n'avait aucune échappatoire. Il refusait de se lever le matin, de se raser, même de se laver. Il errait dans la maison, essayant d'éviter sa femme toujours penchée sur son ouvrage. Il était incapable de toucher sa guitare depuis des années et avait abandonné le dessin il y avait de cela bien longtemps, le jour où il avait compris qu'il n'avait qu'un talent limité de reproduction. La mode psyché-délique passée, il avait orienté son énergie vers les affaires, celles de la boutique, puis il avait ouvert des points de vente à Montréal, à Québec et dans des villages touristiques. Il les visitait trois ou quatre fois par an pour renouveler leur stock, ce qu'il n'avait plus fait depuis l'annonce de la maladie de Mélanie. Certaines boutiques avaient continué de venir s'approvisionner chez Hélène; d'autres avaient tout simplement laissé de côté leur ligne d'anges pour acheter aux États-Unis des angelots taïwanais.

Après des semaines à voir Laurent sombrer dans ce laisser-aller, Hélène se décida à appeler sa belle-mère et lui demanda de passer les voir. Aurélie arriva un bel après-midi de mai avec Jean-Paul. Elle trouva Laurent avachi sur le sofa, regardant une *telenovela* mexicaine à la télévision.

— Je ne savais pas que tu voulais apprendre l'espagnol.

Il lui jeta un bref regard, se remit à admirer la bouteille de bière qu'il tenait à main et en prit une longue gorgée. Aurélie monta à la chambre de Laurent. Aidée d'Hélène, elle lui prépara deux grosses valises que Jean-Paul mit dans le coffre de la limousine. Puis elle descendit rejoindre son fils. Elle ferma le téléviseur, lui enleva la bouteille des mains et le somma de se lever avant que Jean-Paul ne se charge de le faire pour lui. Laurent traîna les pieds jusqu'à l'auto où il s'assit à l'arrière, sans un mot ni un regard pour Hélène. Aurélie embrassa sa bru.

— Tu es toujours la bienvenue au manoir. Tu n'as même pas à t'annoncer, c'est chez toi aussi.

— Je me sens bien ici, j'ai l'impression que je ne suis jamais seule, elle est toujours avec moi. Le seul poids est Laurent. Il ne m'a pas adressé la parole depuis des semaines. Il refuse même de manger avec moi. Il sera mieux dans la maison de son enfance. Peut-être reviendra-t-il à la vie.

Son retour à la vie fut lent et pénible. Ce fut Aurélie qui revint à la vie. Avoir son fils au manoir la rajeunissait; elle s'occupait enfin de quelqu'un. Elle traînait Laurent partout, faisant souvent des promenades en bateau dans les îles, l'amenant voir des spectacles à Montréal. Richard passa aussi de longs moments avec Laurent comme quand il était petit. Il ne bricolait pas davantage, mais il se promenait dans le parc avec lui, s'efforçant de ne pas aborder des sujets tels que l'économie ou la politique, se taisant souvent quand la douleur d'évoquer les absents se faisait trop forte. Aurélie avait l'impression de retrouver sa famille. Elle s'était rapprochée de Richard. Le soir, ils parlaient de leur fils, cherchant une solution à sa dépression.

Laurent avait refusé de consulter un médecin. Personne ne pouvait lui rendre sa fille. Il fallait simplement qu'il s'habitue à ne plus la voir nouer ses longs cheveux, à ne plus l'entendre chantonner dans la salle de bains, à ne plus la regarder courir sur la plage dès les beaux jours d'été. Il essayait tous les jours d'enterrer dans les profondeurs de son cœur sa Mélanie aérienne. Il fallut l'arrivée de l'automne pour lui faire oublier un peu le soleil qu'était sa fille. Laurent décida de louer un appartement à Montréal. Larry lui avait trouvé un travail aux tâches indéterminées dans son cabinet d'avocats. Laurent avait de nouveau envie de se retrouver mêlé aux nombreux habitants d'une grande ville. Aurélie et Hélène l'aidèrent à aménager un petit studio au centre-ville. Laurent remercia sa femme en lui envoyant une demande de divorce. Elle accepta sans sourciller. Elle n'avait pas osé le faire elle-même. Il lui laissa la maison, les meubles et une somme rondelette. Il ne savait que faire de l'héritage de son grand-père. Cet argent aurait dû servir à Mélanie pour ses études et sa vie de jeune adulte qu'elle ne vivrait jamais.

Les mois passèrent, puis les années. Laurent se faisait un devoir d'aller au manoir à Noël et de passer une semaine l'été dans les îles de Sorel. Le reste du temps, personne ne savait vraiment ce qu'il faisait. Il passait parfois au bureau, plus pour flirter avec les secrétaires et prendre son chèque que pour travailler. Larry en vint à lui verser son petit salaire directement sur son compte en banque et Laurent espaça ses visites.

Hélène avait un nouveau compagnon; sa vie semblait redevenir heureuse même si le souvenir de Mélanie ne la quittait jamais. Quand elle ressentait trop de nostalgie ou quand elle avait une envie folle de parler de sa fille à quelqu'un qui l'avait connue, elle remontait le Richelieu, suivant le chemin des Patriotes, pour aller voir Aurélie. Les deux femmes passaient quelques heures ensemble, la plupart du temps à contempler le fleuve, puis Hélène retournait à sa nouvelle vie. Deux ans après le décès de Mélanie, elle eut la surprise de se retrouver enceinte à trente-huit ans. Sa vie se transformait de nouveau. Ne voulant plus vivre dans cette maison qui avait vu grandir Mélanie, elle déménagea sa boutique à Magog et mit au monde une belle petite fille en bonne santé.

Laurent n'avait appris la nouvelle que peu de temps avant l'accouchement. Il était toujours inconsolable de la perte de sa fille, ne pouvant accepter que le destin puisse frapper si cruellement. Savoir qu'Hélène allait avoir un autre enfant fut un dur coup pour lui. Il n'avait jamais essayé de refaire sa vie. Il avait des femmes autour de lui, mais il ne choisissait que celles dont il ne risquait pas de devenir amoureux, des filles un peu vulgaires qui buvaient trop, qui criaient un peu et qui baisaient beaucoup. Ces rencontres amoureuses étaient en fait des beuveries qui se terminaient soit en engueulade soit en partouze. Rien ne devait être paisible. Le paradis ne l'intéressait pas; il avait étouffé dans celui d'Hélène. C'était l'enfer qui l'attirait, avec ses débordements, ses vertiges au bord de précipices enflammés. Le jour de ses quarante ans, la police, alertée par des voisins, le découvrit sans vie dans son appartement sens dessus dessous. Il y avait tellement d'alcool et de médicaments de toutes sortes dans son organisme que personne ne pouvait dire s'il s'agissait d'un suicide ou de la lente descente d'un corps épuisé et vieilli prématurément.

Aurélie pleura la mort de son fils, mais il y avait aussi un certain soulagement dans ses larmes. Elle savait bien qu'il était profondément malheureux, insatisfait d'une vie à laquelle il n'avait pas réussi à donner un sens. Les quelques mois qu'il avait passés à ses côtés avaient été faits de silence, de colère réfrénée, de frustration, d'impuissance. Elle avait rapidement cessé d'essayer de lui donner des conseils. Laurent était brisé et rien ne semblait pouvoir recoller les morceaux. Aurélie souhaitait qu'il repose en paix, pour la première fois depuis si longtemps.

Ce deuil fut plus difficile pour Richard. Beaucoup pensèrent que c'était à cause des journaux qui ne se privaient pas de faire des gros titres sur la mort suspecte du fils de l'ancien premier ministre. Les potins circulèrent allègrement jusqu'à la divulgation du rapport d'autopsie qui parla d'un cœur épuisé. Richard n'avait que faire de ce que les autres pouvaient penser de lui. Sa douleur était ailleurs. Il avait l'impression d'avoir échoué sur toute la ligne. Il avait été incapable d'aider son fils à s'en sortir. Il se disait qu'il aurait dû insister, le forcer à voyager avec lui, tout en sachant que Laurent ne l'aurait jamais suivi. Il avait manqué à ses devoirs de père comme il avait manqué à ceux de mari, vivant avec une femme qui lui offrait son soutien mais avec laquelle il n'avait plus d'intimité, non seulement physique, mais aussi intellectuelle. Elle ne se confiait jamais, lui non plus. Ils étaient devenus deux étrangers partageant un toit occasionnellement, s'épaulant dans les difficultés comme de vieux amis et vivant chacun dans leur monde le reste du temps.

Le sapin était maintenant bien installé dans son coin. Avec la chaleur, ses branches étaient un peu descendues, lui donnant toute la majesté requise pour trôner ainsi pendant quelques jours. Simone et Martin posaient avec précaution les boules de verre colorées qui dataient des premiers Noël d'Ariane pendant que Jean-Paul se chargeait de sortir de leurs boîtes les figurines en bois peint qu'on accrocherait dans l'arbre. La dame de compagnie regarda de nouveau Aurélie. Elle avait toujours la lettre de Lorraine à la main, mais elle ne lisait plus depuis longtemps, fixant l'ange immaculé posé sur un fauteuil. Simone savait qu'elle pensait à Mélanie, ayant vécu de près cette triste période où elle avait recueilli les confidences d'Aurélie et parfois celles d'Hélène. Elle avait aussi fait face au silence buté de Laurent et à celui, malheureux, de Richard. Martin, curieux, suivit son regard. Elle lui sourit, se promettant de lui raconter aussi cette histoire. Martin aimait bien ces confidences sur l'oreiller qui lui faisaient apprécier encore plus Aurélie et son manoir. Et Simone devenait une bonne conteuse quand elle se laissait aller dans ses bras.

Lorraine avait passé la journée précédant son départ pour Tirana à flâner près de l'hôtel, restant attablée de longs moments dans des cafés pour éviter la pluie et le froid qui s'abattaient sur Paris. Pas de visites touristiques, pas de musées, la simple recherche du quotidien, du pouls de la ville et de ses habitants. Elle retrouva Thierry et Olivier le lendemain matin à l'aéroport. Thierry avait changé son apparence. Il avait teint ses cheveux en noir et laissait pousser sa barbe. Elle prit place à ses côtés.

— Le truc du caméléon?

— Parfaitement. À Rome, il faut vivre comme les Romains.

— Tu es déjà allé en Albanie?

— C'est mon premier voyage à Tirana. Le pays a été fermé pendant longtemps.

— Oui, je sais. Quand j'ai voyagé en Yougoslavie à la fin des années soixante-dix, je n'ai pas pu y entrer. Avec Hodja, c'était la ligne dure.

— Et qu'est-ce que tu faisais en Yougoslavie? Des photos?

— Surtout du tourisme. J'arrivais d'Istanbul et je me rendais en Italie par la route. Mais ça fait longtemps tout ça. Les choses ont dû changer depuis la mort d'Hodja en 85.

Thierry sourit de sa naïveté.

— Les Albanais ont dû attendre cinq ans pour que le gouvernement communiste, face au mécontentement général, annonce des réformes politiques et économiques. Il a fallu la chute du mur de Berlin, la révolution en

281

Roumanie, les exodes massifs, l'intensification de la pression internationale et la révolte des étudiants de Tirana pour que le multipartisme soit enfin instauré en décembre 1990. Ce n'était pas évident de passer d'une société fermée sur elle-même pendant quarante ans, où l'on n'avait même pas le droit de posséder sa propre auto, à une économie de marché. Plusieurs Albanais, naïfs dans leur vision du capitalisme, mirent leurs économies dans une affaire pyramidale qui s'écroula en 1996. Le gouvernement prit le blâme, et le pays plongea dans le chaos, proche de la guerre civile. Soldats et policiers désertaient ; les infrastructures du pays étaient détruites. Les changements avaient été trop rapides.

— Et maintenant, avec la crise du Kosovo, ça ne doit pas s'améliorer.

— Il y a quelques mois, de nouvelles émeutes ont éclaté dans les rues de Tirana. L'afflux des réfugiés met à rude épreuve les capacités d'accueil et d'adaptation de ce petit pays convalescent. Privée de tout moyen devant la crise qui la frappe, inquiète du jeu que Belgrade semble vouloir lui faire jouer dans ce conflit, l'Albanie a ouvert largement son territoire aux forces de l'OTAN et aux organisations humanitaires. Et c'est pour ça que nous sommes là.

L'avion se mit à rouler sur la piste. Lorraine vit Olivier tenir une photo dans ses mains jusqu'au décollage de l'appareil. Il allait la remettre dans sa poche quand elle lui demanda pourquoi il avait fait ça.

— C'est ma femme et ma fille. Une sorte de superstition. Quand je pars, elles m'accompagnent toujours.

— Je peux les voir ?

— C'est toujours gênant de montrer des photos d'amateur à une professionnelle.

— Mais non, c'est la vie qu'on capte sur l'instant qui compte. Tu dois être un homme heureux avec une si jolie femme et une si adorable petite fille.

— Oui, je sais que je suis chanceux.

Thierry inclina le dossier de son siège.

— Vous me réveillerez quand vous aurez fini votre papotage.

— Ne vous en faites pas, Lorraine. En fait, il est jaloux.

— Pas du tout. Mais je connais ton histoire par cœur, Olivier. L'amour de ta vie, l'arrivée du bébé, le bonheur et tout le tralala.

— Et toi, lança Olivier, tu préfères les histoires de guerre, de bataille, de territoires conquis. Tu rêves de nous assommer avec l'histoire des Balkans, la guerre russo-turque, la ligue de Prizren, de nous dire comment le Kosovo a été cédé à la Serbie quand l'Albanie a obtenu son statut international en se faisant imposer un roi allemand.

Lorraine regarda Olivier avec curiosité.

— L'Albanie s'est fait imposer un roi allemand?

— Oui. Je ne me souviens pas de son nom.

Thierry leur sourit.

_ Il s'appelait Guillaume de Wied et il ignorait tout du pays où il ne régna que six mois. Ensuite, durant la Première Guerre mondiale, le pays fut envahi successivement par les deux camps. Il retrouva, à la fin de la guerre, une éphémère indépendance et une reconnaissance internationale avec son admission à la Société des Nations en 1920. Puis élections et coups d'État se succédèrent.

— Je vous l'avais dit, il sait tout. Et ils ont eu un roi aussi: Thierry.

— Il ne s'appelait pas Thierry, mais Zog 1er. Il s'était autoproclamé roi et avec lui le pays s'enfonça dans les dettes envers l'Italie fasciste et Mussolini, pour être ensuite envahi par les troupes fascistes. Le roi Victor-Emmanuel III s'arrogea le titre de roi d'Albanie.

— Décidément, tout le monde rêve d'être roi d'Albanie. Étrange pays. Je connais peu son histoire avant la Deuxième Guerre mondiale. La résistance albanaise s'est organisée autour du Parti communiste, non?

— Oui et, après la capitulation de l'Italie, en septembre 1943, le pays a subi l'occupation nazie, bien plus sanglante, pour n'être libéré qu'un an plus tard. La République populaire d'Albanie a vu le jour en janvier

1946 et s'est engagée dans le camp socialiste, affirmant une fidélité absolue aux dogmes du marxisme-léninisme. Olivier peut t'en parler, il en a fait une thèse.

— T'exagères. Il vous raconte ça parce que mon père a flirté avec les communistes en mai 68. Ça lui est passé depuis. Mais l'Albanie n'était pas un pays communiste comme les autres. Avec Enver Hodja, l'Albanie a rompu avec la Yougoslavie en 48 quand Tito a voulu l'annexer dans sa fédération. Hodja désapprouvant la déstalinisation, il a coupé les ponts avec l'URSS en 61. Puis ç'a été le tour de la Chine maoïste en 77 parce que les Chinois avaient commis la grave faute de recevoir le président américain Richard Nixon. Le pays s'est alors enfermé dans un isolement total. Dirigée d'une main de fer, l'Albanie est devenue l'une des dictatures les plus dures des pays de l'Est.

— Et les gens que nous allons rencontrer ont vécu cette histoire douloureuse.

Le silence se fit, chacun retournant dans sa bulle. Thierry regarda l'Adriatique d'un bleu profond que l'avion survolait. Face aux débordements humains, il restait au moins la mer. Après deux heures et demie de vol, l'avion atterrissait à l'aéroport de Rrinas, à vingt-trois kilomètres de Tirana.

Les trois reporters prirent un taxi. Il pleuvait sur la route défoncée bordée de carcasses de voitures, de débris, de constructions anarchiques, de blockhaus désaffectés, puis de pâturages où les bergers se promenaient avec de grands parapluies noirs, surveillant leurs bêtes car, même aux abords de la capitale, il n'y avait pas de rambardes de protection le long des voies. Les seuls dérisoires garde-fous étaient des bouquets de fleurs en mémoire des gens qui avaient trouvé la mort dans des accidents. Le chauffeur était content de voir la pluie tomber. L'eau alimentait les centrales hydroélectriques, expliqua-t-il à ses passagers, il y aurait donc chauffage et éclairage.

Tirana apparut bientôt, entourée de camps de réfugiés, des suites de tentes devenues des villages miniatures ordonnés et bien organisés comme des camps de scouts. Lorraine s'attendait à voir une ville comme elle en avait connu vingt ans plus tôt en Europe de l'Est, grise, triste avec des avenues assez larges pour laisser passer les chars d'assaut, des bâtiments formant une suite de blocs anonymes peuplés par des habitants au regard résigné. Elle découvrit plutôt une ville plaisante où les gens semblaient fiers d'être simplement vivants, où les vendeurs ambulants abondaient, improvisant sur le trottoir des kiosques de Marlboro, de bananes ou de serviettes hygiéniques. Le vrai commerce bancaire se faisait en face du bureau de poste central avec des centaines d'hommes en complets italiens, munis de calculatrices et de liasses de billets. Armés de téléphones cellulaires, ils ajustaient rapidement les taux de change sur les grandes bourses du monde. Ce marché noir de Tirana était ouvert en tout temps. Pas de file d'attente, pas de frais.

Lorraine regarda en souriant la murale dans le style «socialiste réaliste triomphant» qui ornait la façade du Musée national de Tirana, vestige d'un passé pas si lointain. Elle apprit que le Centre international de la culture logeait dans ce qui avait été le mausolée de l'ancien dictateur et que le plus grand édifice du pays, l'Hôtel Tirana International, haut de onze étages, possédait même sa propre petite centrale électrique, question d'éviter aux étrangers les désagréments que subissaient quotidiennement les Albanais. Lorraine logea dans un hôtel plus modeste rempli de travailleurs humanitaires et de délégués étrangers en transit.

Devant attendre le convoi humanitaire qui les conduirait à Kukës, les reporters passèrent Noël à Tirana. Lorraine détestait cette fête, la trouvant simplement prétexte à des achats de cadeaux se révélant la plupart du temps laids ou inutiles. C'était une fête d'enfants et il fallait en être un ou en avoir un pour l'apprécier. Elle préférait célébrer le solstice d'hiver. Olivier réussit quand même à l'entraîner à une messe de minuit. Hodja avait eu beau affirmer officiellement que Dieu n'existait pas, la majorité de la population albanaise était musulmane et le tiers se disait orthodoxe ou catholique.

Lorraine retrouva l'odeur d'encens et de cierges de son enfance. La foi semblait toucher surtout les personnes âgées, sans doute plus proches de leur rencontre avec Dieu. Le visage d'Aurélie lui apparut. Elle l'imagina entourée de décorations lumineuses, avec Simone et Jean-Paul, ses fidèles. Elle pensa aussi à Martin. Était-il avec eux ou était-il resté seul à regarder la télé ou à écouter de la musique? Elle essaya de se rappeler le Noël précédent. Jeanne, malgré la maladie, était encore alerte. Elle avait insisté pour faire un réveillon, mais l'heure en avait été avancée. Martin avait choisi les vins; Lorraine s'était occupée du traiteur et des fromages. Ce n'était pas un réveillon traditionnel, jugé trop lourd avec sa dinde, son ragoût de boulettes, sa tourtière. Ils avaient mangé des huîtres, du canard. Un saint-honoré avait remplacé le gâteau aux fruits. Mais Jeanne s'était écroulée de fatigue avant le dessert. Martin et Lorraine avaient terminé le repas seuls, ne sachant plus ce qu'ils fêtaient, se doutant bien que ce serait le dernier Noël de leur mère. Ils avaient fait honneur au vin pour l'oublier.

Lorraine se promena dans la ville qui grouillait de monde autour de la place Skanderberg et du boulevard Deshmonet e Kombit, parcours rituel entre la statue équestre du héros national et les trois arches de l'université. La plupart des bâtiments officiels étaient des héritages des styles mussolinien et stalinien. Le concierge de l'hôtel lui avait donné des conseils de sécurité, la criminalité étant à l'ordre du jour, sans parler de la corruption. Les manifestations organisées quotidiennement débouchaient souvent sur des violences qui incitaient les ressortissants étrangers à éviter, durant ces heures, les alentours des bâtiments publics qui servaient de cible. Mais le rôle du photographe n'était-il pas d'essayer de tout voir? Les jours que Lorraine passa à Tirana furent pourtant sans incident.

La ville était remplie de «kiosques», des buvettes et des gargotes qui avaient poussé partout pour célébrer «la douceur» des temps nouveaux. Lorraine put goûter aux spécialités locales comme le tave kosi, du mouton au yogourt, du çomlek composé de viande et d'oignon, sans oublier les shishkebab, les kukurec, des tripes de mouton farcies et les byrek aux épinards crémeux, à manger sur le pouce, dans la rue. Les gens ne mouraient pas de faim, mais la vie quotidienne était plus difficile avec ses problèmes d'eau, d'électricité et les salaires très bas. Une place au cinéma coûtait l'équivalent de la somme quotidienne dont disposait un retraité.

On trouvait aussi partout des petits marchands de livres. Lorraine y découvrit Victor Hugo, le Hugo révolté du *Dernier jour d'un condamné* traduit en albanais. Elle acheta un foulard pour son voyage dans le nord, choisissant le plus discret avec ses larges rayures bleues, noires et grises, sans oublier de marchander. Cette pratique n'était pas tant un moyen de réaliser une bonne affaire qu'une marque de politesse et on se devait de faire durer le plaisir. Lorraine se promena ensuite dans le square du Blok, l'ancien quartier réservé à la *nomenklatura* du Parti communiste, maintenant désarticulé par les reconstructions. Des villas avec leurs petits jardins étaient surplombées par des immeubles au style tapageur. Il y avait beaucoup de jeunes dans les cafés, les magasins à l'italienne, des Mercedes. Lorraine avait le sentiment étrange d'être égarée. Le symbole de ce quartier était écrasant : la transformation de riches communistes en riches capitalistes. La journaliste avait l'impression de jouer les touristes dans une société en marche rapide, commençant à s'impatienter de son propre manque d'action. Chaque vieille femme qu'elle croisait la ramenait à Aurélie, à Jeanne aussi. Pourquoi était-elle allée chercher cette lettre chez le notaire, cette lettre qui ne lui était pas adressée, qu'elle n'aurait pas dû lire ?

Lorraine, Thierry et Olivier accueillirent la nouvelle année à l'Alliance française avec de jeunes Albanais franco-philes. La moyenne d'âge de la population albanaise était de vingt-cinq ans, une situation exceptionnelle pour un pays européen. Ces gens avaient une grande curiosité et, avec un sens de l'hospitalité très développé, ils firent la fête avec eux. Lorraine découvrit qu'il n'y avait pas que des pauvres résignés et des riches mafieux. Il y avait aussi des jeunes, pauvres à cause de la folie de quelques hommes, mais riches de curiosité, de soif d'apprendre, de désir d'offrir aussi de nouveaux modes d'expression, des projets extraordinaires.

— Soyez indulgente, madame, vous venez d'Amérique, c'est si différent.

La jeune femme qui lui parlait était étudiante en médecine à l'université. Ils étaient six à entourer la photographe «américaine».

— Mais, au contraire, j'admire ce que vous avez réussi à faire après avoir été si longtemps obligés de vivre sous tellement d'interdits.

— Il y a encore de nombreux problèmes à régler. Il nous faudra bâtir un État de droit.

— C'est bien beau, avoir des lois, mais il faut aussi les faire respecter si on veut régler nos problèmes de corruption et de criminalité. Vous devez être fière, vous, madame, de vivre dans une démocratie, de pouvoir élire le parti politique de votre choix?

— La démocratie, c'est souvent un but plus qu'un état de fait. Nous nous plaignons souvent, lors d'une élection, d'avoir le choix entre la peste et le choléra.

Ils la regardèrent tous, étonnés. Elle leur sourit.

— Le chef idéal, qui a non seulement le charisme mais aussi la force et le courage nécessaires pour amener la société vers un mieux-être, est difficile à trouver.

— Ici, la politique nous montre beaucoup plus de rivalités personnelles que de réels programmes d'action. Pendant qu'ils se battent entre eux, les réformes et l'ordre public restent en plan.

Lorraine se rappela que tout le monde voulait être roi d'Albanie. Elle avait visité, dans la rue Ismaïl Qemali, l'ancienne résidence d'Enver Hodja, devenue musée. Elle avait pu constater que, même si l'Albanie était l'un des pays les plus pauvres d'Europe, son maître y avait été logé comme un prince. Il avait eu son château lui aussi, comme Aurélie son manoir. Ce que le pouvoir n'apportait pas, l'argent le faisait, donnant un pouvoir souvent plus durable qu'un mandat électoral. Mais elle n'allait pas les décourager en leur disant cela.

Très tôt le lendemain matin, le convoi de l'ACF, ou Action contre la faim, une ONG française dont la cargaison d'aide humanitaire venait d'être dédouanée à l'aéroport, était prêt à prendre la route de Kukës. Lorraine aurait bien dormi un peu plus, mais Thierry vint cogner à sa porte à l'aube. Elle monta dans un minibus avec ses deux collègues. Le chauffeur s'appelait Hugo et habitait la banlieue parisienne. Il y avait aussi Sophie et Ismaël qui étaient partis de Marseille pour venir aider les victimes de la guerre. Ils avaient tous moins de trente ans et se sentaient profondément concernés par le sort de la planète. Le convoi était composé de vingt-deux véhicules, de quarante-huit personnes et de deux cents tonnes de matériel et de nourriture.

La route, serpentant dans les montagnes, était terrifiante et spectaculaire à la fois avec ses précipices et ses ravins, ses vallées étroites, ses rivières en cascade et ses oliviers accrochés aux parois rocheuses. Lorraine était impressionnée par tant de beauté, mais elle prit peu de photos, ces lieux étant totalement inhabités. De nombreuses usines désaffectées et des bunkers, vestiges de l'époque Hodja, jalonnaient la route vers le nord. On aurait pu croire, parfois, que l'armée yougoslave était passée aussi par là pour tout détruire.

Après seize heures et deux cent cinquante kilomètres de route étroite, défoncée à plusieurs endroits, sans signalisation, aux bas-côtés souvent instables, ils arrivèrent à la ville frontalière, le premier arrêt pour des milliers de réfugiés fuyant le Kosovo. Kukës, située près d'un réservoir hydroélectrique, offrait une vue spectaculaire sur le mont Gjalica, haut de deux mille mètres. Mais Lorraine dut dormir sous l'une des tentes que les employés de l'ACF avaient montées en pleine nuit et attendre le lendemain matin pour jouir du spectacle.

Au pied de la montagne se dressaient des centaines et des centaines de tentes. Certains réfugiés vivaient dans leur véhicule ou leur tracteur, souvent le seul bien qui leur restait. La vie quotidienne des Albanais était réglée par le Kanun, «canon» en grec. Ce code d'honneur, qui entretenait une certaine propension à la vendetta, était aussi attaché aux lois de l'hospitalité et de la protection des voyageurs. Ainsi, cette ville de vingt-cinq mille habitants était devenue l'hôte de près de trois cent cinquante mille personnes. On voyait du monde partout. Chaque maison était pleine; il y avait même des gens qui dormaient sur la table de billard du café. Les rues n'avaient pas de noms ni de numéros, et la plupart des banques, des magasins, des hôtels et autres commerces n'avaient pas d'enseignes.

La photographe marcha dans la ville, parmi des centaines d'enfants qui surveillaient les camions d'aide humanitaire. Elle cherchait une scène, un regard à placer devant la lentille de son appareil. Elle se rapprocha des camions de l'ACF. Des caisses de vivres étaient distribuées; les gens se bousculaient mais ce n'était pas la cohue. Ceux qui recevaient de la nourriture cédaient rapidement la place aux autres. Lorraine prit plusieurs photos, d'enfants surtout, vêtus de gros chandails de laine.

Thierry la rejoignit, tout sourire. Il lui avait déniché une chambre à l'hôtel Gjalica.

— Comment as-tu fait pour trouver une chambre dans cette ville surpeuplée?

— L'un des hauts responsables de DDP repart aujourd'hui. Il a bien voulu te céder sa chambre.

— DDP?

— Droit de parole, une autre ONG. J'ai déjà travaillé avec lui.

— Tu t'occupes de moi comme si j'étais ta mère.

— Si tu n'en veux pas, tu le dis. Mais les nuits sont froides, il pleut souvent, tu as bien vu la boue qu'il y a partout. Alors, si tu préfères la tente...

— Je te remercie pour la chambre. Et toi, tu restes au campement?

— Je pense avoir une chambre demain pour Olivier et moi. Le patron m'a à la bonne, il adore Paris, qu'il n'a probablement jamais vue. On sera comme des coqs en pâte, comme si on voyageait pour des agences de presse américaines, les poches bourrées de fric.

L'hôtel était un anonyme bâtiment de trois étages, dans une rue sans nom, face à une place où on pouvait voir une petite affiche jaune annonçant un magasin de fruits et légumes. Lorraine, qui rêvait de se laver depuis la veille, soupira en constatant que pas une seule goutte d'eau ne sortait du robinet. Elle descendit voir la réceptionniste qui appuya sur un commutateur se trouvant sur le mur derrière elle. Une pompe se mit à faire gargouiller l'eau à travers les tuyaux. Lorraine put se laver un peu, rapidement. Cela lui rappela son voyage dans le désert où elle avait passé des semaines à faire sa toilette quotidienne avec un verre d'eau, brossage de dents compris. Elle alla ensuite prendre un café qui était aussi épais que du pétrole brut.

Essayant de se faire discrète, respectueuse, la photographe se déplaçait lentement et parlait peu. En temps de guerre, les codes de conduite habituels n'avaient plus cours. Les gens comprenaient que les reporters étrangers étaient là pour témoigner de ce qui leur arrivait, pour leur donner une voix. Se sachant victimes d'une injustice, d'une violence inutile, ils voulaient s'adresser au monde entier. Mais, en même temps, ils ne voulaient pas qu'on les regarde d'un œil misérabiliste. Ils vaquaient à leurs occupations : se nourrir, s'approvisionner en eau, laver quelques vêtements et les suspendre entre deux arbres chétifs pour les faire sécher. La place de la mosquée servait aussi de lieu de rassemblement, de distribution alimentaire.

Lorraine s'aperçut qu'elle observait plus attentivement les vieilles femmes. Elles étaient souvent trapues, les hanches larges d'avoir porté beaucoup d'enfants, les bras et les mains solides d'avoir travaillé la terre. Rien qui puisse ressembler de près ou de loin à Aurélie. La photographe avait beau errer parmi les réfugiés, le souvenir d'Aurélie ne la quittait jamais. Elle photographia une femme allaitant son enfant. La jeune mère la regardait de ses yeux bleus, ni triste, ni souffrante, simplement résignée à attendre encore, à espérer retourner chez elle, retrouver une vie normale, un jour, demain peut-être. Lorraine était troublée par son regard d'azur. Ç'aurait pu être Aurélie dans une autre vie, un autre temps, donnant le sein à la petite fille qu'on ne lui aurait pas volée.

Aurélie lisait avidement les journaux et écoutait les nouvelles sur les chaînes européennes pour savoir ce qui se passait au Kosovo. Des photos circulaient parfois. Aurélie cherchait à connaître leurs auteurs, ne trouvant, la plupart du temps, que le nom des agences de presse. Elle ne vit jamais le nom de Lorraine. Elle ne comprenait pas pourquoi elle était allée se jeter dans cette barbarie. Apprendre qu'on est la fille d'une autre n'était pas aussi horrible que ces vendettas sans fin. La vieille dame avait le sommeil de plus en plus fragile. Ne pas savoir ce que vivait Lorraine la désespérait. Elle interrogeait Martin régulièrement, mais il n'en savait pas plus qu'elle. Lorraine donnait toujours très peu de nouvelles quand elle était en mission.

Martin passait de plus en plus de temps avec Aurélie. Il aimait la questionner sur sa vie, sur la politique, sur la région. Celle-ci racontait plus facilement la vie de ses parents et de sa famille que celle de Richard. Elle hésitait à se confier. Martin lançait alors des affirmations qui la faisaient réagir.

— Ça n'a pas dû lui faire plaisir, de se faire traiter de mangeur de hot-dogs.

— Trudeau avait le mépris facile. Mais il n'était pas le seul. Quand Richard a été chassé du pouvoir en 1976, on disait qu'il était l'homme le plus détesté du Québec. Les journaux étaient pleins de caricatures désobligeantes, les gens riaient de lui, de son indécision chronique, de son double discours. Mais je pense qu'il était imperméable au mépris. Il avait une constance étonnante. Il voulait redevenir chef de la province et il s'y est employé pendant des années, sans relâche, misant sur les bonnes relations qu'il avait toujours entretenues avec les militants du parti. Quand il a vu René se faire avoir comme un gamin par les manigances de Trudeau lors du rapatriement de la Constitution, il a ragé, certain qu'il aurait pu faire mieux.

— Et vous pensez qu'il aurait fait mieux?

— Je ne sais pas. La Nuit des longs couteaux a été faite de malentendus voulus et recherchés par Ottawa. Tout pour que le Québec soit une province comme les autres, même contre son gré. Je ne sais pas s'ils y parviendront un jour. Mais Richard est parvenu à reprendre les commandes du Parti libéral en 1983. Un an plus tard, c'était au tour de Trudeau de partir à la retraite. Son parti avait perdu le pouvoir et Brian Mulroney était devenu premier ministre du Canada.

— L'un s'en va et l'autre arrive.

— Oui, même René a vécu ce jeu du départ un peu forcé. Il avait accepté le «beau risque» de reprendre les discussions fédérales provinciales afin d'intégrer le Québec au sein de la famille canadienne. Et un an plus tard, il démissionnait comme chef du parti à la suite d'une élection complémentaire, laissant sa place à Pierre-Marc Johnson qui devenait par le fait même le nouveau premier ministre du Québec. Le Parti québécois avait perdu quatre sièges dans cette élection, ce qui ne lui laissait qu'un siège de majorité. Et l'un de ces quatre sièges était occupé par Richard qui avait réussi à redevenir député.

Richard sentait qu'il avait le vent dans les voiles. Il serait de nouveau à la tête de la province. Il pouvait, mieux que d'autres, mener la destinée des Québécois. Il ne lui restait qu'à le prouver. Quelques mois plus tard, en décembre 1985, des élections étaient déclenchées au Québec. La campagne fut rude.

Charles avait refusé de se représenter comme député. Trop de travail, trop de mépris, sans vraiment d'argent ni réel pouvoir. Il préférait siéger à quelques conseils d'administration, faire fructifier sa part de la fortune familiale, bien manger, trop boire, et aller pêcher dans le

Nord comme son père avait aimé le faire, fuyant les mondanités perpétuelles d'Aline.

Les péquistes furent pourtant défaits en décembre 1985. Les libéraux revenaient au pouvoir. Mais Richard reprenait son titre de premier ministre sans avoir réussi à se faire élire dans son propre comté. Il y avait peu de monde dans la maison d'Outremont ce soir-là. Tous étaient surpris de cette défaite de leur chef alors que son parti obtenait quatre-vingt-dix-neuf sièges à l'Assemblée nationale. Richard s'effondra sur le divan du salon. Ce fut Larry qui prit place à ses côtés, lui répétant que ce n'était que partie remise. Les gens comprendraient quel homme politique de qualité il était. À la prochaine élection complémentaire, il redeviendrait député.

Aurélie trouvait Larry un peu pathétique avec ses encouragements fleuris, mais elle-même ne trouvait rien à dire. Elle voyait bien que Richard avait envie de pleurer et qu'il ne voulait pas le faire devant des témoins. Elle alla reconduire les conseillers à la porte et revint au salon. Larry tenait le visage de Richard entre ses belles mains aux longs doigts pâles et lui chuchotait de ne pas se laisser aller. Ses cheveux roux étaient devenus presque tout blancs avec l'âge, et les tâches de son qui constellaient sa peau s'étaient accentuées. Il avait bien vieilli, tout comme Richard, restant mince et souple. Aurélie les regarda, émue.

Richard dut attendre un mois pour devenir député de la circonscription de Saint-Laurent. Il partit au bras de sa femme faire un discours devant ses partisans en liesse. Aurélie retrouvait la foule, les flashs des appareils photos, les bousculades pour capter le surprenant retour d'un homme qu'on croyait disparu du décor politique. La vie mouvementée reprendrait son cours entre les bureaux de Québec et de Montréal, entre la maison d'Outremont et le manoir. Aurélie avait l'impression de remonter dans le temps.

La guerre entre Pierre Elliott Trudeau et Richard Beaulieu n'était pas terminée. C'est l'Accord du lac Meech, en vertu duquel le Québec serait reconnu comme société distincte dans la Constitution canadienne, qui remit le feu aux poudres. Trudeau sortit de sa retraite pour mettre en pièces cette entente qui détruisait son rêve d'un État canadien tout-puissant. Il parla pendant six heures devant un comité du Sénat afin de défendre son point de vue. Richard était profondément déçu et blessé de cette ingérence de l'ancien premier ministre. Il ne se gêna pas pour déclarer que le Canada anglais devait comprendre de façon très claire que, quoi qu'on dise et quoi qu'on fasse, le Québec serait toujours une société distincte, libre et capable d'assumer son destin et son développement. Trudeau réussit à mobiliser les Anglo-Canadiens et les Autochtones, des Territoires du Nord-Ouest à Terre-Neuve. Et l'Accord mourut, trois ans plus tard.

Aurélie était restée aux côtés de Richard durant cette bataille, multipliant les rencontres pour mobiliser les groupes de femmes à l'intérieur comme à l'extérieur du parti. Beaucoup n'avaient pas oublié sa désertion lors du rassemblement des Yvette. Elle savait qu'on ne lui pardonnait pas d'être la riche héritière mariée à la politique, essayant de trouver de sombres desseins financiers derrière chaque parole qu'elle prononçait. Elle appuya aussi Richard quand il voulut négocier avec ceux qu'on appelait si facilement les «sauvages».

Tout commença, en mars 1990, avec l'érection de barricades pour empêcher l'agrandissement d'un terrain de golf sur un terrain que les Mohawks de Kanesatake considéraient comme un cimetière indien. La terre et le sang étaient donc toujours intimement liés. La crise alimenta les médias pendant de longs mois. Richard avait nommé un négociateur pour calmer la situation. Les barricades et les propos racistes alimentaient la flamme des deux côtés. En juillet, des policiers de la Sûreté du Québec attaquèrent un des barrages et l'un d'entre eux fut tué. Cette intervention ratée donna une autre dimension à ce conflit mineur. Le premier ministre suspendit les négociations et demanda à l'armée d'intervenir. Le commandant de l'armée proposa à Richard de libérer le pont Mercier, bloqué par les Indiens, en trente minutes. Celui-ci refusa, ne voulant pas qu'il y ait des morts. Il préférait prendre le blâme politique. Le face-à-face entre « warriors » et soldats dura un bon moment, puis la crise se résorba et le terrain de golf sombra dans l'oubli.

Martin regarda Aurélie qui fixait le fleuve. Il n'osait pas lui parler de ce qu'il avait vécu la même année. Il avait assisté, impuissant, comme tous les gens de la région, à la fermeture des chantiers de la Maritime. Après avoir construit plus de quatre cents navires, la compagnie, fondée par Jules et Edmond, fermait ses portes. Elle n'avait pas survécu un siècle. C'en était fini des cargos, brise-glaces, remorqueurs, pétroliers, destroyers, corvettes, grues flottantes, dragues, traversiers, porte-conteneurs. Une page d'histoire était tournée.

L'industrie navale venait de disparaître à Sorel. Ses dernières années avaient été aussi houleuses que douloureuses, marquées par des conflits qui avaient lentement tué l'économie de la région. Même si, cinq ans auparavant, cinq mille personnes étaient descendues dans les rues de la ville pour manifester leur appui aux grévistes, la lutte n'avait pas pris fin pour autant. La survie du chantier naval était assurée jusqu'à la fin des contrats en 1990. À ce moment-là, la Maritime avait vendu son usine de Sorel à la firme française Alstom, sa partenaire depuis des années, spécialisée dans la construction de turbines et d'alternateurs hydroélectriques.

Simone avait éteint les lumières de la salle à manger après avoir rangé la pièce. Martin apportait des bûches près de la cheminée. Aurélie les regardait aller et venir dans la maison, heureuse de cette présence. Elle aimait les voir s'apprivoiser quotidiennement, prendre leurs distances puis se rapprocher, comme s'ils avaient peur que leur entente, leur complicité ne soient trop belles pour durer, comme si la rupture était toujours inévitable dans un couple et qu'ils appréhendaient parfois la douleur de la séparation au point de la ressentir avant qu'elle ne se produise. Jean-Paul s'assit à ses côtés sur le divan. Le vent poussait la neige contre les vitres du salon. Martin, en plaçant les morceaux de bois dans la boîte, accrocha un cadre sur une petite table. Le cadre tomba et le verre se fendit. Aurélie sursauta. Martin, confus, s'excusa tout en examinant la photo d'un jeune garçon posant fièrement avec un poisson.

— C'était le premier poisson de votre fils?

— Non, mon petit-fils. Benjamin adorait la pêche. Ça le rendait si heureux.

Martin regarda Simone. Il sentait qu'il n'aurait pas dû parler de cette photo. Simone lui sourit en soulevant légèrement les épaules. Peu importait, sa patronne vivait de plus en plus dans ses souvenirs. Aurélie regarda Martin.

— Tu allais à la pêche avec ton père?

— Oui, souvent, surtout quand j'étais petit. Vivre dans les îles et ne pas aller sur l'eau doit être un phénomène rare.

— Oui, sans doute. Benjamin vivait à Québec avec ses parents. Eux ne venaient pas souvent au manoir, mais Benjamin y passait presque tout l'été chaque année. Il adorait les îles. Il aimait se promener en bateau et ne se lassait pas d'aller à la pêche. Son oncle Charles, devenu grand pêcheur après sa retraite de la politique, aimait sa compagnie. Ils partaient ensemble des journées entières pêcher le doré à l'embouchure du lac Saint-Pierre. Puis un jour, Benjamin est revenu avec un projet fabuleux. «Grand-mère, m'a-t-il dit, oncle Charles m'a invité à l'accompagner à la pêche dans le Grand Nord. On va pêcher de la grosse touladi. On ira en avion. Dis oui, grand-mère.»

Charles se rendait là tous les ans, une sorte de pèlerinage à l'air pur, à l'eau cristalline, aux grands espaces et à la tranquillité, pour le plaisir de prendre un poisson et de le manger tout de suite, grillé sur le feu. Une vie de pionnier comme celle qu'Edmond avait découverte après la mort d'Ariane, loin des mondanités, des commérages. Charles faisait de même, souvent seul avec Louis, le guide et pilote d'avion qui était devenu son ami. Aline ne l'avait jamais accompagné, sa fille Nicole non plus. Son fils Raymond avait accompli le rituel annuel à quelques reprises au cours de son adolescence, puis il avait trouvé toutes sortes de prétextes pour rester dans la civilisation.

Aurélie regardait son petit-fils tellement excité qu'il en bégayait presque.

— Calme-toi, mon Benjamin. Tu n'as que onze ans. C'est peut-être un peu jeune pour un tel voyage.

— Mais non, j'ai déjà campé, tu sais, et je sais faire un feu de camp.

— Il faudra en parler à tes parents.

— Si tu dis oui, ils accepteront, tu le sais bien.

Elle hésitait, sans trop savoir pourquoi. Depuis la mort de Paul, puis celles de Rita et de Mélanie, elle avait l'impression qu'une malédiction s'était abattue sur les Savard.

— Je vais en parler à ta mère, après on verra. Vous partiriez quand?

— Dans trois semaines.

— Mais les classes reprennent dans deux semaines.

— Je ne manquerai que quelques jours d'école. C'est pas grave.

Aurélie appela Gisèle le soir même. Elles se parlaient régulièrement mais sans se faire de véritables confidences, sans épanchements émotifs. Elles se transmettaient des informations banales, prenaient simplement des nouvelles l'une de l'autre sans chercher à creuser, puis raccrochaient, satisfaites de maintenir des liens. Cette fois-ci, elles se mirent d'accord pour se servir de la rentrée scolaire pour refuser ce voyage à Benjamin. Fort déçu, le gamin bouda pendant des jours. Même Richard intercéda en sa faveur.

— Je te connais assez pour savoir que cette histoire de rentrée scolaire ne pèse pas lourd dans ta décision. Tu repenses à Mélanie et tu as peur pour Benjamin, c'est ça?

— Je pense souvent à Mélanie, mais elle n'a rien à voir là-dedans. Je ne peux même pas te donner de vraies raisons.

— Tu n'as pas confiance en ton propre frère?

— Ce n'est pas ça non plus. Je sais que Charles protégera Benjamin comme son propre fils. Je ne sais pas. Une intuition, un mauvais pressentiment. J'ai eu la même sensation quelques jours avant que Laurent ne m'apprenne que Mélanie avait la leucémie. Je ne suis peut-être qu'une vieille folle, Richard. Je te promets de le laisser partir l'année prochaine.

— Tu sais quoi? On devrait tous y aller l'an prochain.

— Toi aussi? Mais tu as horreur de la pêche.

— Je peux m'allonger sur la rive et prendre du soleil pendant que vous pêchez. Ça me changera des îles.

Aurélie sourit et alla annoncer la bonne nouvelle à Benjamin. Tout en sachant que l'année à venir allait lui paraître interminable, il accepta, content de savoir que ce n'était que partie remise. Il retourna à l'école comme prévu. Charles partit lui aussi comme prévu, mais il ne revint jamais. À cause de fortes pluies et de vents violents, le Cessna avait atterri sur un lac pour se mettre à l'abri. Un autre petit appareil était là aussi, à attendre. La tempête passée, le premier avion avait décollé sans

301

problème. Puis le Cessna de Charles avait fait de même mais, sans qu'on sache trop pourquoi, il s'était écrasé à flanc de montagne. Les témoins n'avaient pu expliquer ce qui s'était passé. Une rafale de vent, le soleil sortant des nuages et aveuglant le pilote, un problème mécanique? Les deux corps calcinés par l'explosion furent ramenés à leurs proches.

Cette mort, quatre ans après celle de Rita dans des circonstances similaires, laissa Aurélie pantelante. Pourquoi cette malédiction? Qu'avaient donc fait les descendants d'Edmond et d'Ariane pour mériter ça?

Aline n'accepta jamais que cette masse difforme et noircie soit les restes de son mari. Elle était persuadée que Charles errait encore quelque part. Il avait maquillé cette mort; la police s'était trompée sur l'identité des occupants de l'avion; le dentiste avait fourni les mauvaises radiographies dentaires. Son mari avait voulu la quitter, rejoindre une autre femme, refaire sa vie loin d'elle. Aurélie essaya d'épauler sa belle-sœur, aidée de Raymond et de Nicole. Mais Aline refusait, même après de nombreuses visites chez plusieurs psychologues, de croire à la mort de Charles. Elle vint même au manoir, un soir très tard, pour accuser Aurélie d'avoir aidé son frère à monter cette supercherie.

— C'est pour ça que tu n'as pas voulu que ton petit Benjamin l'accompagne. Tu savais tout. Tu savais qu'il allait la rejoindre, cette salope.

— De qui tu parles, Aline? Si Charles avait voulu vivre avec une autre, il aurait divorcé tout simplement.

— Ça lui aurait coûté trop cher.

— Il en avait les moyens, je t'assure. Tu as besoin de revenir à la réalité. Pourquoi ne vas-tu pas en Jamaïque passer quelques semaines avec Muriel? Elle s'est acheté une jolie maison au bord de la mer.

— Je préfère la Floride. J'ai des amis là-bas. De vrais amis, eux.

Accompagnée de sa fille Nicole, Aline partirait la semaine suivante pour Miami. Richard avait été témoin de cette querelle. Aurélie se tourna vers lui après le départ de sa belle-sœur.

— Tu sais pourquoi elle fait cette fixation sur Charles et ses maîtresses?

Richard hésita un moment. Mais comme Charles était mort, cela n'avait plus vraiment d'importance.

— Il a toujours aimé les femmes. Il était séduisant comme son père.

— Mais Edmond ne couchait pas à gauche et à droite.

— Connaît-on vraiment ceux qui nous sont proches? Et puis, les temps ont changé, les gens ferment les yeux ou regardent ailleurs. C'est plus facile de cacher un amant dans la garde-robe.

— Es-tu en train de me faire des révélations?

— Je suis simplement en train de te dire que Charles couchait avec toutes les femmes qui lui faisaient envie. Mais il n'y en a eu aucune, à ma connaissance, qui a eu le droit de s'appeler «l'autre femme». Il n'aurait pas divorcé d'Aline même si parfois elle lui faisait la vie dure. C'était une question d'honneur, de respect de la parole donnée, pour le meilleur et pour le pire. Toi aussi, tu as toujours eu le respect de la parole donnée. Tu as toujours été à mes côtés, même si je sais que, parfois, tu aurais aimé être ailleurs.

Richard l'enlaça tendrement. Elle le sentit vaciller. Il l'embrassa sur le front.

— Je monte me coucher, je dois être à Boston tôt demain.

— Qu'est-ce que c'est que ces visites régulières? Et tous ces médicaments que tu caches dans ta serviette?

— Je dois passer d'autres tests.

— Dis-le-moi, je t'en prie. Je suis ta femme pour le meilleur et pour le pire. Comment peux-tu garder de tels secrets? Je ne suis pas aveugle.

Richard hésitait. Il ne croyait pas lui-même le diagnostic. Il avait consulté plusieurs médecins. La première fois à Paris, puis à New York et à Boston. Jamais au Québec de peur que la nouvelle ne s'ébruite dans les journaux.

— J'aurai peut-être à subir des traitements aux États-Unis. Mais je ne veux pas que tu t'en fasses avec ça. Le diagnostic n'est pas encore confirmé.

— Le cancer?

— Une forme rare.

Aurélie le regarda monter l'escalier menant aux chambres. Il avait vieilli; son dos s'était courbé; il devait tenir la rampe de sa main osseuse pour garder son équilibre. Elle avait mis sur le compte de la fatigue les transformations des derniers mois. Elle découvrait soudain un homme malade, épuisé, qui cachait mal son état de santé.

Aurélie se tut. Le silence retomba dans le salon. Martin ne savait plus quoi faire du cadre qu'il avait gardé à la main tout ce temps. Il pensa à sa mère, au moment où il avait appris qu'elle avait le cancer. À Lorraine qui avait éclaté en sanglots. La mort d'André avait été bien différente. Après avoir eu un malaise dans un magasin, il avait été transporté à l'hôpital où il était mort avant d'avoir revu sa famille. Une mort si rapide, si fulgurante qu'il avait fallu aux siens des semaines, des mois pour comprendre qu'il ne reviendrait plus.

Le bleu de la mer, les plages de sable blanc qui s'étiraient à l'infini, épargnées par l'invasion touristique, les criques sauvages et désertes. Lorraine fermait parfois les yeux pour les revoir. Après quelques semaines à visiter des camps de réfugiés, de Kukës à Shkodra, à capter les mains des enfants se tendant pour demander de la nourriture, les regards inquiets des femmes, ceux, résignés, des vieillards, elle en avait eu assez. Il ne se passait rien. En fait, tout se passait dans l'inaction, dans la répétition des gestes quotidiens, dans l'attente d'un retour chez soi de plus en plus improbable.

Elle était retournée à Tirana avec Olivier. Thierry était parti pour Durrës, voulant aller passer quelques jours en Italie pour faire une visite-surprise à des amis. Lorraine avait envoyé beaucoup de photos de Tirana, puis, ne sachant trop où aller, elle avait décidé de prendre deux jours de repos dans la cité balnéaire de Durrës. Deuxième ville d'Albanie et port industriel, son quartier sud comptait de grands hôtels au bord de l'Adriatique. La grande activité du port était surveillée en permanence par des soldats italiens, soi-disant pour protéger l'arrivée de l'aide humanitaire. Mais tout le monde savait qu'ils étaient là avant tout pour empêcher les Albanais de fuir leur pays et de s'embarquer clandestinement sur des bateaux en partance pour l'Italie.

Ces deux jours dans un hôtel confortable avaient laissé Lorraine sur sa faim: elle voulait de l'action et seule la contemplation lui était offerte. Elle tomba sur Thierry qui tuait le temps dans un bistro. Il était heureux de la retrouver après avoir erré dans la cohue italienne, ayant eu lui-même la surprise d'apprendre que ses amis étaient partis en Afrique pour plusieurs mois. Comme il avait lui aussi besoin d'action, il lui proposa d'aller vers le sud visiter la capitale des contrebandiers et de voir la mer Ionienne à Sarandë.

— Les bandits t'intéressent?

— Les Slaves disent que le sultan, pour nettoyer son empire, a casé tous les voleurs en Albanie.

Lorraine rit. Elle aimait bien entendre Thierry parler. Il avait le don de rendre la moindre anecdote drôle. Elle était contente de le voir sortir de sa solitude. Il lui sourit. Il se sentait bien avec elle. Elle ne lui compliquait pas la vie comme la plupart des jeunes femmes s'acharnaient à le faire.

Ils achetèrent des provisions et louèrent une vieille auto à un marchand de tapis, question de passer inaperçus. Ils ne voulaient surtout pas avoir l'air de riches touristes pour les voleurs de grands chemins. Ils préféraient qu'on les prenne plutôt pour la mère et le fils voyageant ensemble. Lorraine portait presque tout le temps le foulard acheté à Tirana pour se faire plus discrète. Elle acheta quand même un maillot de bain, chose qu'elle n'avait pas pensé à emporter. Elle découvrit avec plaisir que les mois passés à photographier des réfugiés lui avaient fait perdre ses quelques kilos de trop.

Conduire sur ces routes défoncées était déjà un sport en soi, mais, dans cette vieille bagnole, c'était presque du rodéo. Les deux reporters firent une halte à Vlorë, un grand port situé à l'endroit où la mer Adriatique devient Ionienne. Cette ville était le domaine des scafi, ces contrebandiers qui passaient des marchandises et des hommes sur des motoscafi leur permettant de semer les douaniers de la Finanza italienne. Thierry se promenait partout et posait beaucoup de questions. Les hommes avaient le regard méfiant et fuyant, les doigts nerveux, les pieds prêts à bondir, mais ils s'arrêtaient tout de même pour faire les jars devant le petit Français curieux qui les flattait d'un regard se voulant admiratif. Lorraine restait à l'écart et prenait des photos avec une grande discrétion, profitant de ses vêtements amples pour cacher son petit appareil silencieux. L'atmosphère trouble qui régnait sur les quais contrastait avec les plages de la riviera qui commençait aux portes de la ville.

Les vacanciers descendirent plus au sud jusqu'à Sarandë, une petite ville moderne, bordée de palmiers, qui faisait face à l'île grecque de Corfou. Ils s'arrêtèrent devant la mer et la contemplèrent un moment. Cette eau turquoise leur donna envie de se baigner. Ils s'éclaboussèrent comme des enfants, nagèrent un peu, puis regagnèrent la plage où ils s'étendirent sur les couvertures qu'ils avaient amenées. Autour d'eux, il n'y avait que de jeunes couples d'amoureux enlacés sur le sable. Lorraine se sentit un peu mal à l'aise, trouvant étrange le couple qu'ils formaient, elle plus âgée avec ses cheveux courts comme un garçon, et Thierry qui portait une barbe bien taillée qui le vieillissait. Il lui sourit.

— Les Albanais aiment venir ici passer leur lune de miel. C'est comme les chutes du Niagara chez toi. Tu as déjà été mariée?

— Oui, dans une autre vie. Et toi?

— Non, jamais eu le temps. Je ne veux pas me retrouver comme Olivier, le cœur déchiré chaque fois qu'il doit partir. Quand il ouvre la bouche, c'est pour parler de sa femme, de sa fille. On fait un sale métier de célibataire. Quand je me marierai, si ça m'arrive un jour, ce sera pour rester bien pépère en France.

— Tu crois que tu pourras un jour rester bien tranquille chez toi?

— Vieux, pourquoi pas? Mais quand je te regarde, je me dis que ce sera sans doute très vieux. Et alors, aucune belle fille ne voudra de moi.

Lorraine le regarda, amusée. Thierry fixait la mer d'un bleu unique. Il se tourna vers elle et posa ses lèvres salées sur sa bouche. Elle accueillit sa langue. Il l'enlaça. Tout était devenu d'une étonnante simplicité. Ils quittèrent la plage et trouvèrent un hôtel. Aucune parole ne fut prononcée. Ils enlevèrent leurs vêtements, s'étendirent sur le drap et unirent tout naturellement leurs corps. Pas de questions, pas de culpabilité, pas de promesses. Simplement le moment présent, le plaisir donné et reçu. Ils prirent ensuite une douche et allèrent manger devant la mer. Lorraine se sentait bien, radieuse même, faute d'être amoureuse. Elle se décida à parler à son ami de ce qui l'avait poussée à partir au Kosovo: sa rencontre avec Aurélie, la mort de Jeanne. Thierry écoutait, curieux.

— Et ta mère, tu lui as écrit?

— Non... elle est morte.

— Je parle de l'autre.

— Je ne sais pas quoi lui dire. Je ne sais même plus quel nom lui donner.

— Tu ne trouves pas que c'est un peu idiot de vous quitter comme ça? Tu n'as pas à forcer des sentiments que tu n'éprouves pas, bien sûr. Mais elle a aussi été une victime dans cette histoire.

La photographe regrettait maintenant ses confidences.

— Et moi, je suis quoi? Une naïve qu'on a manipulée, peut-être. Une grande idiote à qui on a raconté des histoires. Qui peut savoir si tout ça est vrai? Et ne me parle pas de test d'ADN. Ce n'est pas une question de génétique.

— Tu as peur de quoi?

Lorraine n'avait pas à avoir honte d'être la fille d'Aurélie et de Laurent. Jeanne et André avaient été de bons parents et elle ne les trahissait pas en acceptant un fait biologique. Mais de quoi avait-elle vraiment peur? Elle haussa les épaules, elle ne savait pas. Peur d'être prise en charge, d'être couvée, de s'attacher et de regarder un jour une autre mère mourir. La douleur avait été si grande pour la perte de Jeanne, encore plus pénible après sa mort que pendant son agonie. Elle avait laissé un vide immense, un trou noir dans son cœur. Pour ne pas pleurer, Lorraine se tourna vers la mer et emplit son regard de ce bleu si intense qu'il faisait presque mal. Et cette mer se grava dans le vert de ses yeux.

Après ce détour touristique, Lorraine et Thierry décidèrent de remonter vers le nord et de se rendre au Monténégro pour voir les effets de cette guerre, qui n'en était pas une officiellement, sur les territoires adjacents. Mais ils n'eurent pas le temps d'arriver là. Lorsqu'ils retrouvèrent Olivier à Tirana, ils apprirent la décision de l'OTAN, à la suite de l'échec des négociations de Rambouillet, d'attaquer des objectifs serbes pour détruire leurs défenses antiaériennes et de bombarder des objectifs économiques. Ils repartirent alors tous les trois vers Kukës. Les attaques de l'OTAN n'empêchaient pas l'armée yougoslave et les forces de sécurité serbes d'expulser massivement la population albanaise du Kosovo. Les camps de réfugiés, déjà nombreux, proliféraient. Près de la frontière, on entendait jour et nuit les avions se rendant au Kosovo et, au loin, le bruit des explosions.

La situation devenait de plus en plus difficile en Albanie avec le nombre grandissant de réfugiés qui étaient parfois exploités par une population d'autochtones aussi pauvres, et bien souvent plus pauvres qu'eux. Pour les travailleurs humanitaires qui venaient juste d'arriver, il n'était pas évident de différencier Albanais et Kosovars. Lors de la distribution de vivres, des affrontements avaient parfois lieu entre eux. Les Albanais pauvres ne comprenaient pas pourquoi ils n'avaient pas droit à ces aliments dont ils manquaient aussi. Les plus démunis, parmi toutes les victimes de cette guerre, n'avaient rien pour ouvrir les boîtes de conserve qu'on leur donnait ni même de récipients pour les faire chauffer.

Comme toujours en pareil cas, certains profitaient de cette situation de conflit et de misère, achetant des véhicules et des tracteurs kosovars pour une bouchée de pain, attaquant des convois humanitaires pour revendre les marchandises au marché noir, donnant des bakchichs pour obtenir une autorisation ou faire valoir ses droits. Et il y avait les armes qui parlaient facilement. Dans tout ce fouillis, les reporters essayaient de décrire en mots et en images la situation, de comprendre ce qui se passait dans une autre langue, dans une autre culture. Depuis le début de la guerre au Kosovo, une quarantaine de journalistes étrangers avaient été expulsés et au moins quatre-vingts avaient été interpellés, interrogés parfois brutalement par les policiers ou les militaires serbes.

L'organisme Reporters sans frontières dénonçait la stratégie de communication de l'OTAN qui suscitait beaucoup d'interrogations chez les journalistes occidentaux et leurs confrères indépendants serbes. Les porte-parole de l'OTAN fournissaient des informations basées sur de simples rumeurs, des chiffres approximatifs, des références historiques plus que douteuses, le tout dans un langage hyperbolique visant à diaboliser l'ennemi: on parlait de «génocide», de «solution finale» et même d'«holocauste», des mots destinés à faire la une des journaux occidentaux, particulièrement en Grande-Bretagne et en Allemagne.

Thierry écrivait fébrilement pour plusieurs journaux indépendants, racontant tout ce qu'il voyait et ce qu'il en pensait même s'il savait que peu de gens liraient ses textes plutôt marginaux. Il ne se gênait pas pour dire qu'on pouvait espérer mieux d'une coalition de démocraties prétendant lutter pour le droit et la morale, une coalition qui aurait dû se comporter plus honnêtement que la dictature qu'elle combattait.

Lorraine sentait que les voix discordantes avaient bien peu de chances de se faire entendre dans un tel contexte. Elle avait repris son travail aux côtés de Thierry. Ils étaient devenus de vieux amis, de bons amis sachant tous les deux que leur passion à la plage avait été un intermède agréable et sans conséquence. Mais face aux horreurs que visait son objectif, Lorraine fermait plus souvent les yeux pour revoir le bleu turquoise de la mer Ionienne. Parfois, le bleu indigo du fleuve Saint-Laurent venait s'y confondre.

Le mois de mai avait commencé sous le soleil. Le temps était doux et Aurélie sortait un peu de son hibernation. Après des mois de tristesse et d'abattement, elle avait recommencé à se promener dans le parc, à choisir avec Jean-Paul et le jardinier les plantes annuelles qui orneraient le bassin. Simone suivait de près la vieille dame, la laissant rarement seule. Martin venait régulièrement les voir. Le repas du dimanche réunissant Aurélie, Simone, Jean-Paul et Martin était devenu une tradition. Mais on n'avait plus revu Martin depuis une semaine. Aurélie interrompit sa promenade pour s'asseoir sur le banc faisant face au fleuve. Simone prit place à ses côtés. Les deux femmes regardèrent un cargo passer lentement. Puis Aurélie mit sa main sur le bras de Simone.

— Vous vous êtes querellés ?

Simone soupira. Elle n'avait pas l'habitude de faire des confidences. Sa relation avec Martin s'était développée lentement. Ils prenaient visiblement plaisir à être ensemble et Martin semblait apprécier le peu de temps qu'il passait au manoir. Leur intimité gagnait aussi en intensité. Puis ils s'étaient disputés pour une bêtise.

— Il n'a pas aimé mes talents de décoratrice.

Aurélie la regarda, attendant la suite. Simone fixa le fleuve et se mit à raconter. Ils devaient manger ensemble. Martin lui avait téléphoné pour lui dire qu'il aurait un peu de retard. Elle lui avait proposé de se rendre à son appartement et de préparer le repas en l'attendant. Elle n'avait pas envie d'aller au restaurant, lui non plus, désirant simplement rentrer chez lui et passer une soirée tranquille auprès de sa belle. Une heure plus tard, il l'avait rappelée : un accident perturbait la circulation sur l'autoroute, le retard serait plus long que prévu. Simone avait ouvert le téléviseur. Le repas était prêt ; il ne restait qu'à attendre. Habituée à de vastes pièces, elle se sentait un peu à l'étroit dans cet appartement. Elle accrochait tout le temps la table basse qui était trop près de la causeuse. Elle la déplaça, puis ce fut le tour des fauteuils, de la télé et des rangements de disques. Elle regarda le tout, satisfaite. C'était plus joli et on pouvait se déplacer plus facilement autour des meubles. Martin finit par arriver, fatigué. Il n'eut que le temps de lui dire bonsoir avant de se figer sur place. Ses choses avaient été déplacées. De quel droit ? Il était chez lui et il organisait son environnement comme il l'entendait. Personne n'avait à changer son décor sans sa permission. Le ton montait.

— Alors, je lui ai dit que s'il tenait tant que ça à ses affaires, il pouvait rester dedans, et je suis partie. Ça sonne stupide, raconté comme ça.

— Les querelles, surtout entre amoureux, ont toujours l'air stupide. Il était fatigué, tu attendais un compliment. Il semble avoir peur de la vie à deux.

— Je ne me sens pas prête non plus à vivre en couple même si j'aime beaucoup être avec lui. Mais il tient tellement à son indépendance. Et il garde tout pour lui, comme Jeanne gardait ses secrets. C'est épuisant d'essayer de connaître quelqu'un qui refuse de parler de lui, comme s'il n'avait pas eu d'enfance, de passé.

— Et vous ne vous reverrez plus jamais ?

— Je l'ai appelé deux fois et j'ai eu droit à son répondeur. Il ne m'a pas rappelée.

Aurélie se leva et entra au manoir avec Simone. Elle prit le téléphone et composa le numéro de Martin. Elle laissa son invitation à dîner sur le répondeur. Après des années aux côtés d'un politicien, elle en avait assez de ces non-dits, ces mensonges par omission, ces dérobades qui ressemblaient parfois à de la haute voltige. Comme cette maladie dont son mari souffrait.

Après une autre visite à Boston, Richard revint en bonne forme et la vie retrouva un semblant de normalité. Il prenait beaucoup de médicaments et Aurélie ne posa pas beaucoup de questions. Puis la mort de Laurent, le vide et la culpabilité qui suivirent les séparèrent davantage. Richard retournait plus souvent à Outremont. Larry se faisait aussi plus présent. Il aidait son ami à surmonter ce deuil et à supporter le mal incurable dont il était victime. Aurélie se sentait de plus en plus délaissée. Un jour de grand désespoir, elle se leva à l'aube et réveilla Jean-Paul pour lui demander de la conduire à Outremont. Elle ne savait pas pourquoi, mais elle avait besoin, une fois pour toutes, de mettre les choses au clair avec Richard. Ils ne se querellaient jamais, n'élevaient jamais la voix, mais ils ne partageaient plus rien, ni émotions, ni sentiments. Elle avait senti soudain le besoin impérieux de lui crier son désarroi.

La maison d'Outremont avait toujours l'air aussi inhabitée, fermée sur elle-même. Aurélie entra. Tout était silencieux. Puis elle entendit un bruit dans la cuisine. Richard était donc déjà levé. Elle poussa la porte et découvrit Larry, pieds nus et en slip, qui préparait un plateau de petit-déjeuner. Il était encore bel homme, le corps entretenu par des exercices réguliers, les épaules musclées, le dos solide. Il laissa échapper le pot à lait quand il la vit. Un silence suivit. Larry essuya les dégâts pendant qu'Aurélie le regardait, muette.

— Bonjour, Aurélie. Quelle belle surprise!

— Si tu arrêtais de mentir, Larry?

— Il est très malade, tu sais. J'ai peur que les chicanes le tuent encore plus vite.

Ils entendirent tous les deux Richard tousser à s'en arracher les poumons, puis il râla un peu et le silence revint. Larry tendit le plateau à Aurélie en souriant.

— Tu veux le lui monter? Il faut le forcer un peu à manger, il dit toujours qu'il n'a pas faim.

Aurélie refusa d'un signe de tête. Elle se sentait ridicule face à Larry, comme une intruse. Celui-ci se dirigea vers la chambre de Richard. Aurélie attendit un peu, puis elle le suivit. Elle regarda la chambre d'amis.

Les draps étaient défaits. Larry y avait donc dormi. Elle trouva son mari assis sur son lit. Les oreillers avaient été remontés et les draps, lissés. Larry avait des dons d'infirmière, la patience, le geste tranquille, le sourire de compassion qu'il fallait. La table de chevet était couverte de boîtes de médicaments. Aurélie remarqua que les ordonnances étaient au nom de Larry. Richard était pâle mais détendu. Il sourit à sa femme.

— N'aie pas peur, je ne suis pas agonisant. C'est Larry qui est trop mère poule. Je donne une conférence cet après-midi à l'Université de Montréal. Tu veux m'y accompagner?

Il y avait si longtemps qu'Aurélie n'avait pas été à ses côtés pour autre chose que des enterrements qu'elle accepta. Elle avait envie de découvrir qui était maintenant Richard, l'ayant perdu de vue depuis des années. Elle assista à sa conférence. Les étudiants étaient nombreux et ils se montraient curieux. Richard exposait patiemment ses idées, surtout sur l'économie, faisant souvent référence à l'Europe. Il avait refusé de siéger à des conseils d'administration prestigieux, préférant une charge universitaire. Il prit le bras de sa femme pour sortir de l'auditorium. Tout le monde les saluait. Aurélie retrouvait les mêmes sourires, les mêmes signes de tête convenant à l'épouse du premier ministre. Mais elle sentait que l'homme qui était à ses côtés était fatigué: ses doigts tremblaient légèrement en serrant son bras, une goutte de sueur perlait à sa tempe, il humectait souvent ses lèvres trop sèches et sa respiration se faisait parfois par saccades. Arrivé à l'auto où les attendait Jean-Paul, Richard poussa un soupir de soulagement, mais il n'oublia pas de saluer les professeurs qui l'avaient raccompagné. Quand la limousine se mit en route, Richard appuya la tête sur le dossier et ferma les yeux. Aurélie lui caressa la main.

— Tu en as pour combien de temps?

Un long moment passa avant qu'il ne réponde.

— Un an, peut-être deux si je suis chanceux. Je ne pourrai bientôt plus donner de conférences. Je vais devoir démissionner.

— Et les ordonnances au nom de Larry, c'est pour garder l'anonymat?

Richard acquiesça.

— Et lui, il n'a rien?

— Il n'a rien. Il a été plus sage que moi.

Aurélie le regarda, étonnée. Elle avait vécu toutes ces années avec cet inconnu. Il existait donc une personne plus sage que lui, plus tranquille, plus soporifique. Elle jeta un coup d'œil dans le rétroviseur et croisa le regard de Jean-Paul. Elle eut soudain envie de ses bras, de sa bouche, de ses mains sur son corps. À soixante-dix ans, ce désir l'étonna et la fit sourire. Sa libido n'était donc pas totalement morte. Elle posa doucement sa main sur celle de Richard.

— Tu peux venir au manoir avec Larry, si tu veux. Ça fera taire les mauvaises langues. Ou ça les fera parler. Elles diront que mon mari m'a offert un bel amant.

Richard rit pour la première fois depuis longtemps. Il serra la main de sa femme, heureux de sa compréhension. Il voyait la mort approcher et, même s'il se disait qu'elle était inévitable pour tout le monde, il en avait quand même peur.

Le manoir se peupla de nouveau. Larry s'installa dans la chambre adjacente à celle de Richard. C'est lui qui se levait la nuit si Richard se sentait mal, qui veillait à lui faire prendre ses médicaments et surveillait son alimentation. Aurélie admirait ce dévouement. La présence de Larry la rassurait. Et elle était contente de ne plus être seule dans cette grande maison. Larry allait régulièrement à son bureau de Montréal, mais beaucoup de son travail se faisait par téléphone.

Olivia, sa femme, venait de temps en temps passer quelques jours au manoir, accompagnée parfois de quelques amis, chanteurs, musiciens, poètes. Le soir, le salon se transformait. Les lumières éteintes, la pièce était éclairée seulement par des chandelles déposées un peu partout. Vêtue d'un long sari attaché sur ses épaules nues, Olivia entrait la tête haute, faisant valser sa longue chevelure blanche dans son dos. Elle s'installait près du piano à queue et récitait de longs poèmes d'une voix langoureuse. Ses amis, assis par terre, buvaient ses paroles dans un silence total. Aurélie l'écoutait en essayant de comprendre ce qui suscitait une telle admiration. Le spectacle terminé, Richard et Larry applaudissaient chaleureusement. Olivia saluait ses admirateurs de plusieurs courbettes dévoilant de petits seins aplatis par l'âge. Puis elle prenait la main d'Aurélie et y déposait un chaste baiser de remerciement. C'était une étrange cohabitation, comme si le manoir était devenu un théâtre, une scène où chacun se donnait en spectacle pour prouver aux autres qu'il était bien vivant.

Gisèle, sachant que son père n'en avait plus pour longtemps, venait aussi plus régulièrement, accompagnée de Benjamin. André, quant à lui, restait à Québec, toujours occupé par ses affaires, distant et poli. Richard aimait se promener le long du fleuve avec son petit-fils, discuter longuement de ses projets d'avenir. Ayant l'impression d'avoir tout gâché avec son propre fils, il était chagriné de savoir que le temps lui manquerait pour se reprendre avec Benjamin.

Trois ans après le décès de son fils Laurent, Richard décédait des suites d'un cancer. Bourré de morphine, il s'endormit paisiblement, entouré d'Aurélie et de Larry qui lui tenaient la main. Aurélie ne sut jamais le moment exact de sa mort. Il semblait dormir depuis des heures, sa respiration à peine perceptible, sa peau déjà grise et livide, ses yeux mi-clos. Puis ses doigts se refroidirent légèrement. Aurélie posa sa main sur sa poitrine amaigrie et attendit. Il ne respirait plus. Elle regarda Larry qui la fixait, puis elle ferma les yeux de celui qui avait été son mari pendant quarante-cinq ans. Larry, abattu et épuisé, fondit en larmes, le visage enfoui dans le drap. Et c'est elle qui le prit dans ses bras et le consola.

Les funérailles eurent lieu à Outremont dans un faste «sobre», tout à l'image de Richard. Son triomphe avait été la création d'un énorme trompe-l'œil. Les journalistes ne tarirent pas d'éloges sur ce bâtisseur politique, oubliant tout le ridicule dont ils l'avaient couvert de son vivant. Et le manoir se vida encore une fois, laissant Aurélie à ses roses et à son fleuve.

Aurélie sursauta en entendant le téléphone sonner. Elle s'était endormie dans la salle de séjour. Elle entendit sa dame de compagnie répondre et se leva. Simone, souriante, raccrochait.

— C'était Martin, il sera là pour le dîner.

— Alors, il faut préparer un repas de fête. Et je t'avertis, je me couche tôt ce soir. Je compte monter à ma chambre juste après le repas.

— Vous n'avez pas à faire ça.

— Vous avez besoin de parler juste vous deux. C'est trop long de passer toute une vie sans se dire les vraies choses, celles qui nous touchent vraiment. Avec les années, nos vies se retrouvent attachées par pleins de fils qui finissent par s'enchevêtrer et faire des nœuds partout, allant jusqu'à nous asphyxier.

Simone était nerveuse comme une jeune mariée. La salle à manger brillait de tous ses feux; le repas était savoureux. Aurélie avait insisté pour que les différents plats soient posés sur une desserte afin d'éviter que Simone ne se lève à tout moment. Jean-Paul faisait avec élégance le service du vin et Martin souriait de cette mise en scène préparée à son intention. Il avait bien dû admettre que toutes ces journées passées sans Simone avaient été mornes et grises. Mais il ne savait pas trop comment le lui dire et il avait été soulagé en entendant ce message sur son répondeur. L'invitation d'Aurélie ménageait toutes les susceptibilités.

Le repas terminé, Aurélie s'éclipsa rapidement avec Jean-Paul, et Simone se retrouva en tête-à-tête avec Martin au salon. Ils se regardèrent un moment en silence. Puis ils ouvrirent la bouche en même temps pour s'excuser. Ce synchronisme les fit rire. Martin tenta de s'expliquer.

— J'ai un point commun avec ma sœur : j'ai peur que les autres contrôlent ma vie. Les rares fois que j'ai emménagé avec une femme, elle décidait de tout et jetait mes affaires sous prétexte qu'elles n'étaient pas assez belles ou fonctionnelles. Comme mon vieux divan confortable dont la couleur ne convenait pas. La même chose avec la vaisselle, les draps, les serviettes. Et quand on se séparait, je me retrouvais avec seulement mes vêtements, quelques livres sauvés de la poubelle, et une lampe ou deux qui avaient échappé aux éboueurs. J'ai pris l'habitude d'acheter du mobilier bon marché, me disant qu'il serait jeté rapidement. C'est la première fois que j'achète des meubles qui me plaisent vraiment. Je m'étais dit que je vivrais dedans assez longtemps.

— Tu n'avais pas prévu que j'entrerais dans ta vie avec mes gros sabots.

— Je n'avais pas prévu que j'aimerais les pieds qui se trouvent dans les sabots.

Ils s'embrassèrent. Aurélie, qui avait tout entendu, assise en haut des marches de l'escalier, sourit. Elle se leva et alla sur la pointe des pieds retrouver Jean-Paul, allongé sur le lit.

— Ça y est, ils sont réconciliés.

— Laisse-les tranquilles et viens te coucher.

— Mais je ne m'endors pas vraiment. Je suis contente que le manoir abrite de nouveau des amours. Elle ne sait pas ce qu'elle manque, cette petite tête dure.

Jean-Paul était habitué à trouver au milieu des phrases d'Aurélie des allusions à Lorraine. Il n'y prêtait plus attention, mais il avait une envie folle de lui écrire pour tout lui raconter. Encore fallait-il savoir où lui envoyer la lettre.

Lorraine allait d'un camp de réfugiés à un autre, et ce travail devenait routinier. Quand la souffrance se banalise, pensait-elle, il est trop facile de l'accepter comme allant de soi, de la tolérer et de ne plus y voir rien d'inhumain. La photographe sentait que ses photos se répétaient et elle avait envie de nouveaux défis. Thierry et Olivier étaient dans le même état d'esprit. Et ils n'étaient pas les seuls. Plusieurs reporters voulaient traverser la frontière et aller voir ce qui se passait vraiment au Kosovo. C'était dangereux, certes, mais cela faisait partie des risques du métier. Lorraine fut invitée à faire partie d'un convoi qui partirait incessamment, plus sécuritaire. Thierry préférait partir avec un ou deux confrères et un guide kosovar. Lorraine décida de l'accompagner. Le jeune homme hésitait.

— Mais tu n'as pas l'expérience du terrain en temps de guerre, c'est loin des camps de réfugiés ou des prisons gouvernementales.

— J'aurai cinquante ans l'an prochain, je n'ai pas d'enfants. S'il m'arrive quelque chose, fais ramener mon corps sur les bords du fleuve Saint-Laurent. Il ne restera que mon frère et Aurélie pour me pleurer. Il vaut mieux qu'Olivier prenne ma place. Sa petite fille grandit et elle aura besoin de son papa.

— Je sais qu'Olivier n'aime pas beaucoup les voyages organisés.

— Ils accompagneront un convoi de la Croix-Rouge avec la permission des Serbes. C'est plus sécuritaire que ramper dans la boue avec des contrebandiers.

— Justement, je te vois mal ramper dans la boue. Pourquoi tu souris?

— Il y a des femmes qui paient une fortune pour avoir des bains de boue! Écoute, si Olivier veut partir avec toi, il peut le faire et je peux aussi être de la partie.

Décidant finalement d'être prudent, Olivier partit avec le convoi de la Croix-Rouge. Lorraine se retrouva donc avec Thierry, David, un journaliste londonien, et Avni, un jeune contrebandier kosovar aux yeux d'aigle. Ils avaient attendu le milieu de la nuit pour monter dans une vieille camionnette cabossée. Thierry était assis à l'avant, fouillant l'obscurité du regard. Lorraine, tapie à l'arrière avec David, entendait les pierres frapper régulièrement le dessous du véhicule. Assis par terre entre des boîtes de carton, ils se tenaient comme ils pouvaient aux parois métalliques pour ne pas être propulsés en tout sens. La route n'était en fait qu'un sentier emprunté plus souvent par les ânes que les automobiles.

Soudain, Avni s'arrêta et coupa le moteur en demandant le silence. Lorraine savait que la frontière était poreuse: les réseaux mafieux faisaient passer des armes, même en temps de guerre ouverte. Il fallait simplement être plus prudent. Elle avait aussi appris par David que le trafic de jeunes femmes était florissant en Albanie, alimentant les bordels de Londres. Le temps semblait s'étirer. Aucune voix, aucun bruit de pas ne parvenait aux oreilles des occupants de la camionnette. Avni se glissa doucement hors du véhicule et disparut dans l'obscurité. Thierry cherchait à voir ce qui se passait, mais cette nuit sans lune ne lui offrait aucune ombre. Lorraine se faufila vers l'avant avec David, prête à sortir et à courir à la moindre alarme. Tel un chat, Avni ouvrit la portière sans bruit et prit de nouveau place au volant. Il sourit aux trois étrangers qui le fixaient. Tout allait bien. Et il démarra pour reprendre le sentier, cette fois-ci en pente descendante.

Lorraine se demanda si cet arrêt était destiné à les effrayer et à justifier le salaire faramineux du chauffeur ou si la menace était réelle. Elle n'eut pas le temps de se questionner davantage. Les passagers de la camionnette, qui prenait maintenant de la vitesse, étaient tous ballottés violemment. À voir la façon dont Thierry s'agrippait à son siège, Lorraine comprenait qu'il voyait les parois rocheuses arriver rapidement. Le véhicule ralentit finalement, zigzagua encore dans un sentier étroit, puis s'immobilisa. Ils sortirent de la camionnette et montèrent une pente abrupte pendant un bon moment. Des phares s'allumèrent au loin. Avni guida ses clients vers la vieille auto de son ami Pandeli avec qui ces derniers continueraient la route. Il les attendrait au même endroit à la nuit tombée. Le ciel commençait à s'éclaircir. La voiture roula un moment sur le sentier puis prit une route de terre boueuse. Le premier village apparut au moment où le soleil essayait de percer une couche nuageuse. Des ruines fumantes, des débris de ciment et de pierres, des murs effondrés offraient un panorama de la souffrance aux trois étrangers. Lorraine prit des photos. Il n'y avait personne en vue. Les gens semblaient avoir fui ces lieux depuis longtemps, amenant avec eux leurs animaux. Seul un chat efflanqué miaula.

Un peu plus loin, au bout du village, Lorraine vit une vieille femme assise sur les ruines de ce qui avait dû être sa maison. Pandeli parlait avec elle, essayant de la convaincre de partir avec eux. Mais elle refusait de quitter sa demeure démolie par les bombes, s'acharnant à rester là où elle avait vécu, refusant les camps de réfugiés. Lorraine ne put s'empêcher de penser à Aurélie qui avait gardé jalousement son manoir, au point d'être possédée par lui. Pendant qu'elle prenait la vieille paysanne en photo, des bruits de mitraillettes retentirent. Pandeli courut à son auto, suivi par les reporters. La femme les regarda partir avec indifférence. Des avions de l'OTAN passèrent dans un bruit d'enfer, puis le silence revint.

Thierry voulait se rendre jusqu'à Prizren, mais Pandeli refusa de prendre la grande route. Trop de chars et de militaires. Il les amena dans un autre village déserté. Celui-ci avait été un peu épargné; quelques maisons étaient encore debout. Les champs étaient labourés, attendant les mains des hommes qui ne viendraient pas pour les semences. Partout régnait un silence sinistre. Puis il y eut un autre village, et un autre. Une sorte de visite touristique pour encourager les gens à se terrer chez eux. Il y avait pourtant des gens autour, il devait y en avoir, mais c'étaient probablement des miliciens désabusés par des mois de folie et de saccages. Il n'y avait plus rien ici pour faire l'envie de qui que ce soit.

Pandeli les ramena en fin de journée vers le mont Koritnik. Ils durent marcher un long moment sur des sentiers rocailleux. Des coups de feu déchiraient parfois le silence. Mais Lorraine entendait surtout les battements de son cœur. Nerveux, Pandeli ne cessait de regarder sa montre. Arrivé près d'un sentier plus large, il s'arrêta et leur dit d'attendre Avni de l'autre côté du versant. Lui devait partir. Thierry protesta mais Pandeli demeura intraitable. S'il ne rentrait pas, on se mettrait à sa poursuite et ce serait encore pire si on les trouvait avec lui. Lorraine le suivit avec son téléobjectif. Il prit un sentier étroit et enleva son veston. Il changea de vêtements en route vers son auto. Elle aurait juré qu'il revêtait un uniforme militaire, mais, à cette distance et avec la lumière qui diminuait, elle n'était plus sûre de rien. Les trois reporters durent attendre de longues heures l'arrivée d'Avni. Le voyage de retour ressembla à celui de l'aller, mais la camionnette ne s'arrêta nulle part.

Le soleil venait de se lever quand Lorraine s'étendit sur son lit pour dormir. Mais le sommeil ne venant pas, elle se releva et sortit de l'hôtel. Il y avait une grande effervescence près des camps de réfugiés. Elle croisa David qui lui dit qu'il était vraiment navré. De quoi? Il lui montra une tente de la Croix-Rouge. Elle y entra et vit Thierry, accroupi, se tenant la tête entre les mains. Elle s'agenouilla à ses côtés et mit la main sur son épaule. Il leva les yeux vers elle et ne put dire une parole. Elle attendit un moment puis prononça le nom d'Olivier. Thierry fit oui de la tête.

— Qu'est-ce qui s'est passé? Réponds-moi. Il est blessé?... Mort?

— Des tirs isolés. Vers Prizren. Sur la Croix-Rouge. Ils auraient dû partir avec le Croissant-Rouge.

— Ça n'aurait rien changé. J'aurais dû être là. C'est moi qui aurais dû mourir.

Ils restèrent un moment silencieux, enlacés. Lorraine revoyait la photo de la petite Alicia dans les bras de sa maman, toute souriante. Olivier la regardait si souvent. Et une balle perdue était venue se loger derrière son oreille. Il n'avait eu aucune chance de s'en tirer. Des murmures enflaient dans leur dos, mais Thierry et Lorraine n'entendaient plus rien, pris dans leur deuil, leur culpabilité, leur stupéfaction. Pourquoi étaient-ils vivants, eux, alors que lui ne l'était plus?

David les rejoignit. Il leur apprit que la Serbie et les pays de l'OTAN venaient de signer un accord à Kumanovo. Le Kosovo devenait ainsi un protectorat de l'OTAN. Cette nouvelle, qui aurait dû les réjouir, les attrista encore plus. Mourir si près de la fin de la guerre, quelle absurdité! Le lendemain, le 10 juin, les bombardements cessaient.

Lorraine se promenait parmi les réfugiés. Elle ne se contentait pas de cadrer ces gens ordinaires, elle essayait de les connaître, de raconter leur histoire, de se connaître elle-même. Si elle était encore vivante, c'était donc pour être un témoin. Les êtres qu'elle croisait avaient passé des semaines, des mois dans un camp, traumatisés par la violence vécue, prostrés dans cette longue attente. Ils devaient se faire à l'idée qu'ils avaient perdu une partie de leur famille, souvent tous leurs biens. Ils devaient maintenant trouver le courage de rentrer, non seulement de franchir la frontière, mais aussi de reconstruire toute une vie anéantie.

Les réfugiés kosovars regagnaient le Kosovo pendant que les Serbes fuyaient à leur tour par crainte des représailles. La tâche de réconciliation intercommunautaire serait longue et difficile. La création d'un Kosovo multiethnique semblait illusoire. Dans ce climat trouble, entre victoire et soulagement, entre règlements de comptes et prises de pouvoir, Lorraine se rendit au Kosovo avec Thierry. Deux âmes en peine qui cherchaient à comprendre cet échiquier où les êtres humains n'étaient que des pions. Ils suivaient des réfugiés qui s'arrêtaient soudain, incrédules, devant les ruines de ce qui avait été leur maison, leur village, leur vie. Un enfant retrouvait parfois un chat ou un chien qui avait erré tout ce temps, comme eux.

Prizren avait eu la chance d'être épargnée par les milices serbes et les bombes américaines; mosquées et églises orthodoxes étaient intactes. Les deux reporters y restèrent quelques semaines, le temps de se remettre de leurs émotions. Lorraine prenait de nombreuses photos pendant que Thierry écrivait des articles dépeignant la situation précaire de la reconstruction.

Aurélie était devenue une abonnée des chaînes d'information qui n'en finissaient plus de montrer des horreurs. On y parlait des massacres perpétrés par les deux camps. La sécurité des Balkans était maintenant assurée par trois gendarmes: les États-Unis, l'Europe et la Russie. Les Russes voulaient aider la Serbie; il y allait de leur influence dans les Balkans. Ils avaient effectué un retour en force inattendu sur la scène internationale en s'installant à l'aéroport de Pristina avant les troupes de l'OTAN, commandées par l'Américain Wesley Clark. Les Américains penchaient pour l'instauration de la grande Albanie, question de gagner des points auprès du monde musulman et d'assurer leur position, parfois précaire, au Moyen-Orient. L'Arabie Saoudite avait d'ailleurs investi beaucoup d'argent dans la reconstruction de mosquées à Sarajevo, de l'argent servant davantage à ériger des monuments dédiés à leur dieu qu'à aider la population locale. Et à travers tout cela, l'Europe voulait vivre en paix et essayer de modérer les effets pervers et sanglants de l'histoire en tentant de réunir Bosniaques, Croates, Serbes et Albanais.

Slobodan Milosevic avait été inculpé de crimes de guerre au Kosovo par le Tribunal pénal international. Ce qui ne l'empêchait nullement d'être toujours président de la République fédérale de Yougoslavie et d'avoir même affermi sa position. Armée, police, industries, médias, enseignement et tous les niveaux du gouvernement avaient été nettoyés de leurs éléments indésirables. Les sanctions internationales avaient été utilisées pour promouvoir une politique intérieure encore plus rigide. L'opposition restait faible et désorganisée. Depuis l'arrêt des frappes de l'OTAN, différentes manifestations avaient lieu à Belgrade pour réclamer le départ de Milosevic qui restait toujours en place.

Aurélie n'était pas étonnée de cet acharnement à se maintenir au pouvoir. Le dirigeant serbe devait savoir que la moindre faiblesse le mènerait à un désastre personnel: l'exil, la perte de fortune et de privilèges, le déshonneur. Qui avait envie de redescendre quand il avait atteint le sommet?

La vieille dame se leva et éteignit le téléviseur. Elle avait vu assez d'atrocités pour la journée. Elle regarda le parc. Les ombres des arbres tranchaient net sur la pelouse éclatante de soleil. L'été s'installait et Lorraine ne donnait toujours pas de nouvelles. Aurélie soupira et se dirigea vers la salle à manger. Au pied de l'escalier, elle leva les yeux vers le portrait d'Ariane. Lorraine avait-elle hérité de son caractère? Aurélie fixa les yeux peints de sa mère. Non, Lorraine avait peu d'affinités avec cette femme. Elle avait plutôt le caractère sauvage de Laurent, celui qui n'avait jamais écrit, qui avait passé des années sans donner la moindre nouvelle. Ariane aimait le faste et la lumière. Aline lui ressemblait plus que sa propre descendance.

Pauvre Aline qui avait tellement besoin d'être sous les projecteurs. Quand Charles n'avait pas voulu se représenter aux élections, elle avait bien boudé quelques jours, mais tout était rentré dans l'ordre. Charles lui avait offert un condo plus grand et plus luxueux en Floride. Aline adorait aménager maisons et appartements, luxueusement, il va sans dire. Sa nouvelle installation l'occupa un bon moment. Puis l'ennui s'infiltra de nouveau dans sa vie. Aurélie lui rendait visite quand elle allait passer quelques semaines en Floride pendant l'hiver. Aline en profitait pour lui faire rencontrer tous les gens célèbres qu'elle connaissait. En fait, la célébrité n'avait pas à être bien grande. Avoir fait parler de soi dans les journaux, même à potins, suffisait souvent. Il ne fallait pas être très riche non plus; un succès sur disque ou sur scène donnait déjà une auréole à votre petite personne. En somme, Aline avait besoin de devenir célèbre, même par procuration.

Aline se démenait pour être une mondaine. Elle ne voyait pas ce qui la séparait du sommet comme Ariane avait su le faire. Lors de son voyage de noces au Ritz de Montréal, Ariane avait cru vivre un conte de fées, fruit de ses attentes et de son imagination. Quand elle avait découvert le Plaza de New York, elle avait su que ce monde existait vraiment et qu'elle pouvait y avoir accès. Mais lorsqu'elle s'était retrouvée, chez Chanel, avec les deux comtesses snobs qui l'avaient regardée comme une paysanne, Ariane avait mesuré toute la distance pour y parvenir vraiment. Et elle avait laissé sa fille aînée faire le reste du chemin à sa place. Mais Aurélie, même en tant qu'épouse d'un premier ministre, était restée effacée. Les mondanités n'étaient pas pour elle.

Tout le contraire d'Aline qui les savourait très longtemps. Il y avait d'abord l'anticipation de la rencontre qui excitait ses sens et la rendait nerveuse. La rencontre elle-même passait toujours trop rapidement. Et ensuite Aline en avait pour des jours, des mois même, à raconter à tous ceux qui l'entouraient, sans exception, le moindre détail de cette rencontre mémorable. Personne n'était épargné, ni le coiffeur, ni le chauffeur, ni le jardinier, ni la cuisinière, ni la bonne. Charles fuyait à son bureau ou à la pêche, quand ce n'était pas dans les bras de ses maîtresses, le bavardage incessant de sa femme. Il aimait les grandes blondes nordiques et silencieuses qui offraient leur corps en gardant leurs pensées pour elles. Au moindre signe d'attachement, il se faisait distant puis disparaissait doucement. Il avait réussi ainsi à équilibrer sa vie sans trop de soucis.

Aline s'était créé un univers artificiel où elle évoluait comme dans une bulle magique, où tous les problèmes s'arrondissaient faute de trouver leur solution. Mais son monde commença à se fissurer rapidement après la mort de Charles. Raymond faisait comme son père, fuyant dans les affaires le monde des femmes créé par sa mère et sa sœur. Nicole avait suivi sa mère un moment, voyant régulièrement sa photo dans les pages mondaines des journaux. Sans enfant, elle avait vécu deux mariages et deux divorces rapides. Le vernis disparaissant après quelques semaines de vie commune, elle repartait à la recherche d'un autre candidat idéal, riche et bien né de préférence. Sa vie était un tourbillon entre deux avions, deux maisons, deux collectes de fonds au profit d'associations caritatives, deux visites chez le coiffeur, le masseur, la manucure, l'esthéticienne. Au décès de son père, elle retourna vivre avec sa mère. Aline déteignait beaucoup sur sa fille qui commençait à lui ressembler comme une copie conforme.

La trentaine avancée, Nicole voyait sa vie toute tracée devant elle. Une vie qui ne lui déplaisait pas, mais qui n'apportait pas, non plus, beaucoup de surprises. Puis un ouragan passa dans sa vie, un bouleversement auquel elle ne s'attendait plus. En visite chez sa tante Muriel, elle rencontra le capitaine d'un voilier qui promenait des touristes dans les Antilles. Une attirance mutuelle l'amena à découvrir une autre existence, totalement différente. Il n'y avait plus ce bourdonnement incessant de fausses activités. Nicole suivit Andreas de longs mois, heureuse de cette nouvelle vie qui lui permettait de prendre le large. Elle découvrit que ses journées pouvaient être réglées sur un autre horaire, celui de la nature, des vents, des saisons, des courants marins. Et elle décida finalement de couper le cordon ombilical et de s'installer en permanence avec Andreas sur une petite île des Antilles.

Nicole ne revenait à Miami qu'occasionnellement. Aline restait allongée sur sa terrasse à fixer la mer, s'ennuyant ferme, tyrannisant un peu plus son personnel, lisant les pages mondaines des journaux et se faisant inviter un peu partout. Elle devenait de plus en plus excentrique, s'habillant avec éclat pour être certaine de ne pas passer inaperçue. Elle n'avait jamais mesuré toute la distance menant au sommet, persuadée d'y être. Elle eut un malaise au cours d'un repas bénéfice et fut transportée à l'hôpital où elle arriva en robe de soirée, les mains ornées de diamants, comme une grande dame. Elle mourut quelques jours plus tard à l'âge de soixante-cinq ans.

Aurélie, qui venait à peine d'enterrer Richard, fut surprise par la mort de sa belle-sœur. Il commençait à y avoir trop de robes noires dans sa garde-robe. Elle décida de ne plus retourner en Floride pendant l'hiver, mais de passer plus de temps auprès de Muriel qui avait élu domicile depuis quelques années en Jamaïque. La mort de Paul l'avait beaucoup affectée et elle s'était repliée dans son domaine au bord de la mer, loin de tout ce qu'elle avait connu. Elle ne créait plus de bijoux, passant ses journées sur la plage ou dans l'eau avec son équipement de plongée, quand ce n'était pas à bord du voilier d'un de ses amis. Aurélie apprécia cette farniente un moment, puis l'envie de retourner à son manoir et à ses affaires la prit.

Elle embrassa Muriel à l'aéroport, ne sachant pas que c'était la dernière fois qu'elle voyait sa petite sœur. La malédiction allait s'abattre encore une fois sur les Savard. Quelques mois plus tard, Muriel se trouvait à bord du yacht d'un ami. La soirée avait été bien arrosée et les quelques passagers du bateau étaient tous ivres. Muriel décida de prendre un bain de minuit. Elle plongea et ne réapparut pas, emportée par un fort courant. Des membres de l'équipage prirent le dinghy pour partir à sa recherche. Son corps fut retrouvé moins d'une heure plus tard. Elle n'avait que soixante ans. Aurélie pleura longtemps sa petite sœur adorée, presque sa fille. Elle était devenue la dernière descendante vivante d'Edmond et d'Ariane.

Aurélie regarda passer un yacht fendant l'eau aux côtés d'un cargo et elle frissonna. Puis elle vit Martin garer sa voiture devant le manoir. Il avait rajeuni. Il avait rasé sa moustache et portait les cheveux plus courts. Ses yeux étaient de nouveau rieurs comme ceux d'un enfant. La mort d'André puis celle de Jeanne l'avaient obligé à se propulser dans le monde des adultes. Du vivant de ses parents, il n'était jamais parvenu vraiment à sortir du cocon douillet et confortable qu'ils lui offraient. Sa vie était toujours restée parallèle à la leur, et les appartements successifs qu'il avait pris étaient plutôt des pied-à-terre où il se réfugiait lorsqu'il avait envie de changer d'air ou voulait inviter une femme. Il s'apercevait maintenant qu'il avait renoncé, sans le savoir, à connaître l'amour avec tous les dangers qu'il comportait pour préférer l'érotisme sans lendemain et sans réellement de tendresse. Il lui était arrivé, rarement, d'accepter qu'une femme vienne vivre avec lui, mais avec si peu de conviction que cela n'avait jamais duré bien longtemps. Mais tout avait changé avec Simone. Et Martin se sentait prêt à prendre le risque de devenir dépendant de quelqu'un qu'il pouvait perdre.

Simone avait un tout autre chemin à faire. Déçue de son mariage difficile, elle avait renoncé à tout en s'enfermant avec Aurélie au manoir. La perspective de vivre de nouveau avec un homme, surtout un homme plus jeune qu'elle, lui faisait peur parfois. Poussée par Aurélie à ne pas bouder son plaisir, elle commençait à penser que de belles années l'attendaient avec Martin qui se faisait plus présent dans sa vie. Il venait régulièrement au manoir et les amoureux passaient presque toutes les fins de semaine ensemble.

Martin salua Aurélie de la main et celle-ci lui fit signe qu'elle sortait le rejoindre. La journée était trop belle pour ne pas profiter du parc. Elle aimait bien sa compagnie; elle voyait dans ses yeux le regard de Jeanne. Une douceur mêlée d'un peu de mélancolie. Et puis il avait une façon de marcher, de faire certains gestes, de sourire, qui ressemblait tellement à Lorraine que la vieille dame avait parfois l'impression de la sentir près d'elle. Il lui tendit une revue française en lui montrant la page couverture.

— C'est de Lorraine.

Aurélie prit le magazine en tremblant d'émotion. Elle alla s'asseoir sur le banc, au bord de l'étang, et passa doucement ses doigts sur le papier glacé. Lorraine était saine et sauve, mais elle était encore au Kosovo, puisque la photo avait été prise à Prizren. On y voyait un jeune soldat allemand protégeant une église orthodoxe, le fusil à l'épaule. Devant lui, à côté d'un barrage de fils barbelés, des écolières souriantes, les cheveux ornés de barrettes colorées, le regardaient. Seule une petite fille avait la tête tournée vers l'objectif qu'elle fixait avec des yeux curieux. Elle portait une robe marine avec un grand collet blanc et souriait malicieusement. Les doigts d'Aurélie glissèrent sur le nom écrit en tout petits caractères dans un coin: L. Léveillée, Images Presses.

Ses photos s'étaient bien vendues et Lorraine regagna Paris au cours de l'été. Elle avait les yeux pleins de malheurs et voulait se ressourcer. Elle songeait parfois à rentrer au Québec, mais elle ne se sentait pas encore la force d'affronter cette autre réalité. Elle avait besoin de faire le ménage dans sa tête. Paris la distrairait. Elle ressentait un grand vide et espérait y trouver, tout au fond, une forme de bonheur, ou tout au moins de plaisir. Après tout ce qu'elle avait vu, elle se disait que l'âme humaine était trop souvent mue par l'intérêt, le profit tiré, le plaisir apporté, la gloire personnelle procurée. Elle voulait y découvrir autre chose, une forme d'assouvissement, de paix intérieure. Mais Paris lui apporta la confusion, l'étourdissement, le brouhaha. Thierry aimait s'y noyer mais, cette fois-ci, elle refusa de le suivre. Ils se quittèrent en s'enlaçant tendrement.

— Ne commets pas d'imprudences, mon beau reporter. Tu feras un merveilleux vieillard.

— Ne sois pas seulement spectatrice, ma belle photographe. Participe aussi à la vie. Tu vas voir, elle va te le rendre.

Vivant le choc de l'après-guerre, Lorraine refusa d'ouvrir les journaux qui annonçaient en août un nouvel exode, celui des Serbes, des Roms, des Monténégrins et des Slaves musulmans, victimes à leur tour des exactions des Albanais. L'agressé devenait l'agresseur en sifflotant, toujours au nom du bon droit ancestral, jamais au nom de la liberté de pensée, la liberté d'être un humain, tout simplement. Trois cent mille Serbes, pour la plupart des jeunes, membres de l'élite intellectuelle et de la classe moyenne, s'étaient enfuis à l'étranger. La République yougoslave avait accueilli, en retour, sept cent mille réfugiés serbes fuyant les territoires où ils étaient établis parfois depuis le Moyen Âge. La communauté internationale avait mené une politique conduisant à un Kosovo peuplé uniquement d'Albanais, une région «ethniquement» pure. La fin de la politique de serbisation forcée du régime de Belgrade n'avait permis ni le retour au calme ni la création d'un Kosovo multiethnique, principale priorité, de plus en plus illusoire, de l'OTAN. Les Serbes se concentraient désormais dans le nord du Kosovo, de la ville de Mitrovica aux frontières de la Serbie.

Lorraine était devenue une réfugiée des émotions. Elle se réveillait en pleine nuit, en sueur, se demandant où elle était. Et elle ne savait plus où aller. La période des vacances se terminait et les routes étaient bondées d'aoûtiens qui remontaient vers le nord. Lorraine décida de quitter Paris et d'aller vers la Provence. Elle loua une auto et se promena un peu au hasard des petites routes. Ce fut le même hasard qui l'arrêta devant un panneau indiquant la direction du Creusot. L'histoire d'Aurélie la poursuivait donc encore. Pourquoi ne pas crever l'abcès et aller voir cette ville ouvrière par excellence? La réalité effacerait peut-être les dires d'une vieille dame.

La photographe découvrit une ville étalée aux élégants immeubles carrés, loin des villes containers où les parias vivaient en périphérie dans des cages à lapins laides et anonymes. Ici, toutes les classes sociales semblaient se mêler à la nature, la ville et l'industrie. De nouveaux quartiers se développaient dans la campagne environnante avec leurs petites maisons blanches au toit rouge donnant un aspect de calme et de douceur au paysage.

Le célèbre marteau-pilon de 1876, annonciateur du progrès, celui qui avait fait la renommée des usines Snyders, cet instrument d'une puissance de cinq cents tonnes, capable de travailler des pièces volumineuses et assez délicat pour enfoncer le bouchon d'une bouteille sans en casser le goulot, avait été placé au centre d'un rond-point. Sur un socle, tout blanc comme un fantôme, il était maintenant une borne, un repère pour les automobilistes.

Lorraine se gara près de la rue du Maréchal-Leclerc et décida de visiter le château de la Verrerie avec un groupe de touristes. Elle fut surprise des dimensions de cet immense bâtiment dont les trois côtés formaient une grande cour intérieure flanquée des deux fours et de l'arche de l'entrée. Lorraine essaya d'imaginer madame Alexandra ou monsieur Émile dans cette maison devenue musée. Elle comprenait mieux l'étonnement et l'admiration de la jeune Aurélie qui avait dû se sentir un peu perdue dans cette colossale demeure. Lorraine sortit sur la façade sud du château. De magnifiques massifs de rosiers bordaient la terrasse, et le regard découvrait l'espace boisé du parc de la Verrerie.

Les roses la ramenèrent dans la serre d'Aurélie. L'air lui manqua, la chaleur l'étouffa et Lorraine s'échappa de cette visite guidée. Elle essaya de reprendre ses esprits en se promenant dans le parc. Situé en pleine ville, il semblait un lieu apprécié des Creusotins qui s'y promenaient à la recherche d'un peu d'ombre et de fraîcheur. Un lac accueillait des cygnes qui venaient au bord chercher les morceaux de pain lancés par les visiteurs. Des biches étaient assises à l'ombre des arbres, et des canards étaient rassemblés près d'un magnifique saule pleureur. Peu à peu, la quiétude des lieux envahit Lorraine et lui fit du bien.

Elle se trouvait ridicule d'être émue de la sorte, mais elle ne se sentait pas pour autant prête à quitter le Creusot. Elle prit une chambre à l'hôtel La Belle Époque, sur la place Schneider, puis partit se promener sur la route de Marmagne, un des quartiers anciens du Creusot. Des maisons de trois étages s'alignaient avec leurs fenêtres régulières, ornées parfois d'un petit balcon. Tout était rangé et propre. C'était peut-être là qu'avait vécu Laurent, ou dans un quartier semblable. Qu'était donc devenu ce bel homme aux yeux verts?

Lorraine se surprenait à penser de plus en plus à celui qu'Aurélie avait aimé profondément. Depuis le haut de la rue du Docteur-Rebillard, elle vit l'arrière des bâtiments de l'Hôtel-Dieu avec les usines au loin. L'activité industrielle du Creusot avait changé. Laurent avait préféré les vignobles. Lorraine retourna à l'hôtel avec une seule envie: en savoir plus. Le lendemain matin, elle partait pour Mâcon.

D'après ce que lui en avait dit Aurélie, elle s'attendait à une toute petite ville. Elle fut surprise de découvrir une ville importante, entourée de milliers d'hectares de magnifiques vignobles. Elle chercha la gare et décida de refaire le trajet d'Aurélie. Elle descendit la rue Gambetta et longea le quai Lamartine, suivant les panneaux indiquant la direction de l'hôtel de ville. Une statue de Lamartine trônait devant l'esplanade du même nom, honorant l'écrivain et homme d'État originaire de Mâcon. Lorraine avait oublié les vers du poète appris à l'école, mais elle se rappela qu'il était celui qui exprimait les plus intimes et insaisissables nuances du sentiment. Elle regarda le pont Saint-Laurent, majestueux avec ses arches de pierre solidement plantées dans la Saône. Le pont datait du IIe siècle. Il avait été le trait d'union entre le Royaume de France et le Saint Empire romain germanique. Tout était beauté en cette journée ensoleillée.

Lorraine contourna l'hôtel de ville à la recherche de la maison à la porte bleue. Elle ne vit que l'église Saint-Pierre dont la place s'étendait devant la rue Carnot. Se disant que tout avait sans doute été démoli, elle entra à l'office du tourisme pour se renseigner. Elle apprit que l'ancienne mairie se trouvait dans la rue Laguiche menant au pont. Elle passa le musée Lamartine et la place aux Herbes, puis la place de la Baille. Elle tourna vers le musée des Ursulines, traversa la place Saint-Vincent. Aucune porte bleue ne subsistait. Elle s'arrêta dans un café et regarda l'annuaire téléphonique. Aucun Laurent Dumontel n'y figurait. Le bel homme aux yeux verts avait disparu.

Lorraine était déçue. Elle se rendait compte qu'une part d'elle-même souhaitait retrouver cet homme; peu importait qu'il fût son père ou non, il avait été l'amoureux d'Aurélie et elle avait envie de reconstruire cette histoire. Il n'y avait plus qu'un endroit pour le retracer: le cimetière. Ce n'était pas un lieu que Lorraine aimait particulièrement visiter. Il lui rappelait trop ses propres morts, le côté éphémère de la vie humaine. Elle trouvait injuste de résumer la vie de quelqu'un avec de simples dates, des chiffres qui disaient si peu sur lui. Après avoir arpenté plusieurs allées, elle finit par trouver la tombe de Laurent Dumontel. Il était décédé en 1990. Sur la pierre tombale était inscrit aussi le nom de sa femme Delphine. Lorraine regarda la date. Il y avait un an jour pour jour qu'elle était décédée. Voilà tout ce qui restait de l'histoire d'Aurélie.

Alors qu'elle marchait sur l'allée centrale du cimetière en direction de la sortie, Lorraine croisa un homme qui tenait un bouquet de fleurs à la main. Il la regarda un moment. Elle le regarda aussi et continua son chemin. Un peu plus loin, elle se retourna et le vit déposer les fleurs sur la tombe de Laurent. C'était donc son fils. Peut-être celui qu'Aurélie avait vu dans les bras de sa mère quand la porte bleue s'était ouverte. La photographe revint sur ses pas, puis elle vit arriver deux hommes et une femme portant eux aussi des bouquets. Les enfants Dumontel se réunissaient sur la tombe de leurs parents. Lorraine s'arrêta. Le moment était mal choisi pour aller leur parler. Elle attendit, un peu en retrait. Ne voulant pas non plus perdre leur trace, elle décida de les suivre à distance. Ils quittèrent le cimetière, s'embrassèrent et se dirigèrent chacun vers leur auto. Lorraine allait les perdre pour toujours. Celui qui semblait le plus vieux et qui était arrivé le premier, allait monter dans sa voiture quand elle l'aborda.

— Bonjour, vous ne me connaissez pas, mais... êtes-vous Maurice Dumontel?

L'homme la regarda, stupéfait. Il était grand, avec une épaisse chevelure grisonnante et des yeux bleu clair. Lorraine remarqua que ses doigts jouaient sans cesse avec les clés de sa voiture. Il finit par lui faire signe que oui en fixant ses yeux verts. Lorraine sourit, soulagée. Elle saurait enfin toute l'histoire de Laurent. Ils restaient tous les deux là, face à face, sans prononcer un mot. Un coup de klaxon les fit sursauter. Puis Lorraine se décida à l'inviter à prendre un café.

— Vous allez penser que je suis folle, mais j'aimerais que vous me parliez de votre père.

— Et je peux savoir qui vous êtes?

Sa voix était grave et douce. Lorraine rougit de sa maladresse et s'excusa. Elle se présenta, puis parla d'Aurélie qu'il n'avait sans doute jamais connue.

— Détrompez-vous, j'ai entendu parler de la belle Canadienne. Surtout à la fin de la vie de mon père, alors qu'il était condamné par la maladie. Vous êtes descendue à l'hôtel?

Lorraine lui expliqua qu'elle était arrivée le jour même à Mâcon et n'avait pas encore pris de chambre d'hôtel. Maurice habitait Grenoble depuis de nombreuses années. Il était venu souligner le premier anniversaire du décès de sa mère avec ses frères et sa sœur et comptait repartir le soir même. Mais la rencontre de Lorraine changeait ses plans. Il lui proposa d'aller dans un café qui se trouvait sur les bords de la Saône.

— Ce n'est pas très loin, vous n'avez qu'à me suivre.

Lorraine alla chercher son auto et suivit celle de Maurice. Son cœur battait la chamade. Elle essayait de se calmer en se disant que c'était sa visite au cimetière qui l'avait mise dans un tel état. Mais quelque part au fond d'elle, une jeune femme se disait que cet homme était séduisant, charmant, attirant. La femme mature, elle, se répétait que l'amour était une sensation dont on avait fait un sentiment. Elle retrouva dans sa mémoire l'ironie de Céline: l'amour; l'infini à la portée des caniches. Mais cela ne ralentit pas les battements de son cœur. Il s'était produit un déclic comme elle en avait rarement senti, une certitude viscérale que toute la raison et tout le raisonnement du monde ne parvenaient pas à effacer. C'était lui. Lui qui? lui quoi? Elle ne savait pas. Mais c'était lui, l'homme qui entrerait dans sa vie pour la bouleverser. Quand elle gara son auto, elle avait les mains moites et des gouttelettes de sueur perlaient sur son front.

Ils s'installèrent sur la terrasse qui offrait une belle vue sur la rivière et le pont Saint-Laurent. Maurice commanda du vin blanc, un pouilly-fuissé. Lorraine en prit une gorgée qui glissa comme de la soie fraîche dans sa bouche. Tout était agréable, la présence de cet homme, la vue de la terrasse, la tiédeur de la journée, la brise sur sa peau, le vin exquis. Elle aurait voulu que le temps s'arrête. Maurice fixait ses yeux avec insistance. Elle avait envie de lui dire: «Parlez-moi de vous.» Elle lui demanda plutôt de lui parler de Laurent.

Laurent et Delphine avaient élevé leurs quatre enfants à Mâcon. À la naissance du deuxième, Christophe, ils avaient quitté la vieille maison à la porte bleue pour une plus grande, juste à côté des vignobles. Ils avaient eu une vie comme beaucoup de gens, avec des hauts et des bas. Maurice avait entendu parler de la belle Canadienne alors qu'il était encore tout jeune. À chacune des querelles, qui n'étaient pas si nombreuses, Delphine finissait par crier: «Tu n'as qu'à aller la retrouver, ta Canadienne!» Maurice avait d'abord cru que sa mère parlait d'un manteau. Les querelles s'étaient espacées, le couple s'étant accommodé d'un quotidien sans histoire. Quand il avait appris qu'il allait mourir, Laurent s'était mis à écrire de longues lettres qu'il gardait cachées au fond de ses poches, chiffonnées. Il n'arrivait pas à les envoyer. Puis un jour, il avait débarqué à Grenoble, où Maurice habitait, pour lui demander de les mettre au propre. Maurice avait eu de la difficulté à les déchiffrer. Son père y parlait de lac, de plage, de chambre à Londres, d'extase à Paris, de responsabilités, de jeunes enfants à l'époque.

— Je n'y comprenais pas grand-chose. Et quand je le questionnais, j'avais souvent droit à un regard perdu et gris. C'est là que j'ai remarqué qu'il avait rarement les yeux verts, comme si la mort annoncée les lui avait volés. Petit, c'est la première chose que je regardais, la couleur de ses yeux. Elle m'annonçait la bonne humeur comme la mauvaise, les soucis ou les joies. Ça m'a toujours fasciné, ces yeux changeants qui ne pouvaient cacher aucune émotion.

— Et les lettres? Il ne les a jamais envoyées.

— Non. Un matin, il s'est levé, il a regardé les montagnes, puis il a dit qu'il était temps de retourner à ses vignes, que Delphine devait s'inquiéter. Il a pris les papiers chiffonnés, les a mis dans un grand cendrier et a craqué une allumette en disant que ça n'en valait plus la peine. Quand il est mort, je n'avais aucune adresse où écrire, seulement le prénom d'Aurélie.

Maurice se tut et la regarda. Le ciel s'était obscurci; la fraîcheur du soir avait envahi la terrasse. Lorraine frissonna. Un bonheur commençait à l'envahir, tout doucement. Le silence était léger entre eux, comme une complicité. Maurice lui offrit d'aller manger dans un restaurant qu'il connaissait bien.

— Ainsi, vous pourrez me parler de vous.

Cette petite phrase presque chuchotée à son oreille fit monter une pointe d'angoisse en elle. Parler d'elle, c'était aussi lui raconter qu'ils étaient probablement demi-frères. Et si Aurélie s'était trompée et que Richard avait été aussi le père de son premier enfant? Et si la lettre était une invention? Et si la fille du médecin?… Comment inventer la bague, la faire ajouter sur une toile? Lorraine en avait assez du tourbillon des mensonges qu'elle essayait d'inventer pour ne pas voir cette vérité assénée depuis des mois. Mais elle décida de garder cette histoire de frère et sœur pour le dessert. Elle parla de sa rencontre avec Aurélie, du récit de sa vie par le biais de la photographie. Le repas était délicieux, le vin aussi. Maurice la regardait souvent avec des yeux rieurs.

— Alors, ils ont été amants à Paris. Ma mère devait être enceinte de ma sœur Catherine à cette époque. Il y avait de l'eau dans le gaz à ce moment-là. Mais Laurent se sentait une sorte de devoir moral envers ma mère. Elle lui avait sauvé la vie et il ne l'avait jamais oublié.

Lorraine voulut en savoir plus. Maurice raconta que Laurent, après un attentat réussi pour le maquis, était activement recherché par les soldats allemands. La région de Mâcon était très active, une sorte de chef-lieu de la Résistance. Laurent avait erré de ferme en ferme, puis Delphine l'avait rencontré près d'un ruisseau, dans un sous-bois, et lui avait offert de l'héberger à la ferme familiale. Les Allemands visitaient toujours les granges pour voir si des résistants ne s'y cachaient pas. Mais Laurent avait trouvé refuge dans la cave, près du charbon. Un petit groupe d'Allemands était arrivé et s'était mis à fouiller la ferme. Delphine était descendue à la cave prévenir Laurent. En remontant, elle avait vu un soldat descendre. Elle avait reculé et joué les innocentes, la robe entrouverte. Elle avait dix-sept ans et aimait déjà son maquisard qu'elle gardait aussi jalousement qu'un prisonnier. Elle n'avait pas eu peur de s'offrir au soldat pour sauver son amour. L'Allemand avait posé son fusil par terre et l'avait prise brutalement. Laurent était tapi non loin. Il avait assisté à tout en se mordant le poing pour ne pas crier, pour ne pas sauter sur ce garçon et le tuer. Il savait que s'il était découvert, c'était toute la famille qui y passerait, fusillée ou emprisonnée et déportée. Le soldat reparti, Laurent avait bien vu le sang couler le long des cuisses de Delphine. Cette image l'avait tellement marqué que, des années plus tard, il en reparlait encore. Delphine avait sacrifié sa virginité pour le sauver. Laurent n'avait plus qu'une chose à faire: l'épouser.

— Et ma mère ne se rappelait que d'une chose: le soldat était si jeune qu'il avait pleuré après, comme un enfant. Je ne sais pas si c'est vrai. Parfois, je pense qu'elle voulait adoucir l'image de celui qui l'avait engrossée.

— Vous êtes le fils de ce soldat?!

— Probablement. Laurent a été recueilli le soir même par son réseau de résistance et il n'est revenu que des semaines plus tard pour épouser Delphine qui était déjà enceinte de moi. Mais jamais il ne m'a fait sentir que je n'étais pas son fils. Au contraire, je crois que j'ai été son préféré. J'étais le lien qui le soudait à sa famille. Je n'ai recollé tous les morceaux de cette histoire que des années plus tard, à la naissance de mon propre fils.

Lorraine sourit, soulagée.

— Alors, vous n'êtes pas mon frère!

— Non, mais je sais que vous êtes la fille de Laurent. De tels yeux ne peuvent mentir. Ces paillettes d'or sur fond bleu qui se transforment en vert amande. Des yeux qui peuvent briller dans le noir.

Il frôla sa main, puis recula légèrement. Lorraine sentit que le moment magique venait de passer et s'évaporait aussi rapidement. Maurice avait aussi sa vie, une famille, des enfants. Comment avait-elle pu s'imaginer qu'il était aussi libre et seul qu'elle?

— Il se fait tard. Je connais le propriétaire d'un petit hôtel à la sortie de la ville. Je vais y prendre une chambre pour la nuit. Voulez-vous y loger aussi? Avec un peu de chance, nous pourrons avoir deux chambres.

Lorraine acquiesça et ils eurent de la chance. Leurs chambres se trouvaient sur le même étage, à quelques portes l'une de l'autre. Ils se souhaitèrent une bonne nuit devant la porte de la chambre de Maurice, qui était la première en haut de l'escalier. Ils se regardèrent une dernière fois. Le temps s'arrêta. Pourquoi allaient-ils gâcher ce moment unique? Combien de fois dans une vie l'occasion de côtoyer l'âme sœur se présentait-elle?

Maurice referma sa porte et s'approcha de Lorraine. Il prit doucement son visage entre ses mains et l'embrassa. Elle lui rendit son baiser avec fougue. La peur avait disparu; le plaisir de l'aventure rendait tout possible. Ils redevaient jeunes, passionnés et insouciants. L'amour était aussi cette merveilleuse chance qu'un autre vous aime quand vous ne pouviez plus y croire, quand vous sentiez que vous ne pouviez plus vous aimer vous-même. Un outil salvateur pour une âme errante.

Les belles feuilles rouges et or des arbres disparaissaient des branches pour s'envoler au vent. Jean-Paul et Martin s'occupaient de les ramasser pendant qu'Aurélie les regardait avec mélancolie. Le cheminement des saisons la ramenait à ses morts. Elle entendait encore la voix de Gisèle au téléphone lui dire que tout allait bien. C'était une femme discrète, qui n'avait jamais parlé ouvertement à sa mère de ses problèmes conjugaux, laissant simplement des indices ici et là, qu'Aurélie avait rassemblés seulement après sa mort. Depuis que son mari avait entamé des procédures de divorce, Gisèle buvait de plus en plus. Le soir de l'accident, elle avait trop bu pour conduire et elle avait appelé son fils. Avec son permis vieux de quelques mois à peine, Benjamin était tout fier de cette confiance. Il avait pris un taxi et rejoint sa mère au bar. Il devait la ramener avec son auto à elle à la maison. La pluie, la visibilité réduite, le manque d'expérience, tout avait contribué à cet accident mortel. La malédiction s'était abattue de nouveau sur les Savard.

Ce matin-là, en allant fleurir les tombes de Gisèle et de Benjamin, Aurélie s'était souvenue que Lorraine était entrée dans sa vie peu après leur décès. Le temps avait passé mais il avait à peine cicatrisé la blessure laissée par son départ. Dans quelques jours, les décorations de Noël remplaceraient celles de l'Halloween. Et avec l'arrivée de l'hiver, cela ferait un an qu'elle ne l'avait pas revue. Martin la tenait au courant du peu de nouvelles qu'il recevait, mais ce n'était pas suffisant. Sa présence lui manquait; elle aurait aimé mettre les choses au clair avec elle, lui dire qu'elle ne voulait pas la tenir prisonnière, mais simplement lui parler de temps en temps, savoir comment se passait sa vie, se réjouir de ses bonheurs, s'attrister de ses malheurs. Ce qu'elle avait fait avec Gisèle même si cela n'avait pas empêché son fatal accident.

Les feuilles étaient aussi tombées à Grenoble. La ville au pied des Alpes avait vu ses arbres se dénuder et le massif de la Belledonne blanchir sous la neige. Lorraine était encore surprise de sentir le corps tiède de Maurice à ses côtés, de constater qu'elle prenait plaisir à dormir avec lui après des années de sommeil solitaire où elle s'était habituée à s'approprier tout le lit. Il ne lui avait suffi que de quelques nuits pour s'adapter à ce grand corps, à sa manie qu'il avait de passer son bras sur sa taille et de respirer doucement dans son cou. Elle aimait ouvrir les yeux chaque matin et contempler, par les larges fenêtres de la chambre, le sommet des montagnes. Leur vie commune se déroulait avec un naturel désarmant dont tous deux ne cessaient de s'étonner. Lorraine avait parfois l'impression qu'ils étaient deux naufragés que les courants marins avaient conduits sur la même île.

Maurice venait de vivre un divorce pénible où, pendant des mois, deux avocats s'étaient acharnés à les traîner, lui et Caroline, à tour de rôle dans la boue. Tout avait été matière à querelles, même les tasses de porcelaine. Maurice avait laissé la maison familiale pour prendre un appartement dans un immeuble anonyme en se jurant de ne jamais se remarier. Il s'était à peine adapté aux lieux que Lorraine entrait dans sa vie sans prévenir et bouleversait toutes ses belles intentions. Il était bien obligé d'admettre que la vie était douce et agréable avec elle. Professeur dans un lycée, il en était à sa dernière année avant une retraite qu'il voyait remplie de plaisirs et de voyages. Surtout maintenant, quand il se réveillait en regardant ces yeux vert tendre qui le fixaient.

Le téléphone sonna et Maurice tendit le bras pour prendre le combiné. C'était son fils, Nicolas, qui s'affairait aux préparatifs de Noël. Maurice marmonna quelques phrases et raccrocha. Il se tourna vers Lorraine qui s'étirait lentement.

— Nicolas réunit toute la famille à Paris pour Noël. Ses oncles, sa tante aussi. Il tient à présenter à tout le monde son fils Raphaël. Je dois y être en tant que jeune grand-père. Je me passerais bien de revoir Caroline, mais elle se fera un plaisir d'être là.

— Je comprends. Ne t'en fais pas pour moi. Je n'ai jamais aimé fêter Noël, je le passerai ici, tout simplement.

— Il n'en est pas question. Je veux que tu m'accompagnes. Après tout, tu fais partie de la famille. Mes frères et ma sœur vont avoir le plaisir de rencontrer leur demi-sœur.

— Tu en es sûr? Il vaudrait peut-être mieux les avertir avant, pour qu'ils se fassent à cette idée.

— C'est déjà fait et ils sont très curieux de voir l'autre fille de Laurent. Ça te rend nerveuse?

Pour toute réponse, Lorraine se blottit contre lui. Elle était paniquée à l'idée d'affronter la famille Dumontel. Elle avait peur d'être vue comme une intruse, ce qu'elle était en quelque sorte. Et rencontrer Caroline ne lui disait rien du tout. Elle ne rêvait que de quiétude. Maurice la serra dans ses bras.

— Ce sera un Noël magnifique et un changement de millénaire impressionnant.

— On parle d'illuminer Paris de feux d'artifice. Toutes les grandes villes du monde vont rivaliser d'éclat.

— Tu verras, je te réserve une surprise inoubliable.

Lorraine passa des jours à essayer de savoir quelle était cette surprise, mais Maurice garda jalousement son secret. Elle pensait de plus en plus à Aurélie. Elle avait téléphoné au manoir sans obtenir de réponse. Elle n'avait pas su quoi dire sur le répondeur et avait raccroché. N'arrivant pas non plus à joindre Martin, elle lui avait laissé un message laconique lui disant que tout allait bien, sans plus. Comment en quelques phrases lui parler de Maurice, de Laurent, de Grenoble, de la chaînette en or que Maurice lui avait offerte, celle du baptême d'Aurélie avec la petite croix ornée d'une rose?

Deux jours avant leur départ pour Paris, Maurice amena Lorraine en balade. Ils quittèrent le pied des Alpes pour descendre vers Lyon. Maurice bifurqua ensuite vers Valence et, un peu avant Romane, il prit une petite route secondaire. Lorraine admirait les champs recouverts deçà delà d'un peu de blanc. Le paysage lui rappelait un peu la vallée du Saint-Laurent, mais la forme des maisons la ramenait en France. Ils arrivèrent au village de Hauterives. Maurice arrêta l'auto près d'une construction biscornue et étrange.

— Le palais idéal du facteur Cheval.

— Qu'est-ce que c'est?

— Une belle histoire. Depuis le temps que tu me parles du château d'Aurélie… Je tenais à te montrer celui de Ferdinand Cheval.

— Son vrai nom?

— Oui. Allons visiter.

Lorraine était impressionnée par tout le travail accompli pour édifier des colonnes, des tours, des excroissances en forme de palmiers à partir de galets et de pierres, un palais unique, hors de tous styles architecturaux. Maurice lui montrait des détails ici et là.

— Il a commencé à quarante-trois ans à transporter des pierres dans son jardin, à sculpter son rêve en s'inspirant de la nature et de ses lectures.

— Mais il a dû y mettre des années!

— Ce facteur et paysan est devenu architecte et bâtisseur. C'était son voyage, son exaltation. Un travail solitaire qui a duré trente-trois ans.

— Un étrange labyrinthe rempli de scènes mythologiques. De la démesure, du fantastique. S'il ne faisait pas si froid, on pourrait se croire en Orient.

— Tu peux imaginer la tronche des voisins quand ils le regardaient construire son palais à la fin du XIXe siècle. Maintenant, c'est une œuvre d'art classée monument historique depuis 1969.

— Et tu y vois un rapport avec Aurélie?

— Je ne la connais pas et je n'ai pas vu son château, mais, d'après ce que tu m'en as dit, j'ai l'impression qu'elle aussi a mis son rêve dans ce domaine de son enfance qu'elle refuse de quitter, d'abandonner sans personne pour s'en occuper. Son passé, son histoire, ses passions ont sans doute marqué le moindre objet. Et tes photos devaient lui assurer la pérennité.

Lorraine réprima les larmes qui venaient embrouiller sa vision. Elle se détourna de Maurice pour prendre une grande respiration. Il mit doucement la main sur son épaule.

— Il fait froid, rentrons.

De retour à Grenoble, la photographe fit ses bagages pour monter à Paris. Maurice y glissa son passeport et lui recommanda d'emporter tous ses appareils photos. Elle ne laissa que quelques vieux vêtements à l'appartement et remarqua que Maurice emportait aussi beaucoup de bagages. Ils seraient donc partis assez longtemps. La surprise était peut-être un long séjour à Paris, une sorte de voyage de noces. Lorraine sourit ; elle se sentait prête à entreprendre une nouvelle vie avec lui. Cette confiance en l'avenir ne lui était pas venue depuis de très nombreuses années.

Le repas de Noël fut animé et agréable. Toutes les peurs de Lorraine s'estompèrent rapidement. Les enfants de Laurent Dumontel l'accueillirent comme un nouveau membre de la famille, avec plaisir et curiosité. C'était donc elle, la fille de la Canadienne. Ils avaient longtemps cru que c'était l'œuvre de l'imagination paternelle. Même Caroline se montra avenante. Elle était accompagnée du nouvel homme de sa vie et ce bonheur récent avait effacé toutes les rancœurs qu'elle avait pu avoir contre Maurice. Lorraine admira pour sa part le premier arrière-petit-fils de Laurent, Raphaël, un adorable bébé qui souriait à celui qui le prenait dans ses bras. À la fin de la soirée, Maurice tendit une enveloppe à Lorraine.

— Notre cadeau de Noël.

— Mais nous avions dit : pas de cadeau entre nous.

— Ce n'est pas entre nous, c'est pour nous.

Curieuse, Lorraine ouvrit l'enveloppe et en sortit des billets d'avion pour Montréal.

— Tu me parles sans cesse d'Aurélie, même dans ton sommeil. Il est temps que tu fasses la paix avec elle.

— Tu sais, j'allais te proposer la même chose. Mais je pensais que tu voudrais attendre d'avoir terminé l'année scolaire. Si tu savais comme ça me touche…

Il la prit dans ses bras et elle s'y lova amoureusement.

— Tu n'es pas faite pour simplement contempler la montagne tous les matins.

— J'aimerais téléphoner à Martin.

Maurice regarda sa montre.

— À cette heure-ci, il n'est peut-être pas encore parti pour le manoir.

— Comment le sais-tu?

— Je lui ai parlé à midi. Je crois même que je l'ai réveillé. Je voulais qu'il annonce notre arrivée en douceur. On ne sait jamais avec les gens âgés.

— Tu prends le contrôle de ma vie?

— Je ne voulais pas te blesser.

Lorraine rit doucement.

— Avant, j'aurais interprété cela comme de la manipulation. Maintenant, je suis simplement contente que tu t'occupes de moi.

— Même les guerrières ont besoin de repos.

— Ce qui m'étonne encore, c'est tout ce chemin parcouru pour arriver à toi. Toutes ces années…

— Nous avions toutes ces choses à vivre pour nous trouver et nous reconnaître.

Lorraine appela Martin qui avait déjà son manteau sur le dos pour aller fêter Noël au manoir.

— Elle va bien?

— Elle s'ennuie parfois beaucoup, mais elle essaie de le cacher. Je vais lui annoncer ton arrivée, ce sera sans doute son plus beau cadeau de Noël.

— Elle m'en veut beaucoup?

— Ta présence lui fera oublier tout ça.

— Et toi, mon petit frère, tu m'en veux?

— Je n'ai jamais pu en vouloir longtemps à ma grande sœur.

Après avoir raccroché, Lorraine se dit qu'il n'était pas au courant de la lettre. Aurélie et Simone ne lui avaient rien dit, et c'était peut-être mieux ainsi. Elle ne lui en parlerait pas non plus.

Aurélie errait d'une pièce à l'autre, ajustant un cadre, une lampe, un coussin. Elle ne tenait plus en place. Beaucoup de photos prises par Lorraine ornaient les murs du salon et de la salle de séjour, formant une belle exposition de ses œuvres. La vieille dame s'arrêtait souvent pour les regarder, essayant de se rappeler le moment précis où elles avaient été prises. Simone s'occupait de la nourriture livrée par le traiteur. Jean-Paul montait de la cave les grands vins, principalement des bourgognes, qui seraient servis pendant le repas. Chaque fois qu'il passait près d'Aurélie, elle se retournait pour le fixer.

— Il paraît qu'avec ce changement de millénaire, les ordinateurs vont s'arrêter. Beaucoup de gens ont refusé de prendre l'avion à cause de ça. Si les ordinateurs de l'aéroport ou de l'avion tombaient en panne…

— Ne t'en fais donc pas, la vie existait avant les ordinateurs.

— Mais ils devraient déjà être ici…

— Il doit y avoir beaucoup de voitures sur les routes. Tout le monde veut fêter ce changement de millénaire. On annonce des feux d'artifice un peu partout.

— Le XXᵉ siècle se termine avec l'an 2000. Le nouveau millénaire commencera en 2001.

— Ce n'est qu'un repère sur un calendrier. Nous allons fêter l'arrivée du 2 qui mettra fin à la solitude du 1.

Aurélie lui caressa la joue.

— Je ne te dis pas assez souvent que je suis contente que tu sois là.

347

Simone arriva en courant au salon. De la cuisine, elle avait vu l'auto de Martin s'engager dans l'allée. Elle fit signe à Aurélie et se dirigea vers la porte pour accueillir les visiteurs. Jean-Paul alla déposer les bouteilles pendant qu'Aurélie avançait lentement vers l'entrée. Elle avait l'impression que ses jambes ne la supporteraient pas longtemps tellement elle était nerveuse. Simone prenait les manteaux, aidée de Martin qui entrait les bagages. Lorraine leva les yeux vers Aurélie qui se tenait dans le petit salon oriental près de l'entrée. Elles se regardèrent un moment sans rien dire. Lorraine s'approcha. Aurélie tendit les bras et lui caressa les épaules, trouvant ses yeux encore plus verts que dans son souvenir. Lorraine se pencha vers elle et la serra en retenant un sanglot. Elle avait envie soudain de lui dire «maman», mais le mot ne sortait pas. Elle se contenta de lui murmurer: «Pardonne-moi.» Elle pouvait maintenant accepter son passé et regarder avec sérénité son avenir. Aurélie avait fermé les yeux et sentait son cœur battre. L'absence avait été longue, mais peut-être, aussi, nécessaire.

Les deux femmes relâchèrent leur étreinte. Lorraine présenta Maurice Dumontel à Aurélie. La vieille dame regarda ses yeux bleus et chercha dans sa mémoire le portrait de Laurent. Maurice le savait, mais il avait bien le temps de tout lui raconter. Les jours à venir seraient faits de bavardages et de confidences. Il se contenta de murmurer qu'il n'était pas le fils de Laurent, même si celui-ci était son père. Aurélie lui sourit.

— Alors, vous me raconterez?
— C'est promis.

Tout le monde passa au salon. Lorraine sourit de voir Martin se comporter comme s'il était chez lui. Elle avait appris pendant le trajet que le sous-sol avait été aménagé pour Simone et lui et qu'Aurélie y avait même fait installer une table de billard. Martin se sentait visiblement bien dans sa nouvelle vie. Simone aussi. Elle avait quitté son uniforme de dame de compagnie et était très élégante dans sa robe de velours bleu nuit. Jean-Paul était toujours aussi discret. Lorraine le regardait d'un œil différent depuis qu'elle avait appris sa véritable relation avec Aurélie.

Aurélie nageait dans le bonheur, heureuse d'avoir autour d'elle une vraie famille, une famille qu'elle s'était choisie. Le manoir revivait, plus lumineux que jamais, et Aurélie savait maintenant qu'elle n'avait plus de soucis à se faire. La vie continuerait de l'habiter. Et quand elle vit Maurice caresser la main de Lorraine, quand elle vit les yeux de Lorraine devenir d'un vert presque phosphorescent, elle sut qu'elle y était pour quelque chose. Les Dumontel avaient maintenant un manoir où passer de beaux moments.

Une flûte de champagne à la main et bien vêtu pour affronter le froid, tout le monde alla dans le parc pour admirer au-dessus de Sorel les feux d'artifice qui saluaient minuit. Beaucoup de gens faisaient la même chose partout dans le monde, se rassemblant pour affirmer leur existence sur cette planète. Maurice aimait ce froid piquant, ces feux qui éclairaient momentanément les eaux sombres du fleuve, cette demeure chaleureuse. Il serra contre lui Lorraine qui leva son visage vers le sien. Puis la ronde des baisers et des vœux de bonheur circulèrent.

Aurélie embrassa Lorraine. La vie qui coulait dans ses veines prenait un nouveau sens. Peu importe ce qui arriverait, elle ne serait plus jamais seule, elle savait que quelqu'un, quelque part, penserait à elle.

Julien SAVARD — **Marie-Jeanne** DESROSIERS

Jules (10.12.1888 — 18.01.1963) + Violette POTVIN **(1892 — 1974)**
4 garçons: Adrien
3 filles: Eugénie - Émilie - Charlotte

Albert (18.10.1889 — 16.01.1962) + Rosemarie SÉNÉCAL **(1893 — 1961)**
1 garçon
3 filles

Mathilde (17.09.1890 — 14.11.1970) + Louis POIRIER **(1888 — 1965)**
2 garçons
1 fille

Lucien (17.03.1893 — 15.04.1966) + Antonine HÉBERT **(1897 — 1980)**
4 garçons
7 filles: Évelyne — Fabienne - Julienne

Aurélie (04.07.1894 — 02.07.1898)

Edmond (15.06.1896 — 20.09.1960) + Ariane BRUNET **(1898 — 1946)**

    Aurélie (14.07.1922 —) + Richard BEAULIEU **(1923 — 1994)**

        Laurence (1950 — 1950)

        Laurent (1951 — 1991) + Hélène LAVALLÉE **(1952 —)**
        Mélanie (1972 — 1988)

        Gisèle (1952 — 1998) + André PETITCLERC **(1951 —)**
        Benjamin (1979 — 1998)

    Charles (1925 — 1990) + Aline CÔTÉ **(1930 — 1995)**
    Raymond
    Nicole

    Roland (1926 — 1980) + Rita PÉLOQUIN **(1928 — 1986)**
    François

    Muriel (1936 — 1996) + Paul COURNOYER **(1935 — 1984)**
    Vincent - Matthieu

Adélaïde (10.05.1898 — 02.01.1920)

MEMBRE DE SCABRINI MEDIA

Québec, Canada
2004